Simon Beckett arbeitete als Hausmeister, Lehrer und Schlagzeuger, bevor er sich ganz dem Schreiben widmete. Als Journalist hatte er Einblick in die Polizeiarbeit. Dieses Wissen verarbeitet er in seinen Romanen. Seine ersten beiden Thriller um den forensischen Anthropologen Dr. David Hunter, *Die Chemie des Todes* und *Kalte Asche,* standen monatelang auf Platz 1 der Taschenbuch-Bestsellerliste. Für diese Bücher hat er auf der «Body Farm» in Tennessee recherchiert. Simon Beckett ist verheiratet und lebt in Sheffield.

SIMON BECKETT

LEICHENBLÄSSE

Thriller

Deutsch von Andree Hesse

Rowohlt Taschenbuch Verlag

Die Originalausgabe erschien 2009 unter dem Titel
«Whispers of the Dead» bei Bantam Press, London.

Veröffentlicht im Rowohlt Taschenbuch Verlag,
Reinbek bei Hamburg, August 2010
Copyright © 2009 by Rowohlt Verlag GmbH,
Reinbek bei Hamburg
«Whispers of the Dead» Copyright © 2009
by Hunter Publications Ltd.
Redaktion Katharina Gerhardt
Umschlaggestaltung any.way, Cathrin Günther,
nach einem Entwurf von PEPPERZAK BRAND
Satz Aldus PostScript, InDesign,
bei Pinkuin Satz und Datentechnik, Berlin
Druck und Bindung CPI – Clausen & Bosse, Leck
Printed in Germany
ISBN 978 3 499 24859 7

*Für meine Eltern,
Sheila und Frank Beckett*

KAPITEL 1

Die Haut.

Das größte Organ des Menschen ist zugleich das am wenigsten beachtete. Dabei macht es ein Achtel der gesamten Körpermasse aus und bedeckt bei einem durchschnittlichen Erwachsenen eine Fläche von etwa zwei Quadratmetern. Strukturell ist die Haut ein kunstvolles Geflecht aus Kapillargefäßen, Drüsen und Nerven, das sowohl regulierende als auch schützende Funktionen hat. Sie ist unsere sensorische Schnittstelle zur Außenwelt, die Grenze, an der unsere Individualität – unser *Ich* – endet.

Und selbst im Tod bleibt etwas von dieser Individualität erhalten.

Wenn der Körper stirbt, laufen die Enzyme, die das Leben unter Kontrolle gehalten hat, Amok. Sie zerstören die Zellwände und lassen deren wässrige Inhalte entweichen. Diese Flüssigkeiten steigen an die Oberfläche und sammeln sich unter den Hautschichten, die dadurch gelockert werden.

Haut und Körper, bis zu diesem Zeitpunkt zwei wesentliche Teile eines Ganzen, beginnen sich zu trennen. Blasen entstehen. Vollständige Hautabschnitte verrutschen und werden vom Körper abgeworfen wie ein überflüssiger Mantel an einem Sommertag.

Doch selbst tot und abgestreift behält die Haut Spuren

ihrer früheren Identität. Noch jetzt kann sie eine Geschichte erzählen und Geheimnisse bewahren.

Vorausgesetzt, man weiß, wonach man schauen muss.

Earl Bateman lag auf dem Rücken, das Gesicht der Sonne zugewandt. Am blauen, wolkenlosen Himmel Tennessees kreisten Vögel, langsam löste sich der Kondensstreifen eines Flugzeuges auf. Earl war immer ein Sonnenanbeter gewesen. Er hatte es genossen, wenn sie ihm beim Angeln auf der Haut gebrannt hatte, und er hatte das Flimmern der Sonnenstrahlen geliebt, die allem, was von ihnen berührt wurde, einen neuen Glanz verliehen. In Tennessee herrschte kein Mangel an Sonnenschein, aber Earl stammte ursprünglich aus Chicago, und die Kälte der eisigen Winter dort hatte sich in seinen Knochen festgesetzt.

Nachdem er in den siebziger Jahren nach Memphis gezogen war, hatte er schnell gemerkt, dass ihm die schwüle Wärme wesentlich mehr behagte als die windigen Straßen seiner Heimatstadt. Als Zahnarzt mit einer kleinen Praxis, der für eine junge Frau und zwei kleine Kinder sorgen musste, hatte er natürlich nicht so viel Zeit in der Natur verbringen können, wie er gewollt hätte. Aber er war sich ihrer immer bewusst gewesen. Er mochte sogar die drückende Sommerhitze in Tennessee, wenn sich jede Brise wie ein heißer Umschlag anfühlte und er die Abende mit Kate und den Jungen in der Schwüle ihrer beengten Wohnung verbrachte.

Seitdem hatte sich einiges verändert. Die Zahnarztpraxis hatte floriert, und die kleine Wohnung war längst Vergangenheit. Zwei Jahre zuvor war er mit Kate in ein neues, geräumiges Haus in einer guten Gegend gezogen, das einen großen grünen Garten hatte, wo sich das frühe Morgenlicht im feinen Sprühnebel der Rasensprenger brach, sodass winzige Regenbogen zu sehen waren. Hier konnte die wachsende Anzahl der Enkel gefahrlos spielen.

Genau in diesem Garten, als er sich gerade schwitzend und fluchend damit abquälte, einen abgestorbenen Ast von dem großen alten Goldregen zu sägen, hatte ihn der Herzinfarkt ereilt. Er hatte die Säge im Baum stecken gelassen und noch ein paar taumelnde Schritte zum Haus geschafft, ehe der Schmerz ihn niedergestreckt hatte.

Im Krankenwagen, eine Sauerstoffmaske auf seinem Gesicht, hatte er Kates Hand gehalten und sich ein Lächeln abgerungen, um sie zu beruhigen. In der Klinik war er von einer ganzen Schar Schwestern und Ärzte in Empfang genommen und eilig an piepende Maschinen angeschlossen worden. Als sie schließlich verstummten, war es eine Erleichterung gewesen. Kurz darauf, nachdem die notwendigen Formulare ausgefüllt worden waren und die unvermeidliche Bürokratie, die uns von Geburt an begleitet, ihren Lauf genommen hatte, war Earl entlassen worden.

Jetzt lag er ausgestreckt in der Frühlingssonne. Er war nackt und lag auf einem niedrigen Holzgestell über dem Teppich aus Rispengras und Laub. Er befand sich seit über einer Woche dort, sodass sich das Fleisch bereits aufgelöst hatte und man unter der mumifizierten Haut Knochen und Knorpel erkennen konnte. Ein paar Haarbüschel hingen noch am Schädel, aus dem leere Augenhöhlen in den klaren blauen Himmel starrten.

Ich beendete meine Messungen und trat aus dem Maschendrahtkäfig, der die Leiche des Zahnarztes vor Vögeln und Nagetieren schützte. Ich wischte mir den Schweiß von der Stirn. Es war später Nachmittag und schon sehr heiß, obwohl es noch früh im Jahr war. Alles stand kurz vor der Blüte; in ein oder zwei Wochen würde die Landschaft einen spektakulären Anblick bieten. Noch aber hielten die Birken und Ahorne der Wälder Tennessees ihr neues Wachstum zurück.

Der Hang, an dem ich stand, war nicht weiter bemerkenswert. Landschaftlich ganz schön, wenn auch nicht so spektakulär wie die imposanten Bergketten der Smoky Mountains, die sich in der Ferne erhoben. Es war allerdings ein völlig anderer Aspekt der Natur, der jeden Besucher hier in Bann schlug. Überall lagen menschliche Leichen in verschiedenen Stadien der Verwesung. Im Unterholz, der offenen Sonne ausgesetzt oder im Schatten; die jüngsten noch aufgebläht von den Gasen, die der Verwesungsprozess freigesetzt hatte, die älteren ausgedörrt, ledrig. Manche waren im Boden vergraben oder lagen in den Kofferräumen von Autos. Andere, wie die, die ich gerade untersucht hatte, wurden durch Netz- oder Drahtgitter geschützt und waren aufgebahrt wie Artefakte in einer schaurigen Kunstausstellung. Nur dass dieser Ort einen wesentlich ernsteren Zweck verfolgte. Und nicht für die Öffentlichkeit zugänglich war.

Ich verstaute Messgeräte und Notizblock in meiner Tasche und dehnte meine steif gewordene Hand. Dort, wo das Fleisch bis zum Knochen offen gelegen hatte, verlief ein schmaler, blasser Strich, der meine Lebenslinie genau in zwei Hälften teilte. Ziemlich passend, wenn man bedachte, dass das Messer letztes Jahr mein Leben beinahe beendet und es grundlegend verändert hatte.

Ich hängte mir die Tasche über die Schulter und streckte mich. Ein leichtes Zucken im Magen erinnerte mich daran, dass ich beim Tragen aufpassen musste. Die Narbe unterhalb meiner Rippen war vollständig verheilt, und in einigen Wochen würde ich die Antibiotika absetzen können, die ich in den letzten neun Monaten ständig hatte nehmen müssen.

Für den Rest meines Lebens würde ich zwar für Infektionen anfällig sein, ich schätzte mich aber glücklich, außer meiner Milz nur einen Teil des Darms verloren zu haben.

Dafür gab es andere Verluste, mit denen ich wesentlich schwerer zurechtkam.

Ich überließ den Zahnarzt seiner langsamen Verwesung, ging an einer dunkel verfärbten und aufgeblähten Leiche vorbei, die teilweise von Sträuchern verdeckt war, und folgte dem schmalen Pfad, der sich durch die Bäume nach unten schlängelte. Eine junge Schwarze in grauem Klinikkittel und Hosen kniete neben einer halbverborgenen Leiche, die im Schatten eines umgestürzten Baumstammes lag. Mit einer Pinzette sammelte sie sich windende Larven von den Überresten und ließ sie in einen kleinen, verschraubbaren Behälter fallen.

«Hi, Alana», sagte ich.

Sie schaute auf und lächelte mich mit gezückter Pinzette an.

«Hey, David.»

«Ist Tom in der Nähe?»

«Das letzte Mal habe ich ihn unten bei den Gruben gesehen. Und pass auf, wo du hintrittst», rief sie hinter mir her. «Dahinten in der Nähe der Büsche liegt ein Staatsanwalt im Gras.»

Ich hob dankend meine Hand und folgte dem Pfad hinab. Er verlief parallel zu einem hohen Maschendrahtzaun, der gut achttausend Quadratmeter Waldgebiet umgab. Der Zaun war mit einer Stacheldrahtkrone versehen und durch eine zweite Umfassung aus Holz abgeschirmt. Der einzige Zugang war ein großes Tor, an dem ein Schild hing, auf dem in schlichten schwarzen Buchstaben die Worte *Anthropology Research Facility* standen. Die anthropologische Forschungseinrichtung war jedoch besser unter einem anderen, weniger offiziellen Namen bekannt. Die meisten Leute nannten sie nur die *Body Farm.*

Die Farm der Leichen.

Eine Woche zuvor hatte ich mit den gepackten Taschen zu Füßen im gefliesten Flur meiner Londoner Wohnung gestanden. Draußen in der trüben Frühlingsdämmerung zwitscherten die Vögel. Im Geiste ging ich noch einmal die Liste der Dinge`durch, die ich nicht vergessen durfte, wohl wissend, dass ich bereits alles erledigt hatte. Die Fenster waren verschlossen, die Postlagerung war veranlasst, der Boiler war ausgestellt. Ich spürte eine tiefe, innere Unruhe. Das Verreisen war mir nicht fremd, aber dieses Mal war es etwas anderes.

Wenn ich zurückkam, würde niemand auf mich warten.

Das Taxi war unpünktlich, aber bis zum Abflug war noch genügend Zeit. Trotzdem sah ich ständig auf die Uhr. Mein Blick schweifte unwillkürlich zu den schwarzweißen viktorianischen Bodenfliesen wenige Meter vor mir. Sofort schaute ich wieder weg, aber da hatte das Schachbrettmuster bereits meine Erinnerung wachgerüttelt. Das Blut vor der Wohnungstür war längst weggewischt worden, genauso das von der Wand darüber. Der gesamte Eingangsbereich war neu gestrichen worden, während ich noch im Krankenhaus gelegen hatte. Äußerlich erinnerte nichts mehr daran, was sich im vergangenen Jahr dort abgespielt hatte.

Trotzdem kam augenblicklich Klaustrophobie in mir auf. Vorsichtig, um meine Narbe nicht zu sehr zu belasten, trug ich die Taschen nach draußen. Das Taxi kam, als ich gerade die Wohnungstür zumachte. Sie schloss sich mit einem dumpfen

Knall, der sich endgültig anhörte. Ohne einen Blick zurück wandte ich mich ab und ging zum Taxi, das Dieselschwaden verströmte.

Ich ließ mich nur bis zur nächsten U-Bahn-Station fahren und nahm die Piccadilly-Linie nach Heathrow. Obwohl es noch zu früh für den morgendlichen Berufsverkehr war, saßen ein paar Leute in den Abteilen, die es mit der typischen Gleichgültigkeit der Londoner vermieden, die anderen Fahrgäste anzuschauen.

Ich war heilfroh, die Stadt verlassen zu können. Es war das zweite Mal in meinem Leben, dass ich das Bedürfnis verspürte, London den Rücken zu kehren. Anders als beim ersten Mal, als ich nach dem Tod meiner Frau und meiner Tochter vor den Ruinen meines Lebens regelrecht geflohen war, wusste ich, dass ich zurückkommen würde. Aber ich benötigte etwas Abstand zwischen mir und den jüngsten Ereignissen. Dazu kam, dass ich seit Monaten nicht gearbeitet hatte. Durch diese Reise hoffte ich, wieder einen Zugang zu meinem Beruf zu finden.

Und zu klären, ob ich überhaupt noch dafür geeignet war.

Es gab keinen besseren Ort für diesen Zweck. Bis vor kurzem war die Forschungseinrichtung in Tennessee einzigartig gewesen; auf der ganzen Welt hatte es kein anderes Freiluftlaboratorium gegeben, in dem forensische Anthropologen die Verwesung an echten menschlichen Leichen studieren und wichtige Hinweise über Todeszeit und Todesart dokumentieren konnten. Mittlerweile war eine ähnliche Anlage in North Carolina aufgebaut worden, genau wie in Texas, nachdem man Bedenken wegen der dort lebenden Geier hatte entkräften können. Selbst in Indien sollte es eine geben, hatte ich gehört.

Aber egal, wie viele solcher Institute es geben mochte, in

den Augen der meisten Menschen war allein die Anlage in Tennessee *die* Body Farm. Sie befand sich in Knoxville und gehörte zum Institut für Forensische Anthropologie der Universität von Tennessee. Ich hatte das Glück gehabt, zu Beginn meiner Karriere dort zu forschen. Mein letzter Besuch war jedoch lange her. Zu lange, wie Tom Lieberman, der Direktor und mein damaliger Lehrer, mir gesagt hatte.

Als ich in Heathrow in der Abflughalle saß und durch die Glasscheiben den langsamen und stummen Tanz der Flugzeuge beobachtete, fragte ich mich, wie es sein würde, wieder zurückzukommen. Während der Monate der schmerzhaften Genesung nach meiner Entlassung aus dem Krankenhaus – und den noch schmerzhafteren Nachwirkungen – hatte mir die Aussicht auf den einmonatigen Aufenthalt dort eine Perspektive gegeben. Ich hatte ihn als einen Neuanfang gesehen, den ich dringend benötigte.

Jetzt, da ich tatsächlich unterwegs war, fragte ich mich zum ersten Mal, ob ich nicht zu viel Hoffnung in die Reise gesetzt hatte. Die Zweifel verließen mich auch während des langen Fluges nicht.

Als die Maschine in Knoxville landete, grummelten noch die Ausläufer eines Unwetters, das sich aber schnell verzog. Nachdem ich mein Gepäck abgeholt hatte, zeigte sich am Himmel schon wieder die Sonne. Auf dem Weg vom Flughafenterminal zur Autovermietung atmete ich tief ein und genoss die ungewohnte Feuchtigkeit in der Luft. Die Straßen dampften und verströmten einen scharfen Geruch nach nassem Asphalt. Vor dem Hintergrund der sich langsam zurückziehenden blauschwarzen Gewitterwolken ließen die letzten Regentropfen das üppige Grün der Landschaft um den Highway beinahe flirren.

Ich spürte, wie sich meine Stimmung aufheiterte, als

ich mich der Stadt näherte. *Doch, die Reise würde mir guttun.*

Jetzt, kaum eine Woche später, war ich mir nicht mehr so sicher. Ich folgte dem Pfad, der an einer Lichtung vorbeiführte, auf der ein hohes Dreibein aus Holz stand, das dem Gerüst eines Tipis ähnelte. In der Mitte lag eine Leiche auf einer Plattform und wartete darauf, hochgehoben und gewogen zu werden. Ich erinnerte mich an Alanas Warnung, verließ den Pfad, überquerte die Lichtung und ging zu einer Reihe geometrisch in den Waldboden eingelassener Betongruben. In ihnen waren als Teil eines Experiments, das die Wirkung von Bodenradar bei der Aufspürung von Leichen untersuchte, menschliche Überreste begraben.

Ein paar Meter weiter kniete ein hochgewachsener, schlaksiger Mann in hellen Baumwollhosen und mit einem Schlapphut, der ein Messgerät am Ende eines aus dem Boden stakenden Rohrs begutachtete.

«Wie läuft's?», fragte ich.

Er schaute nicht auf und schielte durch seine Drahtgestellbrille auf das Messgerät, das er vorsichtig mit einem Finger antippte. «Man sollte doch annehmen, dass man einen so starken Gestank problemlos wahrnehmen müsste, oder?», gab er zur Antwort.

Die dumpfen Vokale verrieten seine Herkunft von der Ostküste, den breiten Südstaatendialekt Tennessees hatte er sich nie angeeignet. Solange ich ihn kannte, war Tom Lieberman auf der Suche nach seinem persönlichen heiligen Gral: Er analysierte Molekül für Molekül die bei der Verwesung entstehenden Gase, um dem Geruch des Verfalls auf die Schliche zu kommen. Wer jemals eine tote Maus unter seinen Dielenbrettern liegen gehabt hat, kann bestätigen, dass er existiert, und er existiert auch dann noch, wenn der Mensch ihn längst nicht mehr wahrnimmt. Hunde können darauf abgerichtet werden, den Geruch noch Jahre nach der Beerdigung einer Leiche zu erschnüffeln. Tom vertrat die Theorie, dass es möglich sein müsste, einen Sensor zu entwickeln, der diese Aufgabe genauso gut bewerkstelligen konnte, was das Aufspüren und die Bergung von Leichen erheblich vereinfachen würde. Doch wie bei allen Dingen lagen Theorie und Praxis auch in diesem Fall sehr weit auseinander.

Mit einem Brummen, das entweder Frustration oder Befriedigung bedeuten konnte, stand er auf. «Okay, ich bin fertig», sagte er und zuckte zusammen, als seine Kniegelenke knackten.

«Ich wollte gerade in die Cafeteria und etwas essen. Kommst du mit?»

Er lächelte wehmütig und packte sein Equipment ein. «Heute nicht. Mary hat mir ein paar Sandwiches mitgegeben. Huhn und Bohnensprossen oder irgendetwas anderes ekelig Gesundes. Und bevor ich es vergesse, du bist am Wochenende zum Essen eingeladen. Sie scheint es sich in den Kopf gesetzt zu haben, dass du eine anständige Mahlzeit brauchst.» Er verzog das Gesicht. «Dich will sie aufpäppeln, und ich kriege nur Hasenfutter. Wo bleibt da die Gerechtigkeit?»

Ich lächelte. Toms Frau war eine großartige Köchin, und das wusste er. «Sag ihr, dass ich gern komme. Soll ich dir mit dem Kram helfen?», bot ich an, als er sich seine Tasche über die Schulter hängte.

«Nein, schon in Ordnung.»

Mir war klar, dass er sich Sorgen machte, ich könnte mich überanstrengen. Doch auch wenn er langsam zurück zum Tor ging, konnte ich sehen, wie er unter dem Gewicht der Tasche außer Atem geriet. Als ich Tom kennengelernt hatte, war er bereits Mitte fünfzig gewesen und hatte gern einen noch recht unerfahrenen britischen Anthropologen unterstützt. Das lag länger zurück, als ich mich erinnern mochte, und obwohl ich seitdem ein paarmal wiedergekommen war, war mein letzter Besuch eine Weile her. Wir erwarten, dass die Menschen so bleiben, wie wir sie in Erinnerung haben, aber natürlich ist das nie der Fall. Dennoch war ich bestürzt gewesen, wie sehr sich Tom verändert hatte, seit ich ihn das letzte Mal gesehen hatte.

Offiziell hatte er noch nicht bekannt gegeben, wann er als Direktor des Instituts für Forensische Anthropologie zurücktreten wollte, jeder wusste jedoch, dass es wahrscheinlich vor Ende des Jahres geschehen würde. Selbst der Artikel über ihn, der vor zwei Wochen in der Regionalzeitung von Knoxville erschienen war, hatte sich eher wie ein Nachruf denn wie ein Interview gelesen. Er sah zwar noch aus wie der Basketballspieler, der er einmal gewesen war, das Alter aber ließ den immer schon schmalen Mann regelrecht ausgemergelt erscheinen. Und seine Wangen waren so hohl geworden, dass sie ihm in Verbindung mit den größer werdenden Geheimratsecken ein sowohl asketisches als auch beängstigend gebrechliches Aussehen verliehen.

Das Funkeln in seinen Augen war jedoch unverändert, ebenso sein Humor und sein Glaube an das Gute im Menschen, der trotz der jahrelangen Beschäftigung mit den dunkleren Seiten des menschlichen Wesens ungetrübt geblieben war. *Und du bist selbst nicht völlig unversehrt,* dachte ich, als ich die hässliche Narbe unter meinem Hemd spürte.

Toms Kombi stand auf dem Parkplatz, der direkt an die Anlage grenzte. Wir blieben am Tor stehen und zogen Schutzhandschuhe und Überschuhe aus, bevor wir hinausgingen. Nachdem sich das Tor hinter uns geschlossen hatte, ließ nichts mehr erahnen, was sich auf der anderen Seite befand. Die Bäume hinter dem Zaun raschelten harmlos in der Brise, an den kahlen Ästen waren die ersten grünen Knospen zu sehen.

Sobald wir draußen waren, nahm ich mein Handy aus der Tasche und schaltete es wieder ein. Obwohl es nicht verboten war, wäre es mir unangenehm gewesen, die friedliche Stille in der Forschungseinrichtung mit Telefonklingeln zu stören. Dabei erwartete ich nicht einmal Anrufe. Die Leute, die mich hätten anrufen können, wussten, dass ich außer Landes war, und der Mensch, mit dem ich am meisten hätte sprechen wollen, würde sich nicht melden. Trotzdem merkte ich, dass ich auf den Ton wartete, der ankündigte, dass ich eine Nachricht erhalten hatte. Doch das Handy blieb stumm.

Was hast du denn erwartet?

Ich steckte das Telefon weg, während Tom den Kofferraum öffnete und seine Tasche hineinschob. Er versuchte, sein Schnaufen vor mir zu verbergen, und ich bemühte mich, so zu tun, als würde ich es nicht bemerken.

«Soll ich dich zur Cafeteria mitnehmen?», bot er an.

«Nein danke. Ich werde zu Fuß gehen. Die Bewegung tut mir gut.»

«Bewundernswerte Disziplin. Du beschämst mich.» Sein Handy klingelte. Er zog es hervor und schaute auf das Display. «Entschuldige, ich muss rangehen.»

Ich ließ ihn allein und ging über den Parkplatz. Die Body Farm lag zwar auf dem Campus der medizinischen Abteilung der Universität von Tennessee, war aber völlig unabhängig von ihr. Versteckt am bewaldeten Rand des Geländes, war sie eine ganz andere Welt als die belebte Klinik, in deren modernen Gebäuden und parkähnlichen Grünanlagen es vor Patienten, Studenten und medizinischem Personal nur so wimmelte. Auf einer Bank lachte eine Krankenschwester mit einem jungen Mann in Jeans, eine Mutter schimpfte mit ihrem weinenden Kind, während ein Geschäftsmann eine lebhafte Diskussion am Handy führte. Als ich zum ersten Mal hier gewesen war, hatte ich den Kontrast zwischen den hinter dem Zaun versteckten Verwesungsprozessen und der geschäftigen Normalität davor schwer ertragen. Jetzt nahm ich ihn kaum noch wahr.

Mit der Zeit gewöhnt man sich an alles.

Ich trabte eine Treppe hoch und ging dann den Weg entlang, der zur Cafeteria führte. Zufrieden bemerkte ich, dass ich kaum außer Atem war. Nach einer Weile hörte ich hinter mir heraneilende Schritte.

«Hey, David, warte!»

Ich drehte mich um und sah einen Mann auf mich zukommen, der ungefähr so alt und so groß war wie ich. Paul Avery war einer der neuen Hoffnungsträger des Instituts und wurde bereits als Toms Nachfolger gehandelt. Er war Spezialist für die menschliche Skelettbiologie, verfügte über ein enzyklopädisches Wissen und hatte die großen Hände und kräftigen Finger eines Chirurgen.

«Gehst du zum Essen?», fragte er, während er neben mir langsamer wurde. Sein gelocktes Haar war beinahe pechschwarz, und auf seinem Kinn wuchsen dunkle Stoppeln. «Was dagegen, wenn ich dich begleite?»

«Überhaupt nicht. Wie geht's Sam?»

«Gut. Sie hat sich heute Morgen mit Mary getroffen, um noch ein paar Babysachen zu besorgen. Bestimmt ist die Kreditkarte im Dauereinsatz.»

Ich lächelte. Paul hatte ich vor dieser Reise nicht gekannt, aber sowohl er als auch seine schwangere Frau Sam hatten alles getan, damit ich mich hier wohl fühlte. Sie stand kurz vor der Geburt ihres ersten Kindes, und während Paul sein Bestes gab, um gleichgültig zu wirken, unternahm Sam keinen Versuch, ihre Aufregung zu verbergen.

«Gut, dass ich dich getroffen habe», sagte er. «Einer meiner Studenten hat sich verlobt, deswegen wollen wir heute Abend mit ein paar Leuten in die Stadt fahren, um zu feiern. Keine große Sache, nur etwas essen und ein paar Drinks. Hast du Lust, mitzukommen?»

Ich zögerte. Ich wusste die Einladung zu schätzen, aber der Gedanke, mit Unbekannten auszugehen, behagte mir nicht.

«Sam kommt mit und Alana auch, du kennst also ein paar Leute», fügte Paul hinzu, als er mein Zögern sah. «Komm schon, es wird lustig.»

Mir fiel kein Grund mehr ein, nein zu sagen. «Na schön, okay. Danke.»

«Super. Ich hole dich um acht in deinem Hotel ab.»

In dem Moment ertönte eine Autohupe. Als wir uns umschauten, sahen wir Toms Wagen, der am Straßenrand anhielt. Tom kurbelte das Fenster herunter und winkte uns zu sich.

«Ich habe gerade einen Anruf vom Tennessee Bureau of Investigation bekommen. Sie haben in einer Berghütte in der Nähe von Gatlinburg eine Leiche gefunden. Klingt ganz interessant. Wenn du Zeit hast, Paul, könntest du mitkommen und dir die Sache ansehen?»

Paul schüttelte bedauernd den Kopf. «Heute Nachmittag geht's nicht. Kann nicht einer von deinen Studenten mitkommen?»

«Könnte wohl schon.» Tom wandte sich ohne Eile an mich, aber das Funkeln in seinen Augen war nicht zu übersehen. «Wie sieht's mit dir aus, David? Lust auf ein bisschen praktische Arbeit?»

KAPITEL 2

Auf dem Highway aus Knoxville hinaus herrschte zäh flie-
ßender Verkehr. Obwohl es noch so früh im Jahr war, war es
bereits so warm, dass man im Wagen die Klimaanlage anschalten musste. Tom hatte das Navigationsgerät programmiert,
damit wir uns nicht verfuhren, wenn wir die Berge erreichten.
Er summte beim Fahren leise vor sich hin, ein Zeichen für
seine Vorfreude, wie ich mittlerweile wusste. Die Realität der
Body Farm war zwar grausam genug, aber die Menschen, die
ihre Leichen der Forschung überlassen hatten, waren eines
natürlichen Todes gestorben. Diese Sache war etwas anderes.

Nun wartete der Ernstfall auf uns.

«Es sieht also nach Mord aus?» Wahrscheinlich, sagte ich
mir, denn sonst wäre das Tennessee Bureau of Investigation
nicht eingeschaltet worden. Das TBI war praktisch das Lan-
deskriminalamt des Staates Tennessee, eine Unterbehörde
des amerikanischen Bundeskriminalamtes FBI, für das Tom
als Berater arbeitete. Da der Anruf von den Staatsbeamten
und nicht von der örtlichen Polizei gekommen war, konnte
man davon ausgehen, dass die Sache ernst war.

Tom hielt seinen Blick auf die Straße gerichtet. «Scheint
so. Viel hat man mir nicht erzählt, aber es hat sich so an-
gehört, als wäre die Leiche in einem schlimmen Zustand.»

Ich begann unerklärlicherweise nervös zu werden. «Gibt
es keine Probleme, wenn ich mitkomme?»

Tom sah überrascht aus. «Warum sollte es? Ich nehme oft jemanden als Hilfe mit.»

«Ich meine, weil ich Brite bin.» Ich hatte die üblichen Visa und eine Arbeitserlaubnis beantragen müssen, um herzukommen, aber mit so etwas hatte ich nicht gerechnet. Ich war mir nicht sicher, ob ich bei einer offiziellen Ermittlung willkommen war.

Er zuckte mit den Achseln. «Ich kann mir nicht vorstellen, warum das ein Problem sein sollte. Der Fall betrifft ja kaum die nationale Sicherheit, und wenn jemand fragt, bürge ich für dich. Oder du hältst einfach den Mund und hoffst, dass keiner deinen Akzent bemerkt.»

Lächelnd schaltete er den CD-Player ein. Was für andere Menschen Zigaretten oder Whiskey war, war für Tom Musik. Er behauptete, dass sie ihm nicht nur half, einen klaren Kopf zu kriegen, sondern auch seine Gedanken zu sammeln. Seine Lieblingsdroge war der Jazz der fünfziger und sechziger Jahre, und mittlerweile hatte ich die Handvoll Alben, die in seinem Auto lagen, oft genug gehört, um die meisten wiederzuerkennen.

Während ein Stück von Jimmy Smith rhythmisch aus den Lautsprechern drang, seufzte Tom leise auf und lehnte sich selbstvergessen zurück.

Ich betrachtete die Landschaft Tennessees, die am Wagen vorbeiglitt. Vor uns erhoben sich die Smoky Mountains, gehüllt in den bläulichen Dunst, nach dem sie benannt waren. Ihre bewaldeten Hänge erstreckten sich wie ein wogendes, grünes Meer zum Horizont und bildeten einen starken Kontrast zu den grellen, funktionalen Fastfoodrestaurants, Bars und Supermärkten, die den Highway säumten und über denen ein Netz aus Stromleitungen verlief.

London und England schienen weit, weit weg zu sein.

Mit der Reise hierher wollte ich neuen Lebensmut schöpfen und ein paar der Fragen klären, die mir keine Ruhe ließen. Ich wusste, dass mir nach meiner Rückkehr einige schwere Entscheidungen bevorstanden. Mein Zeitvertrag an der Universität in London war während meiner Genesungszeit ausgelaufen. Man hatte mir eine feste Anstellung in Aussicht gestellt, zudem hatte ich ein Angebot von einer der besten schottischen Universitäten erhalten. Außerdem hatte die Forensic Search Advisory Group, eine interdisziplinäre Beratungsfirma, die der Polizei beim Aufspüren von Leichen half, vorsichtig Interesse an meinen Diensten bekundet. Das war alles sehr schmeichelhaft und hätte mich erfreuen sollen, doch ich konnte mich für keine dieser Möglichkeiten begeistern. Ich hatte gehofft, mein Aufenthalt hier würde das ändern.

Bisher war das noch nicht geschehen.

Ich seufzte und rieb unbewusst mit dem Daumen über die Narbe auf meiner Handfläche. «Alles in Ordnung bei dir?», fragte Tom und schaute mich von der Seite an.

Ich schloss meine Hand um die Narbe. «Ja.»

Er akzeptierte meine Antwort ohne Kommentar. «In der Tasche auf dem Rücksitz sind Sandwiches. Wollen wir uns die nicht teilen, bevor wir da sind?» Er lächelte schief. «Ich hoffe, du magst Bohnensprossen.»

Der Wald um uns herum wurde immer dichter, je näher wir den Bergen kamen. Wir fuhren durch Pigeon Forge, einen trubeligen Urlaubsort, der nur aus Bars und Restaurants zu bestehen schien. Ein Diner, an dem wir vorbeikamen, war bis zu den aus Plastik nachgebildeten Holzblöcken im Wildweststil gehalten. Ein paar Meilen weiter erreichten wir Gatlinburg, ebenfalls eine Touristenstadt, deren Atmosphäre im Gegensatz zu Pigeon Forge allerdings zurückhaltender wirkte. Sie lag direkt am Fuß der Berge, und obwohl die Motels und Läden um Aufmerksamkeit heischten, konnten sie mit dem sie umgebenden Naturschauspiel nicht mithalten.

Nachdem wir die Stadt verlassen hatten, gelangten wir in eine andere Welt. Die Straße schlängelte sich steile, dicht bewaldete Hänge empor. Die Bäume warfen lange Schatten. Die Smoky Mountains, ein Teil der riesigen Appalachen, waren achthundert Quadratmeilen groß und erstreckten sich entlang der Grenze zwischen Tennessee und North Carolina. Sie waren zum Nationalpark erklärt worden, obwohl ich beim Blick aus dem Autofenster dachte, dass sich die Natur um solche Auszeichnungen wohl kaum scherte. Das hier war eine Wildnis, die selbst heute noch vom Menschen größtenteils unberührt geblieben war. Wenn man wie ich von einer dicht besiedelten Insel wie England kam, fühlte man sich angesichts dieser schieren Weite augenblicklich klein und nichtig.

Es herrschte immer weniger Verkehr. In ein paar Wochen würde die Gegend wesentlich belebter sein, doch noch war Frühling, und mit der Zeit begegneten uns kaum noch andere Fahrzeuge. Nach ein paar weiteren Meilen bog Tom auf eine Schotterstraße.

«Dürfte nicht mehr weit sein …» Er schaute auf das am Armaturenbrett installierte Navi und spähte dann nach vorn. «Aha, wir sind da.»

An einem schmalen Weg stand ein Schild, auf dem «Schroeder Cabins, Nr. 5–13» zu lesen war. Nachdem Tom abgebogen war, stöhnte das Automatikgetriebe unter der Steigung. Zwischen den Bäumen erkannte ich die flachen Dächer der Hütten, die in einigem Abstand voneinander im Wald lagen.

Vor uns säumten Polizeiwagen und Zivilfahrzeuge, die wohl zum TBI gehörten, beide Seiten des Pfades. Als wir näher kamen, stellte sich uns ein uniformierter Polizeibeamter in den Weg und legte eine Hand auf seine Waffe, die im Holster am Gürtel steckte.

Tom hielt an und kurbelte das Fenster herunter, doch der Polizist ließ ihn gar nicht erst zu Wort kommen.

«Sir, hier geht's nicht weiter. Sie müssen umdrehen und wegfahren.»

Er sprach mit dem tiefsten Südstaatenakzent und benutzte seine Höflichkeit unerbittlich und unnachgiebig wie eine Waffe. Tom lächelte ihn an.

«Alles in Ordnung. Würden Sie Dan Gardner sagen, dass Tom Lieberman da ist?»

Der Polizist entfernte sich ein paar Schritte und sprach in sein Funkgerät. Was er zu hören bekam, schien ihn zu beruhigen.

«Okay. Parken Sie dort hinter den anderen Fahrzeugen.»

Tom tat, was ihm gesagt worden war. Die Nervosität, die in mir aufgekommen war, hatte sich zu einem tiefen Unbehagen verfestigt, als wir parkten. Ich sagte mir, dass ein paar Schmetterlinge im Bauch völlig verständlich waren; schließlich war ich nach meiner Genesung noch eingerostet und hatte nicht damit gerechnet, an einer Mordermittlung teilzunehmen. Aber ich wusste auch, dass das nicht der eigentliche Grund für meine Unruhe war.

«Bist du dir sicher, dass es in Ordnung ist, wenn ich hier bin?», fragte ich. «Ich möchte niemandem auf die Füße treten.»

Tom hatte offenbar keine Bedenken. «Mach dir keine Sorgen. Wenn jemand fragt, sagst du, dass du zu mir gehörst.»

Wir stiegen aus dem Wagen. Im Gegensatz zur Stadt war die Luft frisch und sauber und roch nach wilden Blumen und Lehm. Die tiefstehende Nachmittagssonne strahlte durch die Äste und ließ die grünen Knospen wie dicke Smaragde funkeln. In dieser Höhe und im Schatten der Bäume war es ziemlich kühl, was die Erscheinung des Mannes, der auf uns zukam, noch seltsamer machte. Er trug Anzug und Krawatte, hatte sich das Jackett jedoch über den Arm gelegt, sodass man die dunklen Schweißflecken auf seinem hellblauen Hemd sehen konnte. Sein Gesicht war rot und erhitzt, als er Tom die Hand schüttelte.

«Danke, dass du gekommen bist, Tom. Ich wusste nicht, ob du noch im Urlaub bist.»

«Nicht mehr.» In der Woche vor meiner Ankunft waren Tom und Mary gerade erst aus Florida wiedergekommen. Er hatte mir erzählt, dass er sich noch nie in seinem Leben so gelangweilt hatte.

«Dan, ich möchte dir Dr. David Hunter vorstellen. Er besucht gerade unser Institut. Ich habe gesagt, es wäre in Ordnung, wenn er mitkommt.»

Das war nicht als Frage formuliert. Der Mann wandte sich an mich. Ich schätzte ihn auf Ende fünfzig, sein wettergegerbtes, abgehärmtes Gesicht war von tiefen Falten durchzogen. Das ergraute Haar war kurz geschnitten und wie mit einem Lineal gescheitelt.

Er reichte mir die Hand. Sein Griff war fest genug, um eine Herausforderung zu sein, die Haut fühlte sich trocken und schwielig an.

«Dan Gardner. Ich bin der verantwortliche Special Agent. Freut mich, Sie kennenzulernen.»

Ich vermutete, sein Titel entsprach dem eines leitenden Ermittlungsbeamten in England. Er sprach mit dem unverwechselbaren, nasalen Singsang Tennessees, seine Gelassenheit war jedoch trügerisch. Sein Blick war stechend und wachsam. Abschätzend.

26

«Und, was habt ihr?», fragte Tom und griff nach seinem Equipment im Heck des Kombis.

«Lass mich das machen», sagte ich und hob den Koffer für ihn heraus. Narbe hin oder her, ich war besser in Form als Tom. Dieses Mal entgegnete er nichts.

Der TBI-Agent wandte sich zum Pfad um, der durch die Bäume führte. «Die Leiche liegt in einer Ferienhütte. Der Verwalter hat sie heute Morgen gefunden.»

«Definitiv Mord?»

«Allerdings.»

Er beließ es dabei. Tom schaute ihn neugierig an, fragte aber nicht nach Einzelheiten. «Schon identifiziert?»

«Wir haben eine Brieftasche mit Kreditkarten und einen Führerschein gefunden, aber wir können nicht mit Sicherheit sagen, ob sie dem Opfer gehörte. Die Leiche ist schon viel zu verwest, um irgendetwas mit dem Foto anfangen zu können.»

«Irgendeine Ahnung, wie lange sie schon hier ist?», fragte ich, ohne nachzudenken.

Gardner runzelte die Stirn, und ich erinnerte mich daran, dass ich nur hier war, um Tom zu helfen. «Ich hatte gehofft, das könnt ihr uns sagen», antwortete der TBI-Agent eher an Tom als an mich gerichtet. «Der Pathologe ist noch hier, aber er kann uns nicht viel erzählen.»

«Wer ist der Pathologe? Scott?», fragte Tom.

«Nein, Hicks.»

«Aha.»

In der Art, wie Tom es sagte, lag eine Fülle von Bedeutungen, von denen keine schmeichelhaft war. Aber im Moment beunruhigte mich eher, wie er sich den steilen Pfad hinaufquälte.

«Einen Augenblick», sagte ich, stellte seinen Koffer ab und tat so, als würde ich mir die Schnürsenkel binden. Gardner sah sich verärgert um, Tom holte jedoch erleichtert Luft, während er vorgab, seine Brille zu putzen. Dann betrachtete er vielsagend die dunklen Schweißflecken auf dem Hemd des Polizisten.

«Entschuldige, dass ich frage, Dan, aber ist alles in Ordnung mit dir? Du siehst ein bisschen … na ja, fiebrig aus.»

Gardner schaute hinab auf sein durchnässtes Hemd, als würden ihm die Flecken erst jetzt auffallen. «Sagen wir mal, es ist ziemlich heiß dadrinnen. Wart's ab.»

Wir marschierten weiter. Der Pfad wurde ebener und führte vom Wald auf eine Lichtung. Von einem mit Unkraut überwucherten Schotterweg zweigten Pfade zu den zwischen den Bäumen versteckten Hütten ab. Wir gingen zu einer Hütte am äußersten Rand der Lichtung, die ein gutes Stück abseits von den anderen lag. Sie war klein, die Holzwände waren verwittert. Der Weg, der zu ihrer Tür führte, war mit einem leuchtend gelben Flatterband abgesperrt, auf dem in großen schwarzen Buchstaben POLICE LINE, DO NOT CROSS stand. Überall herrschte Betriebsamkeit.

Dies war das erste Mal, dass ich an einem Tatort in den Vereinigten Staaten war. Größtenteils war es genau so, wie ich es von zu Hause gewohnt war, die feinen Unterschiede waren allerdings spürbar, was mir die Szenerie unwirklich erscheinen ließ. Neben der Hütte stand eine Gruppe der Spurensicherung des TBI, Beamte in weißen Overalls mit erhitzten und verschwitzten Gesichtern, die durstig aus Wasserflaschen tranken. Gardner führte uns zu einer jungen Frau in einem eleganten Kostüm, die mit einem übergewichtigen Mann sprach, dessen kahler Kopf wie ein poliertes Ei glänzte. Er war völlig unbehaart und hatte nicht einmal Augenbrauen oder Wimpern, wodurch er einerseits wie ein Baby und anderseits wie eine Schildkröte aussah.

Als wir näher kamen, drehte er sich zu uns um und öffnete beim Anblick von Tom seine schmalen Lippen zu einem Lächeln. Aber es wirkte humorlos.

«Hab mich schon gefragt, wann Sie auftauchen, Lieberman.»

«Ich bin gleich nach dem Anruf losgefahren, Donald», sagte Tom freundlich.

«Es überrascht mich, dass ein Anruf nötig war. Die Leiche müsste man bis nach Knoxville riechen.»

Er kicherte unbekümmert, auch wenn den Witz sonst niemand lustig fand. Ich vermutete, dass das Hicks war, der Pathologe, den Gardner erwähnt hatte. Die junge Frau, mit der er gesprochen hatte, war schlank, dabei athletisch wie eine Turnerin. Sie hatte eine beinahe militärische Haltung, die durch das marineblaue Kostüm und das kurzgeschnittene, dunkle Haar noch betont wurde. Sie trug kein Make-up und benötigte auch keines. Allein ihr Mund passte nicht zu ihrer klinischen Erscheinung: Die vollen und geschwungenen Lippen deuteten eine Sinnlichkeit an, die der Rest von ihr zu verbergen bemüht war.

Sie schaute mich kurz mit ihren grauen Augen an, ein Blick, der ausdruckslos und kühl taxierend zugleich war. Das Weiße in den Augen leuchtete im Kontrast zu ihrer leicht gebräunten Haut, wodurch sie einen unglaublich gesunden und frischen Eindruck machte.

Gardner stellte sie vor. «Tom, das ist Diane Jacobsen. Sie ist gerade erst zum Ermittlungsteam gestoßen. Das hier ist ihr erster Mordfall, und ich habe mit dir und dem Institut ordentlich angegeben, also enttäusche mich nicht.»

Offenbar ungerührt von Gardners Versuch, humorvoll zu sein, streckte sie ihre Hand aus. Auch Toms warmes Lächeln erwiderte sie mit einem undurchdringlichen Blick. Ich war mir nicht sicher, ob sie von Natur aus ein zurückhaltendes Wesen hatte oder ob sie sich nur sehr bemühte, professionell zu wirken.

Hicks' Mund zuckte verärgert, als er Tom beobachtete. Dann bemerkte er, dass ich ihn anschaute, und deutete gereizt mit dem Kinn in meine Richtung.

«Wer ist das?»

Er sprach, als wäre ich nicht da. «Ich bin David Hunter», sagte ich, obwohl die Frage nicht an mich gerichtet war. Irgendwie war mir klar, dass es sinnlos gewesen wäre, ihm die Hand zu geben.

«David arbeitet zurzeit mit uns im Institut zusammen. Er ist freundlicherweise mitgekommen, um mir zu helfen», sagte Tom. «Arbeitet mit uns zusammen» war ein bisschen übertrieben, aber ich wollte nicht spitzfindig werden.

«Ein Engländer?», bemerkte Hicks, der anscheinend meinen Akzent erkannt hatte. Ich spürte, wie mein Gesicht glühte, als mich erneut der kühle Blick der jungen Frau traf. «Jetzt lassen Sie schon Touristen an den Tatort, Gardner?»

Ich hatte gewusst, dass meine Anwesenheit eine gewisse Unruhe verursachen würde, die auch ein Fremder bei einer britischen Ermittlung ausgelöst hätte. Dennoch ärgerte mich seine Reaktion. Doch da ich Toms Gast war, verkniff ich mir eine Entgegnung. Gardner selbst sah alles andere als glücklich aus, als sich Tom einschaltete.

«Dr. Hunter ist auf meine Einladung hier. Er ist einer der besten forensischen Anthropologen Englands.»

Hicks schnaubte ungläubig. «Ach, und Sie meinen, wir haben hier nicht genug davon, oder wie?»

«Ich schätze seine Fachkenntnis», entgegnete Tom ruhig. «So, wenn wir das geklärt hätten, würde ich jetzt gern anfangen.»

Hicks trat übertrieben höflich zur Seite. «Nur zu. Glauben Sie mir, diese Sache überlasse ich Ihnen gerne.»

Er marschierte davon. Tom und ich ließen die beiden TBI-Beamten vor der Hütte allein und gingen zu einem Klapptisch, auf dem Kartons mit Overalls, Handschuhen, Überschuhen und Masken standen. Ich wartete, bis wir außer Hörweite waren.

«Tom, vielleicht ist das doch keine gute Idee. Ich warte lieber im Wagen.»

Er lächelte. «Vergiss Hicks. Er arbeitet im Leichenschauhaus der Uniklinik, deshalb kommen wir uns manchmal in die Quere. Er hasst es, dass er sich uns in solchen Situationen unterordnen muss. Teilweise aus Neid auf unseren Job, aber hauptsächlich einfach deshalb, weil der Mann ein Arschloch ist.»

Obwohl mir klar war, dass er mich beruhigen wollte, fühlte ich mich nicht besser. Ich kannte die Situation an Tatorten, aber mir war deutlich bewusst, hier fehl am Platz zu sein.

«Ich weiß nicht …», begann ich.

«Es ist kein Problem, David. Du tust mir einen Gefallen, wirklich.»

Ich beließ es dabei, aber meine Zweifel blieben. Eigentlich hätte ich Tom dankbar sein sollen. Nur wenige britische Forensiker erhielten jemals die Gelegenheit, an einer Mordermittlung in den Staaten mitzuarbeiten. Doch aus irgendeinem Grund war ich nervöser denn je. Es lag auch nicht an Hicks' Feindseligkeit, da hatte ich schon wesentlich Schlimmeres erlebt. Nein, es lag allein an mir. Irgendwann in den letzten Monaten hatte ich offenbar zu allem Überfluss auch noch mein Selbstvertrauen verloren.

Komm schon, reiß dich zusammen. Du darfst Tom nicht enttäuschen.

Gardner kam zu uns, als wir gerade die Plastikbeutel mit den Overalls aufrissen.

«Ihr solltet euch darunter besser bis auf die Unterhose ausziehen. In der Hütte ist es tierisch heiß.»

Tom schnaubte. «Seit ich in der Schule war, habe ich mich nicht mehr in der Öffentlichkeit ausgezogen. Und jetzt werde ich nicht wieder damit anfangen.»

Gardner schlug nach einem Insekt, das um sein Gesicht herumschwirrte. «Sag nicht, ich hätte dich nicht gewarnt.»

Ich teilte Toms Schamgefühl nicht, folgte aber dennoch seinem Beispiel. Mir war schon unbehaglich genug, ohne dass ich mich bis auf die Boxershorts auszog. Außerdem war erst Frühling, und die Sonne begann bereits unterzugehen. Wie heiß konnte es in der Hütte schon sein?

Gardner wühlte durch die Kartons, bis er ein Glas mit Mentholsalbe gefunden hatte. Nachdem er sich einen dicken Streifen unter die Nase geschmiert hatte, bot er sie Tom an.

«Die wirst du brauchen.»

Tom lehnte ab. «Nein danke. Mein Geruchssinn ist nicht mehr das, was er einmal war.»

Gardner reichte das Glas schweigend an mich weiter. Normalerweise verwendete ich auch keine Mentholsalbe. Wie Tom war mir der Geruch der Verwesung nicht fremd, und nach der letzten Woche auf der Body Farm hatte ich mich wieder voll und ganz daran gewöhnt. Trotzdem nahm ich das Glas und schmierte mir die parfümierte Salbe über die Oberlippe. Durch den stechenden Geruch tränten mir sofort die Augen. Ich holte tief Luft und versuchte, meine blankliegenden Nerven zu beruhigen. *Was ist nur los mit dir? Du benimmst dich, als wäre das dein erstes Mal.*

Die Sonne schien mir warm auf den Rücken, während ich darauf wartete, dass Tom fertig wurde. Sie stand bereits tief über den Baumkronen, blendete und sank langsam in Richtung Abend. Und morgen würde sie wieder aufgehen, egal, was hier passierte, sagte ich mir.

Tom zog den Reißverschluss seines Overalls zu und setzte ein vergnügtes Lächeln auf. «Dann schauen wir mal, was wir haben.»

Wir streiften uns die Latexhandschuhe über und folgten dem überwucherten Pfad zur Hütte.

KAPITEL 3

Die Tür der Hütte war verschlossen. Gardner blieb davor stehen. Er hatte sein Jackett auf dem Klapptisch liegengelassen und Plastikhandschuhe und -überschuhe angezogen. Nun setzte er eine weiße Operationsmaske auf. Ich sah ihn tief Luft holen, bevor er die Tür öffnete und wir hineingingen.

Ich hatte Leichen in allen möglichen Zuständen gesehen. Ich wusste, wie furchtbar die verschiedenen Stadien der Verwesung rochen, und konnte sie sogar am Geruch unterscheiden. Ich hatte Leichen vorgefunden, die bis auf die Knochen verbrannt waren oder nach Wochen unter Wasser nur noch aus suppigem Schleim bestanden hatten. Keiner dieser Anblicke war angenehm, aber das gehörte zu meiner Arbeit, und ich dachte, ich hätte mich daran gewöhnt.

Doch so etwas hatte ich noch nie erlebt. Der ekelig süße, an verdorbenen Käse erinnernde Gestank des verwesten Fleisches war beinahe greifbar. Er schien destilliert und konzentriert worden zu sein und drang durch den Mentholdunst unter meiner Nase, als hätte ich die Salbe gar nicht aufgetragen. In der Hütte wimmelte es von Fliegen, die aufgeregt um uns herumschwirrten, aber das war fast nebensächlich, verglichen mit der Hitze.

Die Hütte war wie eine Sauna.

Tom verzog das Gesicht. «Mein Gott …»

«Hab dir gesagt, zieh dich aus», brummte Gardner.

Der Raum war klein und spärlich möbliert. Einige Beamte der Spurensicherung hatten in ihrem Tun innegehalten und sich zu uns umgeschaut, als wir hereingekommen waren. Die Rollläden vor den Fenstern auf beiden Seiten der Tür waren hochgezogen worden, sodass das Tageslicht hereinschien. Der Boden bestand aus schwarzgestrichenen Dielenbrettern, auf denen abgetretene Läufer lagen. Über dem Kamin hing ein verstaubtes Geweih an der Wand, vor einer anderen standen eine schmutzige Spüle, Herd und Kühlschrank. Der Rest des Mobiliars – Fernseher, Sofa und Sessel – war an die Seite geschoben worden, sodass in der Mitte des Raumes nur noch ein kleiner Esstisch stand.

Darauf lag die Leiche.

Sie war nackt und lag auf dem Rücken, Arme und Beine hingen über die Tischkanten. Angeschwollen durch Gase, ähnelte der Torso einer zu voll gestopften Reisetasche, die aufgeplatzt war. Maden strömten aus der Leiche auf den Boden, und zwar derart viele, dass sie aussahen wie übergekochte Milch. Neben dem Tisch stand ein elektrischer Heizkörper, der rot glühte. Ich sah, wie eine Made auf das Gerät fiel und sich zischend und brutzelnd auflöste.

Vervollständigt wurde das Bild durch einen Stuhl, der neben den Kopf des Opfers gestellt worden war. Erst dachte ich mir nicht viel dabei, doch dann begann ich mich zu fragen, warum er dort stand.

Jemand hatte sich genau anschauen wollen, was er tat.

Wir waren alle auf der Türschwelle stehen geblieben. Selbst Tom schien sprachlos zu sein.

«Wir haben alles so gelassen, wie wir es vorgefunden haben», sagte Gardner. «Ich dachte, du willst die Temperatur selbst messen.»

Er stieg in meiner Achtung. Obwohl die Temperatur ein wichtiger Faktor bei der Bestimmung der Todeszeit ist, war ich noch nicht vielen Ermittlungsbeamten begegnet, die daran gedacht hätten. In diesem Fall wünschte ich mir jedoch beinahe, dass er nicht so pflichtbewusst gewesen wäre. Die Kombination aus Hitze und Gestank war unerträglich.

Tom nickte abwesend, sein Blick war bereits auf die Leiche konzentriert. «Würdest du das machen, David?»

Ich stellte seinen Koffer auf eine freie Fläche der Dielenbretter und öffnete ihn. Tom hatte noch immer das gleiche alte Equipment wie damals, als ich ihn kennengelernt hatte. Jedes Gerät war häufig benutzt worden und steckte ordentlich an seinem Platz. Doch während er tief im Inneren ein Wissenschaftler alter Schule war, erkannte er auch die Vorteile neuer Technologien an. Er besaß noch sein altes Quecksilberthermometer, eine elegante Konstruktion aus mundgeblasenem Glas und handgearbeitetem Stahl, aber daneben steckte ein neues, digitales Modell. Ich nahm es heraus, stellte es an und beobachtete, wie die Ziffern auf dem Display schnell zu steigen begannen.

«Wie lange brauchen deine Leute noch?», fragte Tom Gardner und schaute zu den im Raum arbeitenden, ganz in Weiß gekleideten Gestalten.

«Nicht mehr lange. Es ist zu heiß hier drinnen. Ein Beamter ist bereits umgekippt.»

Tom achtete darauf, nicht in das getrocknete Blut zu treten, und beugte sich über die Leiche. Er rückte seine Brille zurecht, um besser sehen zu können. «Haben wir schon eine Temperatur, David?»

Ich überprüfte die digitale Anzeige. Ich hatte bereits zu schwitzen begonnen. «43,5°.»

«Können wir dann jetzt diese gottverdammte Heizung

ausstellen?», fragte einer der Beamten der Spurensicherung. Er war ein großer Mann mit einem kugelrunden Bauch, über dem sich sein Overall spannte. Was unter der Maske von seinem Gesicht zu sehen war, war rot und verschwitzt.

Ich schaute Tom fragend an. Er nickte.

«Die Fenster können wir auch aufmachen, damit ein bisschen frische Luft reinkommt.»

«Dem Herrn sei gedankt dafür», sagte der große Mann schnaufend, als er den Heizkörper ausschaltete. Während das Glühen des Gerätes abnahm, öffnete er die Fenster so weit wie möglich. Die anderen Beamten seufzten und brummten erleichtert, als frische Luft in die Hütte strömte.

Ich ging zu Tom, der konzentriert auf die Leiche hinabstarrte.

Gardner hatte nicht übertrieben. Es gab keinen Zweifel daran, dass wir es mit Mord zu tun hatten. Die Gliedmaßen des Opfers waren auf beiden Seiten des Tisches nach unten gezogen und mit Paketband an den Holzbeinen befestigt worden. Die Haut war gespannt wie ein Trommelfell und hatte die Farbe alten Leders, was allerdings keinerlei Hinweis auf eine ethnische Zugehörigkeit war. Helle Haut verdunkelt sich nach dem Tod, während dunkle Haut häufig heller wird. Wesentlich wichtiger waren die klaffenden Risse, die zu sehen waren. Dass die Haut im Verlauf der Verwesung aufreißt und durch Gase aufgebläht wird, ist ein natürlicher Vorgang. Doch diese Risse waren keineswegs natürlichen Ursprungs. Um die Leiche herum war der Tisch mit getrocknetem Blut verklebt, das auch den Läufer darunter verfärbt hatte. Ein solcher Blutfluss konnte nur durch eine oder mehrere offene Wunden verursacht worden sein, was darauf schließen ließ, dass die Epidermis zumindest teilweise bereits beschädigt worden war, als das Opfer noch gelebt hatte. Das könnte wiederum die

37

Anzahl der Schmeißfliegenlarven erklären, denn die Insekten legen ihre Eier in jede Körperöffnung, die sie finden können.

Trotzdem konnte ich mich nicht erinnern, jemals zuvor derart viele Maden auf einer einzelnen Leiche gesehen zu haben. Aus der Nähe war der Ammoniakgestank unerträglich. Die Maden hatten sich in Augen, Nase, Mund und im Genitalbereich angesiedelt, sodass man auf den ersten Blick nicht mehr feststellen konnte, welches Geschlecht das Opfer gehabt hatte.

Mein Blick wurde besonders von dem klaffenden Loch im Bauch angezogen, in dem es von Maden nur so wimmelte. Die Haut darum bewegte sich, als wäre sie noch lebendig. Unwillkürlich legte sich meine Hand auf meine Narbe.

«David? Alles in Ordnung?», fragte Tom leise.

Ich riss mich von dem Anblick los. «Alles okay», erwiderte ich und machte mich daran, die Probengläser aus der Tasche zu holen.

Ich konnte seinen Blick spüren. Aber er beließ es dabei und wandte sich stattdessen an Gardner. «Was wissen wir?»

«Nicht viel.» Durch die Maske klang Gardners Stimme gedämpft. «Wer das getan hat, ist ziemlich methodisch vorgegangen. Es gibt keine Fußabdrücke im Blut, der Mörder wusste also genau, was er tat. Die Hütte war seit letzten Donnerstag an einen gewissen Terry Loomis vermietet. Es gibt keine Personenbeschreibung. Reservierung und Kreditkartenzahlung wurden übers Telefon gemacht. Eine Männerstimme mit hiesigem Dialekt. Der Typ hat gebeten, die Schlüssel unter die Matte vor der Hüttentür zu legen, weil er spät ankommen würde.»

«Wie praktisch.»

«Ja. Die Vermieter hier kümmern sich nicht groß um Papierkram, solange sie ihr Geld kriegen. Die Hütte war bis heute Morgen vermietet, und als der Schlüssel nicht an den Verwalter zurückgegeben wurde, ist er hergekommen, um nachzuschauen, ob nichts fehlt. Logisch, dass man hier Angst hat, dass etwas geklaut wird», fügte er mit einem Blick durch die heruntergekommene Hütte hinzu.

Aber Tom ging nicht darauf ein. «Die Hütte war erst ab *Donnerstag* vermietet? Bist du sicher?»

«Das hat der Verwalter gesagt. Das Datum stimmt mit seinen Büchern und der Kreditkartenquittung überein.»

Tom runzelte die Stirn. «Das kann nicht stimmen. Das war erst vor fünf Tagen.»

Ich hatte das Gleiche gedacht. Für einen so kurzen Zeitraum war die Verwesung zu weit fortgeschritten. Das Fleisch wies durch den Zerfall bereits eine geleeartige Konsistenz auf, und die ledrige Haut war verrutscht wie ein zerknitterter Anzug. Die elektrische Heizung hatte den Prozess in gewissem Maße beschleunigt, aber das erklärte nicht die ungeheure Menge der Larven. Selbst in der Hitze und Feuchtigkeit eines Sommers in Tennessee hätte es eher sieben Tage gedauert, um dieses Stadium zu erreichen.

«Waren die Türen und Fenster geschlossen, als die Leiche gefunden wurde?», fragte ich Gardner gedankenlos. *Ich wollte doch den Mund halten.*

Er schürzte missbilligend seine Lippen, antwortete aber trotzdem. «Alles war zu, und die Rollläden waren unten.»

Ich verscheuchte die Fliegen vor meinem Gesicht. Man hätte meinen sollen, dass ich mich mittlerweile an sie gewöhnt hatte, aber dem war nicht so. «Eine Menge Insektenaktivität für einen geschlossenen Raum», sagte ich zu Tom.

Er nickte. Mit einer Pinzette klaubte er vorsichtig eine Made von der Leiche und hielt sie ins Licht, um sie zu betrachten. «Was sagst du dazu?»

Ich trat näher. Fliegen haben drei Larvenstadien, in denen sie fortschreitend größer werden.

«Drittes Stadium», sagte ich. Das bedeutete, dass die Larve mindestens sechs Tage alt war, wahrscheinlich sogar älter.

Tom nickte und ließ die Larve in ein kleines Glas mit Formaldehyd fallen. «Und manche haben bereits begonnen, sich zu verpuppen. Demnach wäre der Tod vor sechs oder sieben Tagen eingetreten.»

«Jedenfalls nicht erst vor fünf», erwiderte ich. Meine Hand war wieder zu meinem Bauch gewandert. Ich nahm sie weg. *Komm schon, konzentrier dich.* Ich versuchte, mich voll und ganz der vor mir liegenden Leiche zu widmen. «Vielleicht hat der Mord woanders stattgefunden, und die Leiche wurde erst danach hierhergebracht.»

Tom zögerte. Ich sah, wie zwei der weißgekleideten Gestalten einen Blick austauschten, und war mir sofort meines Fehlers bewusst. *Dümmer geht es nicht.*

«Ziemlich unnötig, Arme und Beine an den Tisch zu binden, wenn das Opfer schon tot war», sagte der große Beamte der Spurensicherung und sah mich belustigt an.

«Vielleicht sind die Leichen in England lebendiger als hier», meinte Gardner trocken.

Die anderen lachten. Ich spürte, wie mein Gesicht glühte, aber es gab nichts, was ich hätte sagen können, um mich aus der Affäre zu ziehen. *Idiot. Was ist nur mit dir los?*

Tom schraubte mit bemüht teilnahmslosem Gesicht den Deckel auf das Glas. «Ist dieser Loomis deiner Meinung nach das Opfer oder der Mörder?», fragte er Gardner.

«Tja, in der Brieftasche, die wir gefunden haben, steckten Loomis' Führerschein und seine Kreditkarte. Außerdem über sechzig Dollar in bar. Wir haben ihn überprüft: sechsunddreißig Jahre alt, weiß, Versicherungsangestellter aus Knoxville.

Er ist ledig, lebt allein und ist seit mehreren Tagen nicht bei der Arbeit gewesen.»

Die Tür der Hütte ging auf, und Jacobsen kam herein. Wie Gardner trug sie Handschuhe und Überschuhe, sie sah aber selbst damit beinahe elegant aus. Eine Maske hatte sie sich nicht aufgesetzt, und als sie neben dem älteren Agenten stehen blieb, wirkte ihr Gesicht blass.

«Wenn also der Mörder diese Hütte nicht unter seinem Namen gebucht hat und so aufmerksam gewesen ist, seine Papiere liegenzulassen, ist das Opfer entweder Loomis oder ein anderer Mann, von dem wir nichts wissen», sagte Tom.

«So sieht's aus», sagte Gardner. Er verstummte, als ein weiterer Agent in der Tür erschien.

«Sir, da möchte jemand mit Ihnen sprechen.»

«Ich komme gleich zurück», sagte Gardner und ging hinaus.

Jacobsen blieb in der Hütte. Sie war noch immer blass, verschränkte nun aber die Arme, als wollte sie jede Schwäche unterdrücken.

«Woher wissen Sie, dass es ein Mann ist?», fragte sie. Ihr Blick schweifte automatisch zu dem Madengewimmel im Schritt des Opfers, sie wandte ihn aber schnell wieder ab. «Ich kann nichts sehen, woran man das erkennen könnte.»

Ich hatte schon stärkere Akzente als ihren gehört, er war jedoch ausgeprägt genug, um sie als Einheimische zu entlarven. Ich schaute zu Tom, aber der war völlig von der Leiche in Anspruch genommen. Oder er tat zumindest so.

«Also, abgesehen von der Größe …», begann ich.

«Nicht alle Frauen sind klein.»

«Stimmt, aber nicht viele sind so groß. Und selbst eine große Frau würde eine feinere Knochenstruktur aufweisen, besonders was das Cranium betrifft. Das ist …»

41

«Ich weiß, was ein Cranium ist.»

Sie war wirklich verdammt empfindlich. «Ich wollte sagen, das ist normalerweise ein guter Indikator für das Geschlecht», beendete ich den Satz.

Sie reckte trotzig das Kinn, machte aber keine weitere Bemerkung. Tom hatte die klaffende Öffnung des Mundes untersucht und richtete sich auf.

«David, schau dir das mal an.»

Er trat zur Seite, als ich zu ihm kam. Der größte Teil des Gewebes war aus dem Gesicht verschwunden, in den Augenhöhlen und der Nase wimmelte es von Maden. Die Zähne waren fast vollständig entblößt, und wo das Zahnfleisch gewesen war, hatte das gelbliche Weiß des Zahnbeins eine deutlich rote Färbung.

«Rosarote Zähne», bemerkte ich.

«Hast du das schon mal gesehen?», fragte Tom.

«Ein-, zweimal.» Aber nicht häufiger. Und nicht in solchen Situationen.

Jacobsen hatte uns zugehört. «Rosarote Zähne?»

«Das wird durch das Hämoglobin im Blut verursacht, wenn es ins Zahnbein dringt», erklärte ich ihr. «Dadurch sehen die Zähne unter dem Schmelz rosafarben aus. Man hat das manchmal bei Ertrunkenen, die einige Zeit im Wasser gewesen sind, denn sie treiben meistens mit dem Kopf nach unten.»

«Irgendwie glaube ich nicht, dass wir es hier mit einem Ertrunkenen zu tun haben», sagte Gardner, als er mit schweren Schritten in die Hütte zurückkam.

Er brachte einen anderen Mann mit. Der Neuankömmling trug ebenfalls Überschuhe und Handschuhe, kam mir aber weder wie ein Polizeibeamter noch wie ein TBI-Agent vor. Er war Mitte vierzig und nicht wirklich dick, aber wohlgenährt und wirkte irgendwie aalglatt. Er trug helle Baumwoll-hosen und eine leichte Wildlederjacke über einem hellblauen Hemd. Seine runden Wangen waren mit einem Dreitagebart bedeckt.

Aber seine scheinbar lässige Erscheinung wirkte so ge-wollt, als hätte er sich nach dem Vorbild kerniger Dressmen aus Modemagazinen gestylt. Seine Kleidung war zu gut ge-schnitten und teuer, außerdem war das Hemd einen Knopf zu weit geöffnet. Und der Dreitagebart war wie das Haar eine Spur zu sorgfältig frisiert.

Er strahlte Selbstsicherheit aus, als er die Hütte betrat. Sein leichtes Lächeln verschwand auch dann nicht, als er die an den Tisch gebundene Leiche betrachtete.

Gardner hatte sich von seiner Maske befreit, vielleicht aus Rücksicht auf den Neuankömmling, der auch keine trug. «Professor Irving, ich glaube, Sie haben Tom Lieberman noch nicht kennengelernt, oder?»

Der Neuankömmling wandte sich mit seinem Lächeln an Tom. «Nein, leider haben sich unsere Wege noch nicht ge-kreuzt. Sie müssen entschuldigen, wenn ich Ihnen nicht die Hand gebe», sagte er und zeigte uns theatralisch seine Hand-schuhe.

«Professor Irving ist Psychologe und hat bereits bei ei-nigen Ermittlungen des TBI als Profiler gearbeitet», erklärte Gardner. «Wir wollten bei diesem Fall den Blick eines Psy-chologen einbeziehen.»

Irving setzte ein selbstgefälliges Grinsen auf. «Eigentlich ziehe ich es vor, mich Verhaltensforscher zu nennen. Aber ich möchte nicht spitzfindig werden, was Bezeichnungen an-geht.»

Genau das hast du gerade getan. Ich ermahnte mich, mei-ne Laune nicht an ihm auszulassen.

Toms Lächeln wirkte freundlich, doch ich meinte zu erkennen, dass es reine Ironie war. «Freut mich, Sie kennenzulernen, Professor Irving. Dies ist mein Freund und Kollege Dr. Hunter», fügte er hinzu, um Gardners Versäumnis wiedergutzumachen.

Das Nicken, das Irving in meine Richtung schickte, war zwar höflich, aber es war offensichtlich, dass er mich nicht wirklich wahrnahm. Er richtete seine Aufmerksamkeit bereits mit einem breiten Lächeln auf Jacobsen.

«Ich glaube, Ihren Namen habe ich nicht ganz verstanden.»

«Diane Jacobsen.» Sie wirkte beinahe nervös, und als sie einen Schritt vortrat, war von ihrer bisherigen Reserviertheit nichts mehr zu spüren. «Es ist mir eine Ehre, Sie kennenzulernen, Professor Irving. Ich habe einige Ihrer Werke gelesen.»

Irvings Lächeln wurde noch breiter. Ob ich wollte oder nicht, mir fiel auf, wie unnatürlich weiß und ebenmäßig seine Zähne waren.

«Ich hoffe, sie sind auf Ihre Zustimmung gestoßen. Und, bitte, sagen Sie Alex zu mir.»

«Diane hat Psychologie studiert, bevor sie zum TBI gekommen ist», schaltete sich Gardner ein.

Die Augenbrauen des Profilers hoben sich. «Tatsächlich? Dann muss ich ja besonders vorsichtig sein, um mir keine Fehler zu erlauben.» Es hätte mich nicht gewundert, wenn er ihre Wange getätschelt hätte. Als er dann die Leiche betrachtete, wich sein Lächeln einem angeekelten Ausdruck.

«Hat schon bessere Tage gesehen, was?», sagte er und rümpfte seine Nase. «Kann ich noch etwas mehr Menthol haben, bitte?»

Die Bitte war an niemand Bestimmtes gerichtet. Nach einem Moment ging eine Beamtin der Spurensicherung widerwillig hinaus, um es zu holen. Mit wie beim Gebet aneinandergelegten Händen hörte Irving kommentarlos zu, während Gardner ihm den bisherigen Kenntnisstand mitteilte. Als die Beamtin zurückkam, nahm der Profiler ohne Dank die Mentholsalbe, schmierte sich einen ordentlichen Streifen über die Oberlippe und hielt ihr dann das Glas wieder hin.

Sie schaute einen Augenblick auf das Glas, bevor sie es ihm abnahm. «Gern geschehen.»

Sollte Irving den Sarkasmus bemerkt haben, dann ließ er es sich nicht anmerken. Tom warf mir einen amüsierten Blick zu, während er ein weiteres Probenglas aus der Tasche nahm und sich wieder der Leiche widmete.

«Es wäre mir lieber, Sie würden warten, bis ich fertig bin.» Irving hatte ihn beim Sprechen nicht angesehen. Offenbar hielt er es für selbstverständlich, dass sich jeder seinen Wünschen beugte. Ich sah, wie Toms Augen vor Verärgerung funkelten, und einen Moment lang glaubte ich, er wollte etwas entgegnen. Doch bevor er etwas sagen konnte, fuhr plötzlich ein Zucken durch sein Gesicht. Es war so schnell wieder vorbei, dass ich es mir auch eingebildet haben könnte, wenn er danach nicht ganz blass gewesen wäre.

«Ich glaube, ich brauche ein bisschen frische Luft. Verdammt heiß hier drinnen.»

Er machte einen unsicheren Eindruck, als er zur Tür ging. Ich wollte ihm folgen, aber er hielt mich mit einem Kopfschütteln zurück.

«Du musst nicht mitkommen. Du kannst anfangen, Fotos zu machen, sobald Professor Irving fertig ist. Ich gehe nur etwas Wasser trinken.»

«In der Kühlbox neben den Tischen sind kalte Flaschen», sagte Gardner ihm.

Besorgt schaute ich ihm hinterher, aber es war eindeutig, dass Tom kein Aufheben machen wollte. Von den anderen schien keiner bemerkt zu haben, dass mit ihm etwas nicht stimmte. Er hatte sich, abgesehen von mir und Irving, von allen abgewandt, und der Profiler achtete sowieso auf niemanden. Irving stand mit einer Hand am Kinn da, während Gardner sein Briefing wiederaufnahm, und betrachtete versunken den toten Mann auf dem Tisch. Nachdem der TBI-Agent fertig war, rührte er sich nicht und sagte auch nichts und verharrte in einer Pose innerer Einkehr. *Pose ist das entscheidende Wort.* Ich ermahnte mich, nicht gehässig zu sein.

«Ihnen ist natürlich klar, dass wir es mit einem Serienmörder zu tun haben, oder?», sagte er schließlich.

Gardner machte eine gequälte Miene. «Das können wir nicht mit Sicherheit sagen.»

Irving lächelte herablassend. «O doch, ich denke, das können wir. Schauen Sie sich an, wie die Leiche *arrangiert* wurde. Sie wurde regelrecht für uns ausgestellt. Nackt, gefesselt und aller Wahrscheinlichkeit nach gefoltert. Und dann wurde sie mit dem Gesicht nach oben liegengelassen. Es gibt keinerlei Anzeichen für Scham oder Reue, es wurde kein Versuch unternommen, die Augen des Opfers zu bedecken oder es umzudrehen. Dieser Fall riecht förmlich nach Berechnung und Vergnügen. Er hat genossen, was er getan hat, deswegen wollte er, dass wir es sehen.»

Gardner nahm die Ausführungen resigniert auf. So viel hatte er bestimmt schon selbst gewusst. «Der Mörder war also männlich?»

«Aber natürlich.» Irving kicherte, als hätte Gardner einen Witz gemacht. «Abgesehen von allen anderen Hinweisen war das Opfer offensichtlich ein kräftiger Mann. Glauben Sie etwa, eine Frau wäre dazu fähig gewesen?»

Du wärst überrascht, wozu manche Frauen fähig sind. Ich spürte, wie meine Narbe zu jucken begann.

«Wir haben es hier mit einer gewaltigen, wirklich ungeheuren Arroganz zu tun», fuhr Irving fort. «Der Mörder muss gewusst haben, dass die Leiche gefunden wird, sobald das Mietverhältnis endet. Mein Gott, er hat sogar die Brieftasche hiergelassen, damit Sie das Opfer identifizieren können. Nein, das war kein einmaliger Fall. Unser Mann fängt gerade erst an.»

Diese Aussicht schien ihn zu erfreuen.

«Die Brieftasche muss nicht unbedingt dem Opfer gehören», wandte Gardner halbherzig ein.

«Natürlich gehört sie dem Opfer. Der Mörder ist viel zu überlegt vorgegangen, um seine eigene zu vergessen. Ich würde sogar darauf wetten, dass er die Hütte selbst reserviert hat. Er ist nicht nur zufällig vorbeigekommen, um denjenigen zu ermorden, der sie gerade gemietet hat. Dafür war das alles zu gut geplant, ja beinahe komponiert. Nein, er hat die Buchung im Namen des Opfers getätigt und es dann hierhergebracht. An diesen hübschen und abgelegenen Ort, den er zweifelsohne vorher ausgespäht hatte und wo er das Opfer in aller Ruhe foltern konnte.»

«Woher wollen Sie wissen, dass das Opfer gefoltert wurde?», fragte Jacobsen. Es war das erste Mal, dass sie sich zu Wort meldete, seit Irving sie so gönnerhaft behandelt hatte.

Irving schien langsam in Fahrt zu kommen. «Warum wurde es sonst an den Tisch gefesselt? Das Opfer wurde nicht nur festgebunden, es wurde *angepflockt*. Der Mörder wollte sich Zeit dafür nehmen, um die Sache zu genießen. Ich nehme an, es gibt keine Möglichkeit, Spermareste oder Hinweise auf eine Vergewaltigung zu finden, oder?»

Es dauerte einen Moment, bis mir klar wurde, dass die letzte Frage an mich gerichtet war. «Nein, bei einer so stark verwesten Leiche ist das nicht möglich.»

«Ein Jammer.» Es klang, als würde er eine Dinnerparty versäumen. «Trotzdem, angesichts der Blutmenge auf dem Boden ist es offensichtlich, dass die Verletzungen zugefügt worden sind, als das Opfer noch lebte. Und ich denke, dass die Genitalverstümmelung von großer Bedeutung ist.»

Ich reagierte automatisch. «Nicht unbedingt. Schmeißfliegen legen ihre Eier in jede Körperöffnung, einschließlich der Genitalien. Die Insektenaktivität muss nicht bedeuten, dass es dort eine Wunde gegeben hat. Um das festzustellen, müssen wir eine vollständige Untersuchung durchführen.»

«Tatsächlich?»

Irvings Lächeln war starr geworden. «Aber Sie werden zugeben, dass das Blut von irgendwoher stammen muss, oder? Oder ist die Sauerei unter dem Tisch nur verschütteter Kaffee?»

«Ich wollte lediglich darauf hinweisen, dass ...», begann ich, doch Irving hörte mir schon nicht mehr zu. Ich schloss verärgert den Mund, als er sich zu Gardner und Jacobsen umdrehte.

«Wie gesagt, wir haben ein gefesseltes und nacktes Opfer, das aller Wahrscheinlichkeit nach gefoltert wurde. Die Frage ist, ob die Wunden das Resultat einer postkoitalen Raserei oder eines frustrierten sexuellen Triebs sind. Mit anderen Worten, ob sie zugefügt worden sind, *weil* er einen hochgekriegt hat oder weil er *keinen* hochgekriegt hat.»

Auf seine Worte folgte Stille. Selbst die Beamten der Spurensicherung hatten innegehalten, um zuzuhören.

«Sie glauben, der Mord war sexuell motiviert?», fragte Jacobsen nach einem Augenblick.

Irving setzte eine überraschte Miene auf. Meine Abneigung gegen ihn wurde noch etwas tiefer.

«Entschuldigen Sie, aber ich dachte, das wäre aufgrund der Tatsache, dass das Opfer nackt zurückgelassen wurde, offensichtlich. Deswegen ist die Art der Verletzungen von großer Bedeutung. Wir haben es mit einem Menschen zu tun, der seine Sexualität entweder verleugnet oder der sie verabscheut und seinen Selbstekel an seinem Opfer auslässt. Auf jeden Fall ist er nicht offen homosexuell. Er könnte verheiratet und eine Stütze der Gesellschaft sein. Vielleicht jemand, der mit seinen weiblichen Eroberungen prahlt. Diese Tat wurde von einem Menschen begangen, der sich selbst verabscheut und der diesen Selbsthass in Aggression gegen sein Opfer umleitet.»

Jacobsens Gesicht war ausdruckslos. «Sagten Sie nicht, der Mörder wäre stolz auf seine Tat? Dass es keinerlei Anzeichen von Scham oder Reue gäbe?»

«Nicht in Bezug auf den eigentlichen Mord. Er hat sich hier auf die Brust getrommelt und versucht, der ganzen Welt – einschließlich seiner selbst – zu zeigen, wie großartig und stark er ist. Ganz anders sieht es bei dem *Grund* für seine Tat aus. *Dafür* schämt er sich.»

«Es könnte auch andere Gründe dafür geben, dass das Opfer nackt ist», sagte Jacobsen. «Es könnte eine Form von Demütigung oder eine andere Art der Machtausübung sein.»

«So oder so, Machtausübung läuft normalerweise immer auf Sex hinaus», sagte Irving lächelnd, aber es sah mittlerweile etwas gezwungen aus. «Schwule Serienmörder sind selten, aber sie kommen vor. Und nach allem, was ich gesehen habe, glaube ich, dass wir es in diesem Fall mit einem zu tun haben.»

Jacobsen wollte nicht klein beigeben. «Wir wissen noch nicht genug über die Motivation des Mörders, um …»

«Entschuldigen Sie, aber haben Sie viel Erfahrung bei der Ermittlung von Serienmördern?» Irvings Lächeln war eisig geworden.

«Nein, aber …»

«Dann ersparen Sie mir doch diese Populärpsychologie.»

Jetzt gab es nicht einmal mehr den Anschein eines Lächelns. Jacobsen reagierte nicht, die roten Flecken auf ihren Wangen verrieten aber, wie es in ihr aussah. Ich hatte Mitleid mit ihr. Egal, wie reserviert sie zuvor gewesen war, das hatte sie nicht verdient.

Eine betretene Stille war aufgekommen. Gardner durchbrach sie. «Was ist mit dem Opfer? Glauben Sie, dass der Mörder es kannte?»

«Vielleicht, vielleicht auch nicht.» Irving schien das Interesse verloren zu haben. Er zupfte am Kragen seines Hemdes, das runde Gesicht war errötet und mit Schweißperlen bedeckt. Seitdem die Fenster geöffnet worden waren, hatte es sich in der Hütte abgekühlt, es war aber immer noch stickig und heiß. «Ich bin hier fertig. Ich brauche Kopien der forensischen Berichte und Fotos, dazu alle Informationen, die Sie über das Opfer haben.»

Er wandte sich mit einem Grinsen an Jacobsen, das er wahrscheinlich für einnehmend hielt. «Ich hoffe, Sie sind nicht böse wegen unserer kleinen Meinungsverschiedenheit. Vielleicht könnten wir einmal bei einem Drink ausführlicher darüber sprechen.»

Jacobsen antwortete nicht, aber so, wie sie ihn anschaute, sollte er sich meiner Meinung nach keine zu großen Hoffnungen machen. Wenn er sie umgarnen wollte, verschwendete der Profiler seine Zeit.

Sobald Irving verschwunden war, entspannte sich die Atmosphäre in der kleinen Hütte. Ich bückte mich, um die Kamera aus Toms Koffer zu nehmen. Es war eine Grundregel, immer unsere eigenen Fotos von der Leiche zu machen, ungeachtet der Aufnahmen der jeweiligen Spurensicherung. Doch bevor ich anfangen konnte, ertönte der Ruf eines der Beamten.

«Ich glaube, ich hab hier was.»

Es war der große Mann, der sich zu Wort gemeldet hatte. Er kniete auf dem Boden neben dem Sofa, griff mit einer Hand darunter und machte den Arm ganz lang. Dann zog er einen kleinen grauen Zylinder hervor und hielt ihn trotz der Handschuhe mit überraschendem Feingefühl zwischen den Fingern.

«Was ist das?», fragte Gardner und ging zu ihm.

«Sieht aus wie eine Filmdose», sagte er atemlos nach der Anstrengung. «Für eine Kleinbildkamera. Sie muss unter das Sofa gerollt sein.»

Ich schaute auf die Kamera, die ich in der Hand hielt. Es war eine digitale, wie sie die meisten Forensiker heutzutage benutzten.

«Fotografiert tatsächlich noch jemand mit Film?», fragte die Beamtin, die Irving das Menthol geholt hatte.

«Nur alte Sturköpfe und Puristen», erwiderte der große Mann. «Mein Cousin schwört darauf.»

«Steht er wie du auf Aktfotos, Jerry?», fragte die Frau und löste Gelächter aus.

Aber Gardners Miene blieb ungerührt. «Ist etwas in der Dose?»

Der große Agent zog den Deckel ab. «Nein, nur Luft. Aber warten Sie mal …»

Er hielt den Behälter ins Licht und betrachtete die glänzende Oberfläche.

«Und?», fragte Gardner ungeduldig.

Obwohl er eine Maske trug, konnte ich sehen, wie dieser Jerry grinste. Er wackelte mit der Filmdose.

«Fotos kann ich Ihnen nicht anbieten. Aber würde es auch ein hübscher, fetter Fingerabdruck tun?»

Die Sonne ging unter, als Tom uns zurück nach Knoxville fuhr. Die Straße schlängelte sich durch steile, dicht bewaldete Hänge, hinter denen das letzte Sonnenlicht verschwand, sodass es dunkel wurde, obwohl der Himmel über uns noch blau war. Als Tom die Scheinwerfer einschaltete, war es plötzlich Nacht.

«Du bist so still», sagte er nach einer Weile.

«Nur nachdenklich.»

«Verstehe.»

Als er in die Hütte zurückgekehrt war, hatte ich mit Erleichterung festgestellt, dass er wesentlich besser aussah. Die restliche Arbeit war ohne Probleme vonstattengegangen. Wir hatten die Position der Leiche fotografiert und skizziert und dann Gewebeproben genommen. Durch die Analyse der Aminosäuren und flüchtigen Fettsäuren, die bei der Auflösung der Zellwände freigesetzt worden waren, würden wir den Todeszeitpunkt mit einer Toleranz von plus oder minus zwölf Stunden eingrenzen können. Im Moment deutete alles darauf hin, dass das Opfer seit mindestens sechs Tagen tot war, vielleicht sogar seit sieben. Und doch war die Hütte laut Gardner erst seit fünf Tagen vermietet gewesen. Irgendetwas stimmte nicht, und obwohl ich offenbar das Vertrauen in meine Fähigkeiten verloren hatte, war ich mir einer Sache sicher.

Die Natur log nicht.

Ich spürte, dass Tom auf eine Antwort von mir wartete. «Ich habe mich vorhin nicht gerade mit Ruhm bekleckert, oder?»

«Sei nicht zu streng mit dir. Jeder macht mal Fehler.»

«Aber nicht so einen. Damit habe ich wie ein Amateur dagestanden. Ich habe nicht nachgedacht.»

«Komm schon, David, so schlimm war es nicht. Außerdem könntest du ja trotzdem recht haben. Irgendetwas stimmt nicht mit der Todeszeit. Vielleicht war das Opfer tatsächlich schon tot, als es in die Hütte gebracht wurde. Die Leiche könnte an den Tisch gebunden worden sein, damit es so aussieht, als hätte der Mord dort stattgefunden.»

So gerne ich das hätte glauben wollen, ich konnte es nicht. «Das würde bedeuten, dass der gesamte Tatort inszeniert worden ist, einschließlich des Blutes auf dem Boden. Und jeder, der clever genug ist, es derart überzeugend aussehen zu lassen, hätte auch gewusst, dass er uns damit nicht lange täuschen würde. Wozu hätte er es dann also tun sollen?»

Tom hatte keine Antwort darauf. Die Straße führte an stummen Wänden aus Bäumen vorbei, deren Äste im Licht der Scheinwerfer plastisch hervorstachen.

«Was hältst du von Irvings Theorie?», fragte er nach einer Weile.

«Meinst du, dass dieser Fall der Beginn einer Mordserie ist oder dass die Tat sexuell motiviert war?»

«Beides.»

«Er könnte recht damit haben, dass es ein Serienmörder ist», sagte ich. Die meisten Mörder versuchen, ihre Verbrechen zu vertuschen und die Leichen ihrer Opfer zu verstecken, anstatt sie offen zur Schau zu stellen. Diese Tat roch nach einer völlig anderen Art von Mörder, nach einem, der ein ganz anderes Ziel verfolgte.

«Und das andere?»

«Keine Ahnung. Irving versteht bestimmt etwas von seiner Arbeit, aber …» Ich zuckte mit den Achseln. «Meiner

Meinung nach hat er zu voreilig Schlüsse gezogen. Mir kam es so vor, als hätte er nur das gesehen, was er sehen wollte, und nicht das, was wirklich dort war.»

«Leute, die nicht verstehen, was wir tun, könnten das Gleiche über uns denken.»

«Was wir tun, basiert wenigstens auf handfesten Beweisen. Irving hat für meinen Geschmack unglaublich viel spekuliert.»

«Willst du behaupten, dass du nie auf deine Instinkte hörst?»

«Ich höre vielleicht auf meine Instinkte, aber ich würde sie nie über die Fakten stellen. Das würdest du auch nicht tun.»

Er lächelte. «Ich kann mich erinnern, dass wir diese Diskussion schon einmal hatten. Und natürlich sage ich nicht, dass wir uns zu sehr auf unsere Instinkte verlassen sollten. Aber vernünftig angewendet, sind sie ein weiteres Werkzeug, das uns zur Verfügung steht. Das Gehirn ist ein mysteriöses Organ; manchmal stellt es Verbindungen her, die wir bewusst gar nicht erkennen würden. Du hast immer gute Instinkte gehabt, David. Du solltest lernen, ihnen mehr zu vertrauen.»

Nach meinem groben Schnitzer in der Hütte lag mir das so fern wie nichts anderes. Aber ich wollte nicht, dass dieses Gespräch zu einer Diskussion über mich wurde. «Irvings gesamter Ansatz war subjektiv. Er schien sich von Anfang an darauf festgelegt zu haben, dass der Mörder ein Mensch ist, der seine Homosexualität verdrängt. Er wollte etwas Großes und Sensationelles. Ich hatte den Eindruck, dass er im Geiste bereits seinen nächsten Artikel plante.»

Tom lachte auf. «Eher sein nächstes Buch. Vor ein paar Jahren hat er es auf die Bestsellerliste geschafft, und seitdem rennt er von einer Talkshow zur nächsten, zumindest, wenn das Honorar stimmt. Der Mann ist ein schamloser Selbstvermarkter, gerechterweise muss man jedoch zugeben, dass er bei ein paar Ermittlungen Erfolg gehabt hat.»

«Und ich wette, das sind auch die einzigen, von denen man etwas erfährt.»

In Toms Brille spiegelte sich das Licht der Scheinwerfer, als er mich von der Seite anschaute. «Du klingst ziemlich zynisch in den letzten Tagen.»

«Ich bin nur müde. Achte gar nicht drauf.»

Tom schaute wieder auf die Straße. Ich konnte beinahe spüren, wie die Frage kam. «Es geht mich nichts an, aber was ist eigentlich mit dieser Frau, mit der du zusammen warst? Jenny, richtig? Ich wollte es bisher nicht ansprechen, aber …»

«Es ist vorbei.»

Die Worte besaßen eine schreckliche Endgültigkeit, die trotz allem noch immer nicht auf mich und Jenny zuzutreffen schien.

«Wegen der Sache, die dir passiert ist?»

«Auch.» Und wegen anderer Dinge. *Weil du deine Arbeit über alles andere stellst. Weil du fast umgebracht worden wärst. Weil sie nicht mehr zu Hause sitzen und sich fragen wollte, ob es erneut passieren würde.*

«Tut mir leid», sagte Tom.

Ich nickte und starrte nach vorn. *Mir auch.*

Der Blinker klickte, als er in eine andere Straße einbog. Sie schien noch dunkler zu sein als die letzte.

«Und wie lange hast du schon diese Herzprobleme?», fragte ich.

Tom schwieg einen Augenblick, dann schnaubte er. «Ich vergesse immer wieder, dass du mal Arzt gewesen bist.»

«Was ist es, Angina Pectoris?»

«Das sagen die. Aber mir geht's gut, es ist nichts Ernstes.»

Vorhin hatte es für mich ziemlich ernst ausgesehen. Ich musste daran denken, wie häufig ich seit meiner Ankunft schon erlebt hatte, dass er stehen blieb, um Luft zu holen. Es hätte mir früher auffallen müssen. Wenn mich meine eigenen Probleme nicht so sehr in Beschlag genommen hätten, wäre es mir vielleicht auch aufgefallen.

«Du solltest ein bisschen kürzertreten und nicht die Berge hochjagen», sagte ich ihm.

«Ich werde jetzt nicht anfangen, mich zu verhätscheln», entgegnete er gereizt. «Ich nehme Medikamente, alles ist unter Kontrolle.»

Ich glaubte ihm nicht, aber ich wusste, wann man den Mund halten sollte. Eine Weile fuhren wir schweigend weiter, im Bewusstsein der Dinge, die ungesagt geblieben waren. Im Inneren des Kombis wurde es hell. Hinter uns kam ein anderer Wagen auf der Straße heran, dessen Scheinwerfer äußerst grell leuchteten.

«Was hältst du davon, wenn du mir bei der Untersuchung morgen zur Hand gehst?», fragte Tom.

Die Leiche sollte ins Leichenschauhaus der Uniklinik in Knoxville gebracht werden. Das Institut für Forensische Anthropologie besaß eigene Laboreinrichtungen, die sich bizarrerweise unter dem Football-Stadion von Knoxville befanden, aber sie wurden eher und öfter für die Forschung als für Mordermittlungen benutzt. Und da die Labore des TBI in Nashville waren, war das Leichenschauhaus der Uni in diesem Fall die beste Lösung. Normalerweise hätte ich mich über die Gelegenheit, Tom zu helfen, gefreut, doch jetzt zögerte ich.

«Ich bin mir nicht sicher, ob ich dir eine große Hilfe sein kann.»

«Unsinn», erwiderte Tom ungewöhnlich barsch. Er seufzte

auf. «Hör zu, David, du hast eine schwere Zeit gehabt, das weiß ich. Aber du bist hier, um wieder auf die Beine zu kommen, und ich kann mir keine bessere Möglichkeit vorstellen, um das zu schaffen.»

«Was ist mit Gardner?», wandte ich ein.

«Dan ist manchmal ein bisschen reizbar bei Leuten, die er nicht kennt, aber genau wie jeder andere weiß er Fachwissen zu schätzen. Außerdem muss ich ihn nicht um Erlaubnis bitten, wenn mir jemand hilft. Normalerweise frage ich einen meiner Studenten, aber ich hätte lieber dich dabei. Es sei denn, du *willst* nicht mit mir arbeiten …»

Ich wusste nicht, was ich wollte, aber ich konnte ihn kaum vor den Kopf stoßen. «Wenn du dir sicher bist, dann danke.»

Zufrieden richtete er seine Aufmerksamkeit wieder vollständig auf die Straße. Plötzlich wurde das Innere des Wagens von Licht durchflutet. Der Wagen hinter uns war dicht aufgefahren. Tom kniff die Augen zusammen, da ihn die Scheinwerfer im Rückspiegel blendeten. Sie waren nur wenige Meter von unserem Heck entfernt und so hoch und grell, dass sie nur von einem Pick-up oder einem kleinen Lastwagen stammen konnten.

Tom schnalzte verärgert mit der Zunge. «Was macht denn der Idiot da?»

Tom wurde langsamer und fuhr an den Straßenrand, damit der andere Wagen überholen konnte. Doch der wurde auch langsamer und blieb hinter uns.

«Na schön, du hast deine Chance gehabt», brummte Tom und beschleunigte wieder.

Der Wagen folgte uns im gleichen Abstand wie zuvor. Ich drehte mich um und wollte sehen, wer hinter uns war. Doch im Licht der grellen Scheinwerfer konnte ich nichts erkennen.

Dann schwenkte der Wagen mit quietschenden Reifen abrupt auf die andere Straßenseite. Als ich hinüberschaute, sah ich für einen kurzen Augenblick einen hohen Pick-up mit verspiegelten Fenstern, der uns mit heiser dröhnendem Motor überholte. Toms Kombi wurde durchgeschüttelt, dann war der andere Wagen verschwunden, und seine Rücklichter verloren sich schnell in der Dunkelheit.

«Verfluchter Prolet», brummte Tom.

Er schaltete den CD-Player ein, und die sanften Töne Chet Bakers begleiteten uns zurück in die Zivilisation.

KAPITEL 4

Tom ließ mich am Krankenhaus raus, wo ich meinen Wagen stehengelassen hatte. Wir verabredeten uns für den nächsten Morgen im Leichenschauhaus, und nachdem er weg war, fuhr ich dankbar zu meinem Hotel. Ich wollte nur noch duschen, etwas essen und dann versuchen zu schlafen.

Was ziemlich genau das war, was ich bisher jeden Abend getan hatte.

Auf dem Weg hinauf in mein Zimmer fiel mir ein, dass ich mich darauf eingelassen hatte, heute Abend auszugehen. Ich schaute auf die Uhr und sah, dass ich kaum noch eine halbe Stunde Zeit hatte, bis Paul mich abholen wollte.

Stöhnend sank ich aufs Bett. Ich hatte weniger Lust auf Gesellschaft denn je. Ich war es nicht mehr gewöhnt, unter Menschen zu sein, und war erst recht nicht in der Stimmung, mit Fremden höfliche Gespräche zu führen. Ich war kurz davor, Paul anzurufen und irgendeine Ausrede zu erfinden, nur fiel mir keine ein. Außerdem wäre es unfreundlich gewesen, seine Gastfreundschaft zurückzuweisen.

Komm schon, Hunter, gib dir Mühe. Gott hat dir nicht verboten, dich zu amüsieren. Widerwillig stemmte ich mich vom Bett. Wenn ich mich beeilte, reichte die Zeit gerade noch für eine Dusche, also zog ich mich aus, stieg in die Zelle und stellte die Brause an. Die Narbe auf meinem Bauch sah so fremd aus, als wäre sie kein Teil von mir. Obwohl die hässliche Linie aus rosarotem Fleisch nicht mehr empfindlich war, berührte ich sie nur ungern. Mit der Zeit würde ich mich vermutlich daran gewöhnen, aber noch war ich nicht so weit.

Ich ließ mir das heiße Wasser aufs Gesicht strömen und atmete tief die dampfende Luft ein, um die Erinnerungen zu zerstreuen, die mir plötzlich durch den Kopf geisterten. *Das Messer ragt unterhalb der Rippen aus meinem Bauch, klebriges Blut sammelt sich um mich herum auf den schwarzweißen Fliesen …* Ich schüttelte mich wie ein Hund und versuchte, die ungewollten Bilder loszuwerden. Ich hatte Glück gehabt. Grace Strachan war eine der schönsten Frauen, die ich jemals kennengelernt hatte. Außerdem war sie die gefährlichste und verantwortlich für den Tod von mindestens einem halben Dutzend Menschen. Wenn Jenny mich nicht rechtzeitig gefunden hätte, hätte ich diese Liste verlängert. Und obwohl ich wusste, dass ich mich glücklich schätzen sollte, am Leben zu sein, fiel es mir schwer, darüber hinwegzukommen.

Besonders, weil Grace noch immer frei herumlief.

Die Polizei hatte mir versichert, dass es nur eine Frage der Zeit sein würde, bis sie gefunden wurde, und dass sie zu labil sei, um lange auf sich allein gestellt zu bleiben. Aber Grace war eine wohlhabende Frau gewesen, verzehrt von einer Rachsucht, die so unverständlich wie tödlich war. Sie würde sich nicht so einfach verraten. Zudem hatte sie es nicht nur auf mich abgesehen. Sie hatte bereits einmal versucht, eine junge Mutter und deren Tochter zu töten, und war nur auf Kosten eines anderen Lebens davon abgehalten worden. Seit Grace' Attacke auf mich lebten Ellen und Anna McLeod unter Polizeischutz und einem anderen Namen. Obwohl die beiden schwerer aufzuspüren waren als ein forensischer Anthropologe, der im Telefonbuch stand, würde niemand von uns sicher sein, solange man Grace nicht gefasst hatte.

Mit dieser Angst zu leben war nicht leicht. Besonders mit meinen Narben, die mich ständig daran erinnerten, wie nah Grace ihrem Ziel schon einmal gekommen war.

Ich stellte die Dusche so heiß, wie ich es ertragen konnte, und ließ das brühheiße Wasser die düsteren Gedanken verscheuchen. Tropfend nass trocknete ich mich ab, bis meine Haut kribbelte, zog mich an und eilte hinunter. Obwohl mir die heiße Dusche gutgetan hatte, war ich noch immer nicht in Ausgehstimmung, als ich ins Hotelfoyer ging. Paul wartete bereits, er saß auf einem Sofa und schrieb konzentriert in ein kleines Notizbuch.

«Entschuldige, wartest du schon lange?», fragte ich.

Er stand auf und steckte das Notizbuch in seine Gesäßtasche. «Bin gerade erst gekommen. Sam wartet im Wagen.»

Er hatte auf der anderen Straßenseite geparkt. Auf dem Beifahrersitz saß eine hübsche Frau Anfang dreißig. Sie hatte langes, sehr blondes Haar und drehte sich zu mir um, als ich mich auf die Rückbank setzte. Ihre Hände lagen auf ihrem schwangeren Bauch.

«Hey, David, schön, dich wiederzusehen.»

«Es freut mich auch», sagte ich. Es gibt ein paar Menschen, in deren Gegenwart man sich sofort wohl fühlt, und Sam war einer davon. Wir waren einander nur ein paarmal begegnet, aber es kam mir schon so vor, als würde ich sie seit Jahren kennen. «Wie geht es dir?»

«Mmmh, mir tut der Rücken weh, die Füße schmerzen, und von dem Rest willst du lieber nichts wissen. Aber ansonsten kann ich mich nicht beschweren.» Sie lächelte, um zu zeigen, dass sie es nicht so gemeint hatte. Sam war eine der glücklichen Frauen, denen die Schwangerschaft gut stand. Sie strahlte geradezu vor Gesundheit, und trotz aller Unannehmlichkeiten genoss sie offenbar jeden Augenblick.

«Das Baby spielt in letzter Zeit ziemlich verrückt», sagte Paul, als er losfuhr. «Ich erkläre Sam die ganze Zeit, dass das ein sicheres Zeichen dafür ist, dass es ein Mädchen wird, aber sie hört nicht auf mich.»

Keiner von beiden hatte etwas über das Geschlecht des Babys wissen wollen. Sam hatte mir gesagt, dass es die Überraschung verderben würde. «Mädchen sind nicht so stürmisch. Es ist ein Junge.»

«Eine Kiste Bier, dass du dich täuschst.»

«Eine Kiste Bier? Das ist alles?» Sie wandte sich an mich. «David, was ist denn das für eine Wette für eine schwangere Frau?»

«Hört sich für mich ziemlich gerissen an. Er kann sie trinken, selbst wenn er verliert.»

«Hey, du solltest auf meiner Seite sein», protestierte Paul.

«So blöd ist David nicht», sagte Sam und gab ihm einen Knuff.

Während ich ihrem Geplänkel lauschte, begann ich ruhiger zu werden. Es war schön zu sehen, wie glücklich sie waren, auch wenn es mich ein wenig neidisch machte. Als Paul auf einen Parkplatz bog, war ich enttäuscht, dass die Fahrt schon vorbei war.

Wir befanden uns in der Altstadt, dem einstigen industriellen Herzen Knoxvilles. Einige Fabriken und Lagerhäuser existierten noch, aber die Gegend hatte einen Wandel erlebt, und die Industrie war vornehmen Bars, Restaurants und Wohnungen gewichen. Paul hatte etwas abseits von dem Steakhouse geparkt, in dem sich alle trafen, einem alten Backsteingebäude, dessen ausgehöhltes Inneres nun mit Tischen und einer Bühne für Livemusik eingerichtet war. Da das Lokal bereits voll war, mussten wir uns zu der großen Gruppe hindurchdrängeln, die vor einem der Fenster saß. Die halbleeren Biergläser und das Gelächter zeugten davon, dass die Leute bereits seit einiger Zeit dort waren, und für einen Augenblick wünschte ich, ich wäre nicht mitgekommen.

Dann wurde mir ein Platz am Tisch frei gemacht, und es war zu spät. Man stellte mir die Anwesenden vor, doch ich vergaß die Namen, sobald ich sie hörte. Abgesehen von Paul und Sam erkannte ich nur Alana wieder, die Anthropologin, die mir am frühen Nachmittag auf der Body Farm gesagt hatte, wo Tom zu finden war. Sie war in Begleitung eines muskulösen Mannes, von dem ich annahm, dass er ihr Ehemann war, die anderen aber waren entweder Mitglieder des Instituts oder Studenten, die ich nicht kannte.

«Du musst das Bier probieren, David», sagte Paul, der sich an Sam vorbei zu mir gebeugt hatte. «Die haben hier eine eigene kleine Brauerei. Es ist großartig.»

Ich hatte seit Monaten kaum Alkohol angerührt, doch jetzt hatte ich das Gefühl, etwas vertragen zu können. Das dunkle Bier wurde kalt serviert und schmeckte wunderbar. Die Hälfte trank ich in einem Zug, ehe ich das Glas mit einem Seufzen absetzte.

«Sah so aus, als hättest du das gebraucht», sagte Alana auf der anderen Tischseite. «Einer von diesen Tagen, was?»

«Kann man so sagen», stimmte ich ihr zu.

«Ich hatte auch schon ein paar.»

Sie hob ihr Glas mit einem ironischen Lächeln. Ich prostete ihr zu und trank noch einen Schluck Bier. Schon bald merkte ich, wie ich mich entspannte. Da die Atmosphäre am Tisch ungezwungen und freundlich war, fiel es mir leicht, mich an den Gesprächen zu beteiligen. Als das Essen kam, machte ich mich darüber her. Ich hatte ein Steak und grünen Salat bestellt und merkte erst in diesem Moment, wie hungrig ich war.

«Amüsierst du dich?»

Sam lächelte mich über den Rand ihres Wasserglases an. Ich nickte und schluckte einen Bissen Steak herunter.

«Sieht man mir das an?»

«Na ja. Es ist das erste Mal, dass ich dich locker erlebe. Das solltest du öfter versuchen.»

Ich lachte. «Bin ich so schlimm?»

«Ach, nur ein bisschen angespannt.» Ihr Lächeln war warmherzig. «Ich weiß, dass du hergekommen bist, um ein paar Dinge auf die Reihe zu kriegen. Aber kein Gesetz sagt, dass man sich nicht ab und zu amüsieren darf. Denk daran, du bist hier unter Freunden.»

Ich senkte meinen Blick, stärker gerührt, als ich zugeben wollte. «Ich weiß. Danke.»

Sie rutschte auf ihrem Stuhl umher und zuckte zusammen, als sie eine Hand auf ihren Bauch legte.

«Alles in Ordnung?», fragte ich.

Sie lächelte gequält. «Er ist ein bisschen unruhig.»

«Er?»

«Er», wiederholte sie bestimmt und warf Paul einen verstohlenen Blick zu. «Eindeutig er.»

Die Teller wurden abgeräumt, Nachtisch und weitere Getränke bestellt. Ich nahm einen Kaffee, denn ich wusste, dass ich es am Morgen bereuen würde, wenn ich noch ein Bier trank. Ich lehnte mich zurück und genoss den leichten Schwips und das Wohlgefühl.

Und dann zerplatzte meine gute Laune.

Plötzlich nahm ich einen leicht herben und unverkennbaren Moschushauch wahr. Einen Augenblick später war er weg und zwischen den strengeren Gerüchen des Essens und des Biers untergegangen, doch ich wusste, dass ich ihn mir nicht eingebildet hatte. Die Gewissheit durchzuckte mich wie ein elektrischer Schlag. Für einen Moment lag ich wieder auf dem gefliesten Boden vor meiner Wohnungstür, wo sich der metallische Gestank des Blutes mit einem feineren, sinnlicheren Duft mischte.

Grace Strachans Parfüm.

Sie ist hier. Ich richtete mich kerzengerade auf und schaute mich hektisch um. Im Restaurant herrschte ein einziges Durcheinander aus Lärm und Farben. Ich musterte die Gesichter und suchte verzweifelt nach einem verräterischen Zug, nach einer entlarvenden Tarnung. *Sie muss hier irgendwo sein. Wo ist sie?*

«Kaffee?»

Ich starrte verdutzt zu der Kellnerin hoch, die neben mir aufgetaucht war. Sie war noch keine zwanzig und etwas übergewichtig. Ich konnte ihr Parfüm durch die Küchen- und Bargerüche riechen, ein billiger und widerlicher Moschusduft. Aus der Nähe hatte er nichts gemein mit dem feinen Parfüm, das Grace Strachan benutzte.

Trotzdem hatte er mich einen Augenblick getäuscht.

«Haben Sie Kaffee bestellt?», fragte die Kellnerin und schaute mich argwöhnisch an.

«Entschuldigung. Ja, danke …»

Sie stellte den Kaffee ab und ging weiter. Meine Arme und Beine kribbelten und zitterten. Ich merkte, dass sich meine Hand so fest um die Narbe geballt hatte, dass es wehtat. *Idiot. Als wenn Grace dir hätte folgen können …* Die Erkenntnis, wie blank meine Nerven lagen, selbst hier, hinterließ einen sauren Geschmack in meinem Mund. Ich versuchte mich zu entspannen, doch mein Herz raste noch immer. Mit einem Mal schien nicht genügend Luft in dem Raum zu sein. Der Lärm und die Gerüche waren unerträglich.

«David?» Sam sah mich besorgt an. «Du bist kreidebleich geworden.»

«Ich bin nur etwas müde. Ich werde aufbrechen.» Ich musste nach draußen und begann bereits, blind Scheine aus meinem Portemonnaie zu ziehen.

«Warte, wir werden dich fahren.»

«Nein!» Ich legte ihr eine Hand auf den Arm, ehe sie sich an Paul wenden konnte. «Bitte. Alles in Ordnung, wirklich.»

«Bist du sicher?»

Ich rang mir ein Lächeln ab. «Absolut.»

Sie war nicht überzeugt, aber ich schob schon meinen Stuhl zurück und ließ ein paar Scheine auf den Tisch fallen, ohne zu wissen, ob es genug waren oder nicht. Paul und die anderen waren in Gespräche vertieft, und ich achtete nicht darauf, ob jemand bemerkte, dass ich ging. Ich konnte mich gerade noch davon abhalten, loszulaufen, als ich durch die Tür auf die Straße stürzte. Selbst als ich draußen in der kühlen Frühlingsnacht tief Luft holte, blieb ich nicht stehen. Ich wollte nur weg, auch wenn ich keine Ahnung hatte, wohin ich gehen musste.

Ich trat vom Gehweg hinunter und sprang erschrocken zur Seite, als links von mir eine ohrenbetäubende Hupe ertönte. Dann ratterte wenige Zentimeter vor mir eine Straßenbahn vorbei, deren Fenster grelle Lichttupfer in der Dunkelheit waren, und ich stolperte zurück auf den Bürgersteig. Nachdem sie vorbeigefahren war, eilte ich über die Straße und lief wahllos durch die Straßen. Es war Jahre her, dass ich zum letzten Mal in Knoxville gewesen war, und ich wusste nicht, wo ich war, und noch weniger, wohin ich ging.

Es war mir egal.

Erst als ich den dunklen Streifen jenseits der Straßenlaternen vor mir sah, wurde ich langsamer. Ich konnte den Fluss spüren, bevor ich ihn sah, eine Feuchtigkeit in der Luft, durch die ich schließlich wieder zu mir kam. Ich war schweißgebadet, als ich mich an das Geländer lehnte. Die Brücken, die die mit Bäumen gesäumten Ufer verbanden, wirkten in der Finsternis wie skelettartige Bogen. Darunter floss der Tennessee River so ruhig und träge vorbei, wie er es seit Tausenden von Jahren getan hatte. Und wie er es wahrscheinlich weitere tausend Jahre tun würde.

Was ist nur los mit dir, verdammt? Läufst nur wegen eines billigen Parfüms voller Angst davon. Aber ich war zu erschöpft, um mich zu schämen. Da ich mich so einsam fühlte wie nie zuvor, holte ich mein Handy hervor und ging die eingespeicherten Namen im Telefonbuch durch. Jennys Name und Nummer erschienen auf dem beleuchteten Display. Mein Daumen schwebte über der Wähltaste. Ich wollte unbedingt wieder mit ihr sprechen, ihre Stimme hören. Doch zu Hause in England war es früher Morgen, und selbst wenn ich sie anrief, was sollte ich sagen?

Es war bereits alles gesagt worden.

«Wissen Sie, wie spät es ist?»

Ich zuckte zusammen, als ich die Stimme neben mir hörte. Ich befand mich im dunklen Bereich zwischen zwei Straßenlaternen und konnte von dem Mann nur die rote Glut seiner Zigarette erkennen. Erst jetzt fiel mir auf, dass die Straße völlig verlassen war. *Wie dumm. Da komme ich den ganzen Weg hierher, nur um überfallen zu werden …*

«Halb elf», sagte ich ihm und rechnete jeden Augenblick mit einem Angriff.

Aber er nickte nur dankend, ging weiter und verschwand in der Dunkelheit hinter der nächsten Laterne. Ich zitterte, nicht nur wegen der feuchten Kälte, die vom Fluss aufstieg.

Auf der einsamen Straße näherten sich wie gerufen die gelben Lichter eines Taxis. Ich hielt es an und ließ mich zurück ins Hotel fahren.

Die Katze ist deine früheste Erinnerung.

Natürlich erinnerst du dich auch an Dinge, die davor geschehen waren. Aber keine Erinnerung ist so lebendig. Keine andere kannst du herausnehmen und hin und wieder im Geiste abspielen. Keine ist so real, dass du wie damals, als du dich nach vorn gebeugt hast, noch heute die Sonne auf deinem Hinterkopf spüren und deinen Schatten auf dem Boden vor dir sehen kannst.

Die Erde ist weich und lässt sich leicht aufschaufeln. Du benutzt ein Stück Holz, das vom Zaun abgebrochen ist, ein Stück von einem morschen weißen Pfahl. Der Stock könnte jederzeit weiter auseinanderbrechen, aber du musst nicht tief graben.

Zuerst riechst du es. Ein ekliger, süßlicher Gestank, der dir vertraut ist, obwohl du so etwas noch nie gerochen hast. Du hältst eine Weile inne und schnupperst an der feuchten Erde. Du bist nervös, vor allem aber aufgeregt. Du weißt, dass du das nicht tun solltest, doch die Neugier ist zu groß. Du hast Fragen, so viele Fragen. Aber keine Antworten.

Kaum gräbst du weiter, stößt du mit dem Stock auf etwas. Es hat eine andere Beschaffenheit als die Erde. Du kratzt die letzte Erdschicht weg und bemerkst, dass der Geruch stärker wird. Schließlich kannst du es sehen: ein vermoderter Schuhkarton.

Als du ihn herausheben willst, beginnt sich der aufgeweichte Karton durch das Gewicht in seinem Inneren aufzulösen. Du setzt ihn schnell wieder ab. Deine Finger kommen dir schwerfällig und fremd vor, als du den Deckel anfasst. Dir schnürt sich die Brust zu. Du fürchtest dich, aber die Aufregung ist stärker als deine Angst.

Langsam hebst du den Deckel vom Schuhkarton.

Die Katze ist ein schmutziger, rötlich gelber Klumpen. Die halbgeschlossenen Augen sind blass und trübe und sehen aus wie luftleere Ballons nach einer Feier. Insekten krabbeln durch das Fell, Käfer, die vor dem Tageslicht davonhuschen. Du beobachtest gespannt, wie ein sich windender, fetter Wurm aus dem Ohr kullert. Dann nimmst du den Stock und stößt ihn gegen die Katze. Nichts passiert. Du stößt erneut zu, härter. Wieder passiert nichts. In deinem Kopf bildet sich ein Wort, eines, das du zwar schon häufiger gehört, bis jetzt aber nie richtig verstanden hast.

Tot.

Du erinnerst dich an die Katze, wie sie war. Ein fetter, schlechtgelaunter Kater, ein gehässiges Biest mit scharfen Krallen. Jetzt ist sie … nichts. Wie ist das lebendige Tier, an das du dich erinnerst, zu diesem verrotteten Fellklumpen geworden? Die Frage ist so unfassbar, dass sie dir über den Kopf steigt. Du beugst dich näher heran, als würdest du die Antwort finden, wenn du nur gründlich genug nachschaust …

… und wirst plötzlich weggerissen. Das Gesicht des Nachbarn ist wutverzerrt, es hat aber auch einen Ausdruck, den du nicht erkennst. Erst Jahre später wirst du wissen, dass es Abscheu war.

«Was in Gottes Namen tust du da …? Oh, du krankes, kleines Scheusal!»

Es gibt noch mehr Schreierei, auch später zu Hause. Du versuchst gar nicht erst zu erklären, was du getan hast, denn du verstehst es selbst nicht. Aber weder die bösen Worte noch die Bestrafung können die Erinnerung an das auslöschen, was du gesehen hast. Oder was du gefühlt hast und selbst heute noch fühlst und was sich in deiner Magengrube eingenistet hat. Ein blankes Erstaunen vor den Wundern der Natur und eine brennende, unersättliche Neugier.

Du bist fünf Jahre alt. Und damit hat alles begonnen.

KAPITEL 5

Alles schien langsamer zu werden, als das Messer auf mich zukam. Ich griff danach, aber ich war wie immer zu spät. Die Klinge glitt mir durch die Hand und schlitzte sie und die Finger bis auf die Knochen auf. Als mir die Beine wegknickten, spürte ich das warme Blut auf meinen Händen. Es sammelte sich auf den schwarzweißen Fliesen und tränkte mein Hemd, als ich an der Wand hinabrutschte.

Ich schaute nach unten, sah den Messergriff obszön aus meinem Bauch hervorragen und öffnete den Mund, um loszuschreien ...

«Nein!»

Keuchend richtete ich mich auf. Ich konnte das warme Blut auf meiner Haut spüren. Ich warf die Bettdecke zurück und schaute im trüben Mondlicht hektisch hinab auf meinen Bauch. Doch da war kein Messer, kein Blut. Nur ein schimmernder Schweißfilm und die hässliche Narbe direkt unterhalb der Rippen.

Mein Gott. Als ich mein Hotelzimmer erkannte und sah, dass ich allein war, ließ ich mich erleichtert zurückfallen.

Nur ein Traum.

Mein Herzschlag beruhigte sich, das Pochen in meinen Ohren ebbte ab. Ich schwang meine Beine über die Bettkante und setzte mich zitternd hin. Halb sechs zeigte die Uhr auf dem Nachttisch an. Der Wecker war auf eine Stunde später eingestellt, aber es wäre sinnlos gewesen, wenn ich versucht hätte, wieder einzuschlafen.

Ich stand mit steifen Gelenken auf und schaltete das Licht ein. Jetzt bereute ich fast, dass ich Tom zugesagt hatte, ihm bei der Untersuchung der Leiche aus der Hütte zu helfen. *Eine heiße Dusche und ein ordentliches Frühstück. Danach wird alles besser aussehen.*

Eine Viertelstunde verbrachte ich mit den Übungen zur Kräftigung meiner Bauchmuskulatur, dann ging ich ins Bad und stellte mich unter die Dusche. Ich ließ mir den heißen Strahl ins Gesicht strömen und hoffte, dass das prickelnde Wasser die Nachwirkungen des Traums davonspülen würde.

Als ich aus der Dusche stieg, waren die letzten Reste des Schlafes weggeschwemmt. Im Zimmer gab es eine Kaffeemaschine, die ich anstellte. Dann zog ich mich an und fuhr meinen Laptop hoch. In England war jetzt später Vormittag, und während ich an einem schwarzen Kaffee nippte, überprüfte ich meine E-Mails. Keine Nachricht war dringend, ich beantwortete nur die wichtigsten und sparte mir den Rest für später auf.

Das Restaurant im Erdgeschoss war bereits fürs Frühstück geöffnet, aber ich war der einzige Gast. Ich ließ die Waffeln und Pancakes stehen und entschied mich für Toast und Rührei. Als ich hereingekommen war, hatte ich Hunger gehabt, doch nun war selbst das zu viel für mich, und ich schaffte kaum die Hälfte. Mein Magen war verkrampft, obwohl ich nicht wusste, warum. Ich sollte Tom lediglich bei einer Arbeit helfen, die ich schon unzählige Male zuvor allein getan hatte, und zwar unter wesentlich schlimmeren Umständen als diesen.

Aber mir das zu sagen änderte nichts an meinem Unbehagen.

Als ich aus dem Hotel hinaustrat, ging gerade die Sonne

auf. Obwohl der Parkplatz noch im Schatten lag, wurde der tiefblaue Himmel langsam fahl und war am Horizont von leuchtendem Gold durchzogen.

Mein Mietwagen war ein Ford. Die feinen Unterschiede in der Ausstattung und das Automatikgetriebe des Wagens waren eine weitere Erinnerung daran, dass ich mich in einem anderen Land befand. Schon zu dieser frühen Stunde herrschte auf den Straßen reger Verkehr. Es war ein wunderbarer Morgen. Sosehr Knoxville in den letzten Jahren auch gewachsen war, dieser östliche Teil Tennessees war recht ruhig und grün geblieben. Die Frühlingssonne hatte noch nicht die Hitze und Schwüle des Hochsommers entwickelt, und zu dieser Tageszeit war die Luft frisch und ungetrübt von Abgasen.

Die Fahrt zur Uniklinik dauerte zwanzig Minuten. Das Leichenschauhaus befand sich in einem anderen Bereich des Campus als die Body Farm, aber ich kannte den Weg dorthin von früheren Aufenthalten.

Der Mann an der Anmeldung des Leichenschauhauses war so riesig, dass der Tresen wie ein Kinderspielzeug aussah. Außerdem war er derart mit Fett gepolstert, dass er praktisch knochenlos wirkte. Der Riemen seiner Uhr grub sich in das aufgeblähte Handgelenk wie ein Käseschneider in Teig. Er atmete schnaufend, als ich ihm erklärte, wer ich war.

«Autopsiesaal fünf. Durch die Tür und den Flur entlang.» Seine hohe Stimme passte nicht zu der massigen Statur. Mit einem pausbäckigen Lächeln reichte er mir eine elektronische Passierkarte. «Können Sie nicht verfehlen.»

Ich zog die Karte durch den Schlitz an der Tür und betrat das Leichenschauhaus. Der vertraute Geruchscocktail aus Formaldehyd, Bleich- und Desinfektionsmittel empfing mich. Tom war bereits im Autopsiesaal, bekleidet mit einem

OP-Anzug und einer Gummischürze. Auf einer Arbeitsbank in seiner Nähe stand ein tragbarer CD-Player, aus dem leise ein rhythmisches Schlagzeugstück ertönte, das ich nicht erkannte. Ein weiterer, ähnlich gekleideter Mann war bei ihm, der die auf einem Aluminiumtisch liegende Leiche mit einem Schlauch abspritzte, um die Insekten und Schmeißfliegenlarven abzuspülen.

«Morgen», sagte Tom vergnügt, als die Tür hinter mir zuschwang.

Ich deutete mit einer Kopfbewegung zum CD-Player. «Buddy Rich?»

«Völlig daneben. Louie Bellson.» Tom richtete sich von der tropfnassen Brusthöhle auf. «Du bist früh dran.»

«Nicht so früh wie du.»

«Ich wollte die Leiche röntgen lassen, damit die Dentalaufnahmen zum TBI geschickt werden können.» Er zeigte auf den jüngeren Mann, der noch immer die Leiche abspülte. «David, das ist Kyle, einer der Assistenten des Leichenschauhauses. Ich habe ihn gebeten, mir zu helfen, bis du hier bist, aber erzähl das nicht Hicks.»

Assistenten des Leichenschauhauses waren beim Büro des Leichenbeschauers angestellt, weshalb Hicks im Grunde Kyles Chef war. Ich hatte vergessen, dass der Pathologe hier arbeitete, und ich beneidete niemanden, der ihm unterstellt war.

Aber Kyle schien das nicht zu stören. Er war ein großer, zwar nicht gerade dicker, aber ziemlich kräftig gebauter Typ. Unter einem unordentlichen Haarschopf strahlte ein freundliches Mondgesicht.

«Hi», sagte er und hob eine Hand.

«Außerdem wird uns eine meiner Studentinnen helfen», fuhr Tom fort. «Eigentlich sind drei Leute nicht erforderlich, aber ich habe ihr versprochen, dass sie bei meiner nächsten Untersuchung dabei sein kann.»

«Wenn du mich hier nicht brauchst …»

«Es gibt eine Menge zu tun. So werden wir schneller fertig.» Toms Lächeln sagte mir, dass ich nicht so einfach davonkommen würde. «Anzüge und den Rest findest du am Ende des Gangs im Umkleideraum.»

Ich hatte den Umkleideraum für mich allein. Ich legte meine Sachen in einen Spind und zog mich um. Was wir nun zu tun hatten, war wahrscheinlich der grausigste Teil unserer Arbeit, mit Sicherheit aber der schmutzigste. DNA-Tests konnten bis zu acht Wochen dauern, und über Fingerabdrücke fand man die Identität des Opfers nur dann heraus, wenn es bereits aktenkundig war. Doch selbst bei einer derart stark verwesten Leiche wie dieser konnte die Identität und manchmal auch die Todesursache am Skelett abgelesen werden. Bevor man das allerdings tun konnte, musste das gesamte, noch vorhandene Gewebe restlos entfernt werden.

Und das war keine angenehme Arbeit.

Auf dem Weg zurück in den Autopsiesaal blieb ich vor der Tür stehen. Über dem Geräusch des laufenden Wassers konnte ich Tom zur Musik summen hören. *Und wenn ich erneut einen Fehler mache? Und wenn ich zu dieser Arbeit nicht mehr fähig bin?*

Aber ich durfte diese Gedanken nicht zulassen. Ich öffnete die Tür und ging hinein. Kyle war mit dem Abspülen der Leiche fertig. Tropfnass glänzten die Überreste des Toten, als wären sie poliert worden.

Tom stand vor einem Rolltisch mit chirurgischen Instrumenten. Als ich zu ihm ging, nahm er eine Gewebeschere und zog die grelle Lampe weiter nach unten.

«Okay, fangen wir an.»

Die erste Leiche hatte ich als Student gesehen. Es war eine junge Frau, nicht älter als fünf- oder sechsundzwanzig, die bei einem Hausbrand ums Leben gekommen war. Sie war durch den Rauch erstickt, ihr Körper war von den Flammen unberührt geblieben. Sie lag auf einem kalten Tisch unter dem grellen, entblößenden Licht der Leichenhalle. Ihre Augen waren ein Stück weit geöffnet, man sah trübe weiße Schlitze, und ihre Zungenspitze schaute ganz leicht zwischen ihren blutleeren Lippen hervor. Am meisten fiel mir auf, wie *ruhig* sie aussah. So erstarrt und reglos wie auf einem Foto. Alles, was sie getan hatte, alles, was sie gewesen war und zu sein gehofft hatte, war zu einem Ende gekommen. Für immer.

Diese Erkenntnis hatte mich mit einer körperlichen Wucht getroffen. Damals wusste ich, dass es immer, egal was ich tat oder wie viel ich lernte, ein Geheimnis geben würde, das ich nicht erklären konnte. Doch in den darauffolgenden Jahren bestärkte diese Erkenntnis nur meine Entschlossenheit, die konkreteren Probleme innerhalb meines Sachgebietes zu lösen.

Dann kamen Kara und Alice, meine Frau und meine sechs Jahre alte Tochter, bei einem Autounfall ums Leben. Und plötzlich waren solche Fragen nicht mehr nur theoretisch.

Für eine Weile zog ich mich zurück und arbeitete in meinem ursprünglichen Beruf als Arzt, weil ich glaubte, auf diese Weise ein gewisses Maß an Frieden und vielleicht sogar Antworten zu erhalten. Aber ich hatte mich nur selbst getäuscht. Wie Jenny und ich schmerzlich hatten erfahren müssen, konnte ich vor meiner Arbeit nicht davonlaufen. Sie machte mich aus, letztlich war ich untrennbar mit ihr verbunden. Auf jeden Fall hatte ich das gedacht, bis mir ein Messer in den Bauch gerammt worden war.

Jetzt war ich mir da gar nicht mehr sicher.

Ich versuchte, die Zweifel beiseitezuschieben, als ich an den Überresten des Opfers arbeitete. Nachdem ich Gewebe- und Flüssigkeitsproben genommen hatte, die ins Labor zur Analyse geschickt wurden, schnitt ich mit einem Skalpell vorsichtig die Muskeln, Knorpel und inneren Organe heraus und beraubte die Leiche damit buchstäblich ihrer letzten Reste von Menschlichkeit. Wer auch immer es war, er war ein großer Mann gewesen. Wir würden das Skelett später genau vermessen müssen, aber er war mindestens eins neunzig groß gewesen und hatte einen schweren Knochenbau gehabt.

Kein Mann, den man so leicht überwältigen konnte.

Wir arbeiteten in beinahe vollständiger Stille. Tom summte abwesend zu einer Dinah-Washington-CD, während Kyle den Schlauch aufrollte und dann die Schale säuberte, auf der sich die Insekten und andere Rückstände gesammelt hatten, die er von der Leiche abgespült hatte. Ich war mittlerweile in die Arbeit versunken, als plötzlich die Doppeltür des Autopsiesaals aufsprang.

Es war Hicks.

«Guten Morgen, Donald», begrüßte Tom ihn freundlich. «Was verschafft uns die Ehre?»

Der Pathologe antwortete nicht. Sein kahler Schädel glänzte unter den hellen Lichtern wie Marmor, als er Kyle finster anstarrte.

«Was hast du hier zu suchen, Webster? Ich habe dich gesucht.»

Kyle wurde rot. «Ich habe nur …»

«Er ist gerade fertig geworden», schaltete sich Tom ruhig ein. «Ich habe ihn gebeten, mir zu helfen. Dan Gardner will so schnell wie möglich einen vorläufigen Bericht haben. Es sei denn, Sie haben etwas dagegen?»

Selbst wenn es so gewesen wäre, hätte Hicks das kaum zugeben können. Er richtete seine Wut wieder auf Kyle. «Ich habe heute Morgen eine Autopsie. Hast du den Saal vorbereitet?»

«Äh, nein, aber ich habe Jason gefragt …»

«Ich habe es dir gesagt, nicht Jason! Ich bin mir sicher, Dr. Lieberman und sein *Assistent* können allein zurechtkommen, während du tust, wofür du bezahlt wirst.»

Es dauerte einen Augenblick, bis mir klar wurde, dass er mich meinte. Tom schenkte ihm ein dünnes Lächeln.

«Natürlich können wir.»

Hicks rümpfte die Nase, offenbar enttäuscht, dass niemand mit ihm streiten wollte. «In einer halben Stunde muss alles fertig sein, Webster. Kümmer dich darum.»

«Ja, Sir, tut mir leid …», sagte Kyle, doch der Pathologe hatte sich bereits umgedreht. Die schwere Tür knallte hinter ihm zu.

«Na, dann können wir ja wieder aufatmen», sagte Tom in die Stille. «Entschuldige, Kyle, ich wollte dich nicht in Schwierigkeiten bringen.»

Der junge Mann lächelte, doch seine Wangen glühten noch immer. «Schon in Ordnung. Aber Dr. Hicks hat recht, ich sollte wirklich …»

Bevor er seinen Satz beenden konnte, sprang die Tür erneut auf. Zuerst dachte ich, Hicks wäre zurückgekehrt, aber anstatt des Pathologen kam eine schräg aussehende junge Frau herein.

Ich vermutete, dass sie die Studentin war, die uns, wie Tom erwähnt hatte, helfen sollte. Sie war Anfang zwanzig und trug ein ausgebleichtes, pinkfarbenes T-Shirt über einer abgewetzten Cargohose. Beides spannte sich über ihrer stattlichen Figur. Das blond gebleichte Haar war durch ein rot-weiß gepunktetes Band zu einer Art Frisur gebunden worden, dazu verlieh ihr die runde Brille ein liebenswürdig erschrockenes Äußeres. Das hätte eigentlich mit den zahlreichen Piercings in Ohren, Nase und Augenbrauen kollidieren müssen, tat es aber irgendwie nicht. Sobald man den ersten Schock überwunden hatte, schien ihr das schmerzhaft aussehende Metallarsenal im Gesicht ganz gut zu stehen.

Noch ehe die Tür zugefallen war, platzten die Worte in einem atemlosen Schwall aus ihr hervor.

«Gott, ich kann nicht glauben, dass ich zu spät bin! Ich bin total früh los, damit ich im Institut nach meinen Projekten schauen konnte, aber dann habe ich irgendwie jedes Zeitgefühl verloren. Tut mir echt leid, Dr. Lieberman.»

«Na, jetzt sind Sie ja hier», sagte Tom. «Summer, ich glaube, Sie haben Dr. Hunter noch nicht kennengelernt. Er ist Brite, aber verübeln Sie es ihm nicht. Und das ist Kyle. Er hat hier für Sie die Stellung gehalten.»

Ein versonnenes Lächeln breitete sich auf Kyles Gesicht aus. «Freut mich, Sie kennenzulernen.»

«Hi.» Summer strahlte und entblößte eine funkelnde Zahnspange. Dann schaute sie interessiert und ohne Abscheu hinüber zur Leiche. Für die meisten Leute wäre es ein erschreckender Anblick gewesen, aber durch die Arbeit auf der Body Farm waren die Studenten auf diese schaurigen Realitäten vorbereitet. «Hab ich was verpasst?»

«Nein, er ist immer noch tot», versicherte Tom ihr. «Wenn Sie sich umziehen wollen – Sie wissen ja, wo alles ist.»

«Klar.» Als sie sich umdrehte, stieß sie mit ihrer Tasche gegen einen stählernen Rolltisch voller Instrumente. «Sorry», sagte sie, rückte ihn gerade und verschwand dann durch die Tür.

Erneut legte sich eine betäubte Stille über den Autopsiesaal. Tom lächelte matt. «Summer ist der Wirbelwind der Abteilung.»

«Habe ich gemerkt», sagte ich.

Kyle starrte noch wie gelähmt zur Tür. Tom warf mir einen amüsierten Blick zu und räusperte sich.

«Die Proben, Kyle?»

«Was?» Der Assistent drehte sich um, als hätte er vergessen, dass wir da waren.

«Du wolltest gerade die Proben fürs Labor verpacken.»

«Ach so. Klar, kein Problem.»

Mit einem letzten hoffnungsvollen Blick zur Tür sammelte Kyle die Proben ein und ging dann hinaus.

«Da hat unsere Summer wohl einen neuen Verehrer», sagte Tom trocken. Als er sich wieder zum Autopsietisch umdrehte, zuckte er plötzlich zusammen und rieb sich das Brustbein, als würde er keine Luft bekommen.

«Alles in Ordnung?», fragte ich.

«Ach, nichts. Bei Hicks kann man schon mal Sodbrennen kriegen», sagte er.

Aber er war blass geworden. Er griff nach der Schale mit den Instrumenten und rang nach Atem.

«Tom …»

«Alles in Ordnung, verdammt nochmal!» Er hob eine Hand, als wollte er mich bremsen, doch dann wurde es zu einer Geste der Entschuldigung. «Mir geht's gut, wirklich.»

Ich glaubte ihm nicht. «Du hast hier schon am Morgen gearbeitet, bevor ich gekommen bin. Warum machst du nicht mal eine Pause?»

«Weil ich keine Zeit dafür habe», entgegnete er gereizt. «Ich habe Dan versprochen, dass er so schnell wie möglich einen vorläufigen Bericht kriegt.»

«Und den wird er auch kriegen. Summer und ich können den Rest des Gewebes entfernen.»

Er nickte widerwillig. «Vielleicht nur ein paar Minuten …»

Ich schaute ihm hinterher, als er hinausging, und war erschrocken, wie gebrechlich er aussah. Er war nie ein körperlich imposanter Mann gewesen, aber jetzt schien er nur noch Haut und Knochen zu sein. *Er wird alt.* Das war der Lauf des Lebens. Trotzdem war es schwer zu akzeptieren.

Toms CD war schon lange zu Ende, sodass es im Autopsiesaal völlig still geworden war. Draußen im Hauptbüro hörte ich ein Telefon klingeln. Niemand nahm ab, und schließlich hörte das Klingeln auf.

Ich richtete meine Aufmerksamkeit wieder auf die Überreste des Opfers. Das Skelett war mittlerweile fast vollständig vom Fleisch befreit worden. Zur Entfernung des zurückgebliebenen Gewebes müsste es in Lösungsmittel ausgekocht werden. Da es allerdings ziemlich unpraktisch war, das gesamte Skelett in ein riesiges Fass zu stecken, musste es zuerst einem weiteren, schaurigen Prozess unterzogen werden.

Der Disartikulation.

Schädel, Hüfte, Beine und Arme mussten abgetrennt werden, eine Arbeit, die sowohl Umsicht als auch rohe Gewalt erforderte. Jede Beschädigung, die die Knochen dabei erfuhren, musste genau festgehalten werden, damit sie später nicht mit Traumata verwechselt wurden, die bereits vor dem Tod existiert oder zu diesem geführt hatten. Ich hatte damit begonnen, den Schädel zu entfernen, und durchtrennte gerade mit größter Sorgfalt die Knorpel zwischen dem zweiten und dritten Halswirbel, als Summer zurückkam.

In ihrer OP-Montur und mit der Schürze passte sie schon eher in die Leichenhalle, wenn da nicht die Ringe und Knöpfe in Ohren und Nase gewesen wären. Das ausgebleichte Haar war unter einer Haube versteckt.

«Wo ist Dr. Lieberman?», fragte sie.

«Er musste mal raus.» Ich beließ es dabei. Tom hätte nicht gewollt, dass seine Studenten von seiner Krankheit erfuhren.

Summer nahm es hin. «Wollen Sie, dass ich mit dem Auskochen beginne?»

Ich wusste nicht, was Tom vorhatte, aber dieser Schritt wäre sowieso der nächste gewesen. Wir begannen, die großen Fässer aus rostfreiem Stahl mit Lösungsmittel zu füllen, und stellten sie zum Erhitzen auf die Gasbrenner. Obwohl die Abzugshaube über den Brennern den größten Teil des Dampfes und des Rauches aus dem Saal saugte, verströmte die Mischung aus Bleichmittel und dem kochenden Gewebe einen unangenehmen Geruch, der sowohl an eine Wäscherei als auch an ein schlechtes Restaurant erinnerte.

«Sie sind also Engländer?», fragte Summer, während wir arbeiteten.

«Stimmt.»

«Was führt Sie hierher?»

«Ich bin sozusagen auf Forschungsreise.»

«Gibt es in England keine Forschungseinrichtungen?»

«Doch, aber nicht solche wie Ihre.»

«Ja, die Body Farm ist ziemlich cool.» Die großen Augen musterten mich durch die runden Brillengläser. «Wie ist es so als forensischer Anthropologe drüben bei Ihnen?»

«Vor allem kalt und nass.»

Sie lachte. «Und sonst? Ist es anders?»

Eigentlich hatte ich keine Lust, darüber zu sprechen, aber sie wollte nur freundlich sein. «Na ja, im Grunde ist die Arbeit die gleiche, aber es gibt ein paar Unterschiede. Zum

Beispiel gibt es bei uns nicht so viele verschiedene Polizei-
behörden wie hier.» Für einen Laien war die Anzahl der auto-
nomen Sheriff- und Polizeiabteilungen, ganz zu schweigen
von den Staats- und Bundesbehörden, die in den Vereinigten
Staaten operierten, äußerst verwirrend. «Aber der größte
Unterschied ist das Klima. Wenn wir nicht gerade einen ungewöhnlich heißen Sommer haben, trocknen die Leichen bei
uns nicht so stark aus wie hier. Wir haben es meistens mit
einer feuchten Verwesung zu tun, mit mehr Schimmel und
Schleim.»

Sie verzog ihr Gesicht. «Krass. Schon mal daran gedacht,
umzuziehen?»

Ich musste lachen. «Um im Süden unter der Sonne zu arbeiten? Nein, ist mir noch nie in den Sinn gekommen.» Aber
ich hatte schon genug über mich gesprochen. «Und was ist
mit Ihnen? Welche Pläne haben Sie?»

Summer stürzte sich in eine lebhafte Beschreibung ihres
bisherigen Lebens und ihrer Zukunftspläne und erzählte, dass
sie neben dem Studium in einer Bar in Knoxville arbeitete,
um Geld für ein Auto zu sparen. Ich sagte wenig und ließ sie
ihren Monolog halten. Sie arbeitete dadurch nicht langsamer,
außerdem fand ich ihren Wortschwall beruhigend, sodass ich
überrascht feststellte, dass beinahe zwei Stunden vergangen
waren, als Tom zurückkehrte.

«Ihr seid vorangekommen, wie ich sehe», sagte er an-
erkennend, als er zum Tisch kam.

«Es ging ziemlich reibungslos.» Ich wollte ihn vor Summer
nicht fragen, wie es ihm ging, aber ich konnte sehen, dass er
sich besser fühlte. Er wartete, bis sie sich wieder um die über
den Gasbrennern blubbernden Fässer kümmerte, und winkte
mich dann zur Seite.

«Entschuldige, dass es so lange gedauert hat, aber ich habe

mit Dan Gardner gesprochen. Es hat eine interessante Entwicklung gegeben. Es gibt keine aktenkundigen Fingerabdrücke von Terry Loomis, dem Typen, dessen Brieftasche in der Hütte gefunden wurde, sie können also noch nicht mit Sicherheit sagen, ob er das da ist.» Er deutete auf die Überreste auf dem Autopsietisch. «Aber die Analyse des Abdrucks auf dem Filmbehälter hat etwas ergeben. Er stammt von einem Willis Dexter, einem sechsunddreißig Jahre alten Schlosser aus Sevierville.»

Sevierville war eine Kleinstadt nicht weit von Gatlinburg, ungefähr zwanzig Meilen von der Berghütte entfernt, in der die Leiche gefunden worden war. «Das ist doch gut, oder?»

«Sollte man meinen», stimmte er zu. «In der Hütte haben sie außerdem ein paar weitere Fingerabdrücke von Dexter gefunden. Zum Beispiel auf einer eine Woche alten Kreditkartenquittung, die in Loomis' Brieftasche steckte.»

Das alles legte die Vermutung nahe, dass Terry Loomis das Opfer und Willis Dexter sein Mörder war. Doch irgendetwas an Toms Verhalten war komisch und sagte mir, dass es nicht so einfach war. «Ist er verhaftet worden?»

Tom nahm seine Brille ab und putzte sie mit einem Tuch. Seine Lippen hatten sich zu einem seltsamen Lächeln gekräuselt. «Tja, das ist der springende Punkt. Anscheinend ist Willis Dexter vor sechs Monaten bei einem Autounfall ums Leben gekommen.»

«Da stimmt doch was nicht», sagte ich. Entweder konnten die Fingerabdrücke nicht von ihm stammen, oder auf der Todesurkunde stand der falsche Name.

«Scheint mir auch so.» Tom setzte seine Brille wieder auf. «Deswegen werden wir gleich morgen früh seine Leiche exhumieren.»

Du bist neun Jahre alt, als du das erste Mal eine Leiche siehst. Man hat dich in deinen Sonntagsanzug gesteckt und führt dich in ein Zimmer, in dem man ein paar Reihen Holzstühle vor einem Sarg aufgestellt hat. Er steht auf Böcken, die mit abgewetztem schwarzem Samt bedeckt sind. An einer Ecke hat sich eine blutrote Borte gelöst. Du bist so davon abgelenkt, wie sie sich zu einer nahezu perfekten Acht aufgerollt hat, dass du schon fast vor dem Sarg stehst, ehe du das erste Mal hineinschaust.

Dein Großvater liegt darin. Er sieht … anders aus. Sein Gesicht wirkt irgendwie wächsern, und seine Wangen sind eingefallen, als hätte er sein Gebiss vergessen. Seine Augen sind geschlossen, aber auch mit ihnen stimmt etwas nicht.

Du bleibst stehen und spürst einen vertrauten Druck in der Brust. Eine Hand legt sich dir auf den Rücken und schubst dich nach vorn.

«Na geh schon, schau ihn dir an.»

Du erkennst die Stimme deiner Tante. Aber niemand muss dich dazu drängen, näher zu gehen. Als du schniefst, handelst du dir eine Kopfnuss ein.

«Taschentuch!», zischt deine Tante. Doch dieses Mal hast du nicht deine fast ständig laufende Nase hochgezogen. Du wolltest nur die anderen Gerüche wahrnehmen, die das Parfüm und die Duftkerzen versuchen zu übertünchen.

«Warum sind seine Augen zu?», fragst du.

«Weil er bei Gott ist», antwortet deine Tante. «Sieht er nicht friedlich aus? Als würde er schlafen.»

Aber für dich sieht er nicht so aus, als würde er schlafen. Was in dem Sarg liegt, sieht aus, als wäre es nie lebendig gewesen. Du starrst es an und versuchst herauszufinden, was genau anders daran ist, bis du mit fester Hand weggeschoben wirst.

Während der nächsten Jahre stellt sich bei der Erinnerung an die Leiche deines Großvaters immer die gleiche Verwirrung ein, der gleiche Druck in deiner Brust. Es ist eine deiner einschneidendsten Erinnerungen. Aber erst mit siebzehn verändert ein Ereignis dein Leben.

Du sitzt in der Mittagspause auf einer Bank und liest. Das Buch ist eine Übersetzung von Thomas von Aquins Summa theologiae, *das du aus der Bücherei gestohlen hast. Es ist natürlich ziemlich zäh und naiv, enthält aber ein paar interessante Dinge. «Die Existenz einer Sache und ihr Wesen sind getrennt.» Dir gefällt das, fast genauso wie Kierkegaards Behauptung, dass «der Tod ein Licht ist, in welchem die großen Leidenschaften, die guten wie die bösen, sichtbar werden». Sie widersprechen sich alle gegenseitig, und kein Theologe oder Philosoph, den du gelesen hast, kann vernünftige Antworten vorweisen. Aber sie sind dem Kern näher gekommen als die späteren Schriften von Camus und Sartre, die ihre Ignoranz hinter einer Maske der Fiktion versteckt haben. Diese Autoren hast du bereits hinter dir gelassen, und du bist kurz davor, auch Thomas von Aquin und den Rest hinter dir zu lassen. Im Grunde beginnst du zu begreifen, dass du in keinem Buch die Antwort finden wirst. Aber was bleibt dann?*

Zu Hause war in letzter Zeit Gejammer darüber laut geworden, woher das Geld für dein College kommen sollte. Es kümmert dich nicht. Irgendwoher wird es schon kommen. Du hast seit Jahren gewusst, dass du etwas Besonderes bist, dass du für etwas Großes bestimmt bist.

Und so sollte es sein.

Beim Lesen kaust und schluckst du mechanisch die eingepackten Sandwiches, ohne Genuss oder ohne etwas zu schmecken. Nahrung ist Treibstoff, mehr nicht. Die letzte Operation hat deine ständig tropfende Nase geheilt, die dir die gesamte Kindheit zu schaffen gemacht hat, aber zu einem hohen Preis. Dein Geruchssinn ist ausgelöscht, und abgesehen von den schärfsten Gerichten schmeckt jetzt alles so dröge wie Watte.

Nachdem du das fade Sandwich aufgegessen hast, steckst du das Buch weg. Du bist gerade von der Bank aufgestanden, als du quietschende Bremsen hörst und dann einen dumpfen Schlag. Als du aufschaust, siehst du eine Frau in der Luft. Einen Augenblick scheint sie dort zu schweben, ehe sie mit gespreizten Gliedern fast genau vor deinen Füßen zu Boden kracht. Sie liegt verrenkt auf dem Rücken, das Gesicht dem Himmel zugeneigt. Für einen kurzen Moment treffen sich eure Blicke; ihre Augen sind weit aufgerissen und starren dich verblüfft an. Du kannst in ihnen weder Schmerz noch Angst entdecken, nur Überraschung. Und etwas anderes.

Eine Erkenntnis.

Dann trübt sich ihr Blick, und dir ist sofort klar, dass die Kraft, die die Frau mit Leben erfüllt hat, erloschen ist. Was dir zu Füßen liegt, ist nur noch ein Knäuel aus Fleisch und gebrochenen Knochen, mehr nicht.

Betäubt stehst du da, während sich andere Leute um die Leiche versammeln und dich wegdrängeln, bis du sie nicht mehr sehen kannst. Es spielt keine Rolle. Du hast bereits gesehen, was du sehen solltest.

Du liegst die ganze Nacht wach und versuchst, dich an jedes Detail zu erinnern. Du bist aufgewühlt und unruhig, du spürst, dass du kurz vor etwas Großem stehst. Du weißt, dass dir ein flüchtiger Blick auf etwas Bedeutsames geboten worden war, auf etwas sowohl Alltägliches als auch Unergründliches. Nur dass dir der Blick der Frau, der sich in deinen gebrannt zu haben schien, nun seltsamerweise aus-

86

weicht. Du willst – nein, du musst *– diesen Moment erneut sehen, um zu verstehen, was passiert ist. Die Erinnerung ist dieser Aufgabe nicht gewachsen, genau wie damals, als du in den Sarg deines Großvaters geschaut hast. Sie ist zu subjektiv, zu unzuverlässig. Etwas derart Wichtiges erfordert eine sachlichere Methode.*

Eine dauerhaftere.

Am nächsten Tag hebst du bis auf den letzten Cent deine Ersparnisse fürs College ab und kaufst dir deine erste Kamera.

KAPITEL 6

Die Dämmerung war nur ein blasser Streifen am Horizont, als wir zum Friedhof aufbrachen. Der Himmel war noch dunkel, aber die Sterne verschwanden langsam und wurden vom neuen Tag verdrängt. Langsam kam die Landschaft auf beiden Seiten des Highways in der Dunkelheit zum Vorschein wie ein Foto im Entwicklerbecken. Jenseits der Supermärkte und Fastfoodrestaurants erhoben sich die dunklen, massigen Berge, als wollten sie die Dürftigkeit der künstlichen Fassaden betonen.

Tom fuhr schweigend. Dieses Mal legte er keine seiner Jazz-CDs ein, und ich war mir nicht sicher, ob es an der frühen Stunde oder seiner nachdenklichen Stimmung lag. Er hatte mich vom Hotel abgeholt, nach einem müden Lächeln aber kaum etwas gesagt. Niemand ist zu dieser Tageszeit auf der Höhe, sein Gesicht war jedoch von einer Farblosigkeit, die nichts mit Schlafmangel zu tun zu haben schien.

Du siehst wahrscheinlich selbst nicht gerade frisch aus. Ich hatte in den frühen Morgenstunden wach gelegen und besorgt an die Aufgabe gedacht, die vor uns lag. Dabei war es nicht meine erste Exhumierung, und mit Sicherheit würde es nicht die schlimmste werden. Vor Jahren hatte ich in Bosnien an einem Massengrab aus dem Krieg gearbeitet, in dem ganze Familien begraben lagen. Was wir nun zu tun hatten, war nichts dagegen, und ich wusste, dass Tom mir einen Gefallen damit tat, dass ich ihn begleiten durfte. Im Grunde genommen hätte ich mich über die Chance, an einer Ermittlung in den Staaten teilzunehmen, freuen sollen.

Warum war ich also nicht enthusiastischer?

Wo ich einmal Zuversicht und Sicherheit empfunden hatte, waren nun nur noch Zweifel. Meine gesamte Energie, mein innerer Mittelpunkt, den ich normalerweise als selbstverständlich erachtet hatte, schien im vergangenen Jahr vor der Tür meiner Wohnung mit dem Blut aus mir herausgeflossen zu sein. Und wenn ich mich jetzt schon so fühlte, wie sollte es erst werden, wenn ich nach England zurückkam und allein an einer Mordermittlung arbeiten musste?

Die Wahrheit war, dass ich keine Ahnung hatte.

Über dem östlichen Horizont lag ein goldener Streifen, als Tom vom Highway abbog. Wir waren auf dem Weg in die Vororte am Westrand von Knoxville, eine Gegend, die ich nicht kannte. Es war ein ärmliches Viertel, von den Häusern entlang den Straßen blätterte die Farbe ab, die Gärten waren mit Unkraut überwuchert und voller Müll. Im Licht der Scheinwerfer funkelten die Augen einer Katze, die etwas im Rinnstein Liegendes fraß und nun innehielt, um uns argwöhnisch hinterherzustarren.

«Wir sind gleich da», sagte Tom und durchbrach die Stille.

Gut eine Meile weiter begannen die Häuser Buschland zu weichen, und wenig später kamen wir zum Friedhof. Er war durch Kiefern und eine hohe, blasse Backsteinmauer von der Straße abgeschirmt. Auf einem Bogen über dem Tor stand auf einem schmiedeeisernen Schild *Steeple Hill Cemetery and Funeral Home*. Darüber befand sich ein stilisierter Engel, dessen Kopf ehrfürchtig geneigt war. Selbst im Dämmerlicht konnte ich sehen, dass das Metall verrostet war und die Farbe abblätterte.

Wir fuhren durch das offene Tor. Beide Seiten waren von Grabsteinreihen gesäumt, die meisten waren überwuchert und ungepflegt. Dahinter befanden sich dunkle, bedrohlich wirkende Kiefernwälder, und geradeaus konnte ich die Umrisse eines niedrigen, fabrikähnlichen Gebäudes mit einem gedrungenen Turm sehen, das wohl das Bestattungsunternehmen war.

Etwas abseits markierte eine Gruppe geparkter Fahrzeuge unser Ziel. Wir hielten neben ihnen an und stiegen aus. Ich zitterte in der kühlen Morgenluft und schob meine Hände in die Taschen. Dunstschwaden hingen über dem vom Tau silbrigen Gras, als wir uns dem Zentrum der Betriebsamkeit näherten.

Vor dem Grab waren Trennwände aufgerichtet worden, obwohl zu dieser Tageszeit noch keine Besucher auf dem Friedhof waren. Ein kleiner Bagger hob tuckernd und vibrierend eine Schaufel nackter Erde an, die hinabrieselte, als sie auf dem größer werdenden Haufen abgeladen wurde. Die Luft roch nach Lehm und Abgasen, das Grab war jedoch bereits fast vollständig ausgehoben und sah wie eine klaffende schwarze Wunde aus.

Gardner und Jacobsen standen mit ein paar Offiziellen und Arbeitern zusammen, die darauf warteten, dass der Bagger seine Arbeit erledigte. Etwas abseits davon stand Hicks. Der kahle Kopf des Pathologen ragte aus einem übergroßen Regenmantel, in dem er mehr denn je einer Schildkröte ähnelte. Seine Anwesenheit war kaum mehr als eine Formalität, denn die Leiche würde zur Untersuchung mit ziemlicher Sicherheit Tom übergeben werden.

Man konnte Hicks ansehen, dass er nicht glücklich darüber war.

In der Nähe stand ein weiterer Mann. Er war groß und

trug einen vornehmen Kamelhaarmantel über einem dunklen Anzug mit Krawatte. So, wie er die Arbeit des Baggers beobachtete, konnte man nicht sagen, ob er nur zurückhaltend oder aber gelangweilt war. Als er uns bemerkte, schien er munterer zu werden und musterte Tom aufmerksam.

«Tom», sagte Gardner. Die Augen des TBI-Agenten waren rot und geschwollen. Im Kontrast dazu sah Jacobsen in ihrem elegant gegürteten Mantel so frisch aus, als hätte sie neun Stunden lang friedlich geschlafen.

Tom lächelte, sagte aber nichts. Obwohl es nur wenig bergan gegangen war, bemerkte ich, dass er nach dem kurzen Weg vom Wagen außer Atem war. Hicks warf ihm einen neidischen Blick zu, begrüßte ihn aber nicht, während er mich überhaupt nicht beachtete. Stattdessen zog er ein schmuddeliges Taschentuch hervor und putzte sich lautstark die Nase.

Gardner zeigte auf den großen Mann im Kamelhaarmantel. «Das ist Eliot York. Er ist der Besitzer von Steeple Hill und hat uns geholfen, die Exhumierung zu organisieren.»

«Immer zu Ihren Diensten.» York eilte heran, um Tom die Hand zu schütteln. «Dr. Lieberman, es ist mir eine Ehre, Sir.»

Sein Rasierwasser konnte man selbst durch die Abgase des Baggers riechen. Ich schätzte ihn auf Ende vierzig, aber es war schwer zu sagen. Er war ein großer, dicker Mann mit einem dieser faltenlosen Gesichter, die im Alter voller zu werden schienen. Doch sein dunkles Haar sah irgendwie gefärbt aus, und als er sich umdrehte, sah ich, dass es sorgfältig über eine kahle Stelle gekämmt war.

Mir fiel auf, dass Tom seine Hand so schnell wie möglich zurückzog, bevor er mich vorstellte. «Das ist mein Kollege, Dr. Hunter. Er ist aus England zu Besuch bei uns.»

York grüßte mich flüchtig. Aus der Nähe erwiesen sich die Ärmel seines Mantels als abgewetzt und ausgefranst, und soweit ich sehen konnte, hätte der schwarze Anzug darunter eine Reinigung nötig gehabt. Angesichts der blutigen Schnitte und der übersehenen Stoppeln hatte er sich entweder hastig oder mit einer stumpfen Klinge rasiert. Und selbst sein aufdringliches Rasierwasser konnte den Zigarettenatem nicht verbergen, geschweige denn die gelben Nikotinflecken auf seinen Fingern.

Noch ehe er meine Hand losließ, wandte er sich schon wieder an Tom. «Ich habe viel über Ihre Arbeit gehört, Dr. Lieberman. Und natürlich von Ihrem Institut.»

«Danke, aber es ist eigentlich nicht ‹mein› Institut.»

«Natürlich nicht. Aber es ist trotzdem eine Ehre für Tennessee.» Er lächelte schleimig. «Nicht dass ich meinen, äh, Beruf mit Ihrem vergleichen möchte, aber ich glaube, auf meine bescheidene Art stehe auch ich im Dienst der Öffentlichkeit. Ein nicht immer angenehmer, aber nichtsdestoweniger notwendiger Dienst.»

Toms Lächeln flackerte kein bisschen. «So ist es. Sie haben also dieses Begräbnis durchgeführt?»

York neigte den Kopf. «Wir hatten die Ehre, Sir, obwohl ich mich an diesen Fall nicht im Einzelnen erinnern kann. Wir führen so viele Bestattungen durch, müssen Sie wissen. Steeple Hill bietet einen alles umfassenden Bestattungsservice an, einschließlich Einäscherung oder Beisetzung an diesem wunderschönen Ort.» Er deutete mit einer ausholenden Armbewegung auf die ungepflegte Anlage, als wäre sie ein vornehmer Park. «Mein Vater hat die Firma 1958 gegründet, und seitdem stehen wir im Dienste der Hinterbliebenen. Unser Motto lautet ‹Würde und Trost›, und daran möchte ich festhalten.»

Auf diese Kundenwerbung folgte betretene Stille. Tom sah erleichtert aus, als Gardner einschritt.

«Dürfte nicht mehr lange dauern. Wir sind gleich so weit», sagte er. Yorks Lächeln verblasste vor Enttäuschung, während Tom geschickt davongelotst wurde.

Als wollte er Gardners Prognose beweisen, lud der Bagger die letzte Schaufel Erde ab, stieß eine Abgaswolke aus und setzte zurück. Ein müde wirkender Mann, den ich für einen Beamten des Gesundheitsamtes hielt, gab einem der Arbeiter ein Zeichen. In Overall und mit Schutzmaske trat dieser vor und sprühte ein Desinfektionsmittel in das offene Loch. Der Tod des Wirts bedeutet nicht in jedem Fall das Ende krankheitserregender Parasiten. Abgesehen von den Bakterien, die im verwesenden Fleisch gedeihen, sind Hepatitis, Aids und Tuberkulose nur ein paar der Krankheiten, die ein Toter auf die Lebenden übertragen kann.

Ein weiterer Arbeiter in Schutzkleidung senkte eine kurze Leiter in das Grab, stieg hinab und räumte mit einer Schaufel die restliche Erde vom Sarg. Dann machte er sich daran, Seile anzubringen. Als er fertig war, leuchtete der Himmel bereits blassblau, und der Kiefernwald warf lange Schatten auf den Rasen. Der Arbeiter kletterte heraus, und dann stellten sich er und seine Kollegen auf beide Seiten des Grabes und begannen, den Sarg in einer makabren Umkehrung einer Beerdigung nach oben zu ziehen.

Langsam tauchte die verdreckte Kiste an der Oberfläche auf, Erdklumpen rieselten hinab. Die Männer stellten sie auf die Bretter, die neben das Grab gelegt worden waren, und wichen dann schnell zurück.

«Gott! Wie das stinkt!», brummte einer von ihnen.

Er hatte recht. Selbst dort, wo ich stand, verpestete der Verwesungsgestank die frische Morgenluft. Die Nase rümpfend, ging Gardner hinüber und bückte sich, um den Sarg zu untersuchen.

«Der Deckel ist gesplittert», sagte er und zeigte auf einen Riss unter der Schmutzkruste. «Ich glaube nicht, dass er durch die Schaufel eingeschlagen wurde, sieht eher so aus, als wäre es ziemlich dünnes Holz.»

«Das ist beste amerikanische Kiefer! Das ist ein erstklassiger Sarg!», polterte York. Niemand achtete auf ihn.

Tom beugte sich über den Sarg und schnüffelte. «Hast du nicht gesagt, er wäre vor sechs Monaten beerdigt worden?», fragte er Gardner.

«Stimmt. Warum?»

Tom antwortete ihm nicht. «Merkwürdig. Was denkst du, David?»

Ich versuchte, mein Unbehagen zu verbergen, als sich alle Blicke auf mich richteten. «Es dürfte nicht so stinken», sagte ich unwillig. «Unmöglich, nach nur sechs Monaten.»

«Falls Sie es noch nicht bemerkt haben sollten, der Sarg ist nicht gerade luftdicht», sagte Hicks. «Was erwarten Sie bei so einem Loch?»

Ich hoffte, dass Tom antworten würde, doch er schien ganz darauf konzentriert zu sein, den Sarg zu untersuchen. «Trotzdem hatte er gut zwei Meter Mutterboden über sich. So tief vergraben, verläuft die Verwesung wesentlich langsamer als unter freiem Himmel.»

«Ich hatte zwar nicht mit Ihnen geredet, aber danke für die Belehrung», sagte Hicks voller Sarkasmus. «Bestimmt kennen Sie sich als Engländer genauestens mit den Bedingungen in Tennessee aus.»

Tom richtete sich vom Sarg auf. «David hat recht. Selbst wenn die Leiche nicht einbalsamiert war, dürfte die Verwesung nicht so schlimm riechen, egal ob der Sargdeckel gesplittert war oder nicht.»

Der Pathologe starrte ihn finster an. «Warum schauen

94

wir dann nicht nach?» Er winkte schroff die Arbeiter heran. «Öffnen Sie ihn.»

«Hier?», entgegnete Tom überrascht. Normalerweise würde man den Sarg erst in der Leichenhalle öffnen.

Hicks schien den Moment zu genießen. «Der Sarg ist bereits kaputt. Ich will lieber gleich herausfinden, ob die Leiche tatsächlich so stark verwest ist, wie Sie behaupten. Ich habe schon genug Zeit verschwendet.»

Ich kannte Tom gut genug, um an seiner leicht vorgeschobenen Lippe zu erkennen, dass er dieses Vorgehen nicht guthieß, aber er sagte nichts. Bis die Leiche offiziell ihm übergeben worden war, trug Hicks die Verantwortung.

Jacobsen protestierte trotzdem. «Sir, glauben Sie nicht, dass das warten sollte?», sagte sie zu Hicks.

Der Pathologe lächelte sie provokativ an. «Wollen Sie meine Autorität in Frage stellen?»

«Um Gottes willen, Donald, öffnen Sie das verdammte Ding, wenn Sie unbedingt wollen», sagte Gardner.

Mit einem letzten bösen Blick auf Jacobsen gab Hicks einem der Arbeiter ein Zeichen. Das Aufheulen des Akkuschraubenziehers erschütterte die Stille. Ich schaute hinüber zu Jacobsen, aber man konnte ihr ihre Gefühle nicht ansehen. Sie musste gespürt haben, dass sie beobachtet wurde, denn plötzlich traf ihr Blick meinen. Für einen kurzen Moment konnte ich die Wut in ihren grauen Augen sehen, dann schaute sie weg.

Nachdem die letzte Schraube herausgedreht worden war, gesellte sich ein anderer Arbeiter zum ersten. Gemeinsam hoben sie den Deckel an. Er hatte sich verzogen und klemmte ein wenig, ehe er sich abheben ließ.

«O mein Gott!», stieß einer der Männer hervor und wandte den Kopf ab.

Der unerträgliche, widerlich süßliche Gestank der Verwesung strömte aus dem Sarg. Die Arbeiter wichen hastig zurück.

Ich stellte mich neben Tom und schaute hinein.

Ein fleckiges weißes Tuch bedeckte den größten Teil der Überreste, sodass nur der Schädel zu sehen war. Fast das gesamte Haar hatte sich abgelöst, wie schmutzige Spinnweben hingen nur noch ein paar dünne Strähnen hinab. Die Leiche war bereits so weit verwest, dass das Fleisch durch Bakterien, die das Gewebe verflüssigt hatten, von den Knochen geschmolzen zu sein schien. Im abgeschlossenen Milieu des Sargs hatte diese sogenannte Sargflüssigkeit nicht verdunsten können. Sie war schwarz und zäh und vom Leichentuch aufgesogen worden.

Hicks warf einen kurzen Blick in den Sarg. «Meinen Glückwunsch, Lieberman. Die können Sie haben.»

Ohne sich noch einmal umzudrehen, marschierte er zu den geparkten Autos. Gardner schaute angewidert auf den schaurigen Inhalt des Sargs. Er hielt sich ein Taschentuch vor Mund und Nase, als könnte er damit dem Gestank entgehen.

«Ist das normal?»

«Nein», erwiderte Tom, der Hicks einen bösen Blick hinterherwarf.

Gardner wandte sich an York. «Haben Sie eine Ahnung, wie das passieren konnte?»

Das Gesicht des Bestattungsunternehmers war dunkelrot geworden. «Selbstverständlich nicht! Und ich weise die Unterstellung zurück, dass das mein Fehler sein soll! Steeple Hill kann nicht dafür verantwortlich gemacht werden, was in einem Sarg nach der Beerdigung passiert!»

«Dachte ich mir schon.» Gardner winkte die Arbeiter heran. «Machen Sie ihn wieder zu. Und dann ab damit in die Leichenhalle.»

In der Zwischenzeit hatte ich mir die Überreste etwas genauer angesehen. «Tom, schau dir mal den Schädel an», sagte ich.

Er hatte noch immer hinter dem Pathologen hergestarrt. Jetzt sah er mich fragend an und tat dann, worum ich ihn gebeten hatte. Ich sah, wie sich seine Miene veränderte.

«Das wird dir nicht gefallen, Dan.»

«Was denn?» Statt zu antworten, deutete Tom mit einem Blick auf York und die Arbeiter. Gardner drehte sich zu ihnen um. «Würden Sie uns bitte einen Moment entschuldigen, meine Herren?»

Die Arbeiter gingen zum Bagger und steckten sich Zigaretten an. York verschränkte seine Arme.

«Das ist mein Friedhof. Ich werde nirgendwohin gehen.»

Gardners Nasenflügel bebten, als er seufzte. «Mr. York ...»

«Ich habe jedes Recht zu wissen, was los ist.»

«Das versuchen wir gerade herauszufinden. Wenn Sie jetzt bitte ...»

Doch York war noch nicht fertig. Er drohte Gardner mit einem Finger. «Ich habe mich absolut kooperativ verhalten! Und ich möchte dafür nicht verantwortlich gemacht werden! Halten Sie in Ihrem Bericht fest, dass Steeple Hill nicht haftbar ist!»

«Haftbar für was?» Gardners Ton war gefährlich ruhig.

«Für alles! Für das!» York deutete aufgebracht auf den Sarg. «Dies ist ein anständiges Unternehmen, ich habe nichts Falsches getan!»

«Dann müssen Sie sich ja keine Sorgen machen. Danke für Ihre Hilfe, Mr. York. Es wird demnächst jemand vorbeikommen, um mit Ihnen zu sprechen.»

York holte tief Luft und wollte etwas entgegnen, doch der starre Blick des TBI-Agenten hielt ihn davon ab. Wütend presste der Bestatter die Lippen zusammen und stakste davon. Gardner schaute ihm mit einem Blick hinterher, mit dem eine Katze einen Vogel belauert, und wandte sich dann an Tom.

«Und?»

«Du hast etwas von einem Weißen gesagt, oder?»

«Richtig. Willis Dexter, sechsunddreißigjähriger Schlosser, gestorben bei einem Autounfall. Komm schon, Tom, was hast du gesehen?»

Tom lächelte mich schief an. «David hat es bemerkt. Also soll er es dir sagen.»

Vielen Dank. Als ich mich wieder zum Sarg umdrehte, spürte ich die Blicke von Gardner und Jacobsen. «Schauen Sie sich die Nase an», bat ich sie. Das Gewebe war weggefault, sodass nur noch ein dreieckiges, mit Knorpelresten durchzogenes Loch übrig geblieben war. «Sehen Sie den unteren Rand der Nasenöffnung, der an den Oberkiefer stößt? Dort müsste eigentlich ein Übergang sein, ein hervorstehender, spitzer Kammknochen. Aber er fehlt hier, die Nasenöffnung geht direkt in den Knochen darunter über. Außerdem ist die Nasenform bezeichnend. Sie hat einen flachen und breiten Rücken, und auch die Öffnung ist ziemlich breit.»

Gardner fluchte leise. «Sicher?», fragte er, eher an Tom als an mich gerichtet.

«Leider.» Tom schnalzte verärgert mit der Zunge. «Es wäre mir auch aufgefallen, wenn ich genau hingeschaut hätte. Jedes einzelne Schädelmerkmal liefert schon für sich allein einen ziemlich genauen Hinweis auf die Herkunft. Wenn wir sie alle zusammennehmen, gibt es kaum einen Zweifel.»

«Zweifel worüber?», fragte Jacobsen verwirrt.

«Dieser Kammknochen, den David erwähnt hat, ist eine anatomische Charakteristik der Weißen», erklärte ihr Tom. «Dieser Typ hat keinen.»

Jacobsen runzelte die Stirn, als sie verstand. «Sie meinen, er ist schwarz? Aber ich dachte, Willis Dexter wäre ein Weißer.»

Gardner seufzte gereizt. «Stimmt.» Er starrte auf die Leiche im Sarg, als hätte sie ihn enttäuscht. «Das ist nicht Willis Dexter.»

KAPITEL 7

Die Sonne strahlte vom Himmel und spiegelte sich in den Fenstern und Karosserien der anderen Fahrzeuge auf dem Highway. Obwohl es noch nicht Mittag war, flimmerte die Luft über dem Asphalt vor Hitze und Abgasen. Vor uns gab es einen Stau, und der Verkehr musste im Schnecken-tempo an den Kranken- und Polizeiwagen vorbeifahren, die eine Spur blockierten. Schräg davor stand ein neuer Lexus, dessen Heck unbeschädigt und schnittig aussah, der vor-ne aber total eingedellt war. Ein Stückchen weiter lag ein Haufen aus verbeulten Motorteilen, Chrom und Gummi, der einmal ein Motorrad gewesen war. Die Flecken auf dem Straßenbelag hätten Öl sein können, waren es aber wahr-scheinlich nicht.

Als wir daran vorbeikrochen, mit steinerner Miene von einem Polizisten weitergewinkt, sah ich, wie sich auf einer Brücke über dem Highway Schaulustige versammelten und über das Geländer beugten, um das Schauspiel unten zu beobachten. Dann löste sich der Stau auf, und der Verkehr nahm wieder seinen üblichen Fluss auf, als wäre nichts ge-schehen.

Auf der Rückfahrt vom Friedhof schien Tom wieder fast der Alte zu sein. Ich kannte dieses Funkeln in seinen Augen und wusste, dass es nur bedeuten konnte, wie sehr ihn die letzte Wendung des Falles fesselte. Erst stammten die Fingerabdrücke am Tatort von einem Toten, nun wurde in dessen Grab eine andere Leiche gefunden. Solche Rätsel liebte er.

«Sieht langsam so aus, als wären die Berichte von Willis Dexters Ableben ein bisschen verfrüht gewesen, was meinst du?», sagte er und trommelte mit den Fingern im Rhythmus zu einem Dizzy-Gillespie-Stück auf das Lenkrad. «Wenn man es schafft, den eigenen Tod zu fingieren, hat man ein bombensicheres Alibi.»

Ich war mit den Gedanken abgeschweift und musste mich erst wieder auf die Sache konzentrieren. «Und wer liegt deiner Meinung nach im Sarg? Ein weiteres Opfer?»

«Ich werde keine voreiligen Schlüsse ziehen, ehe wir die Todesursache kennen, aber ich würde sagen, ja. Es ist natürlich auch möglich, dass ein Mitarbeiter des Bestattungsunternehmens die Leichen aus Versehen vertauscht hat, aber unter diesen Umständen halte ich das eher für unwahrscheinlich. Nein, ich gebe es zwar nicht gern zu, aber ich glaube, Irving hatte recht damit, dass wir es mit einem Serienmörder zu tun haben.» Er warf mir einen Blick zu. «Was?»

«Nichts.»

Er lächelte. «Du würdest einen miesen Schauspieler abgeben, David.»

Normalerweise hätte ich es genossen, mit Tom über den Fall zu sinnieren, aber in letzter Zeit schien ich ständig damit beschäftigt zu sein, mich selbst in Frage zu stellen. «Ich bin wahrscheinlich nur misstrauisch. Aber kommt es dir nicht auch ein bisschen zu einfach vor, dass der Fingerabdruck auf der Filmdose direkt zu einer weiteren Leiche führt?»

Er zuckte mit den Achseln. «Auch Kriminelle machen Fehler.»

«Du glaubst also, dass Willis Dexter noch lebt? Und dass er der Mörder ist?»

«Was denkst du?»

«Ich denke, ich hatte vergessen, wie gern du den Advocatus Diaboli spielst.»

Er musste lachen. «Ich gehe nur die Möglichkeiten durch. Okay, du hast recht, es erscheint alles eine Spur zu einfach. Aber Dan Gardner ist kein Idiot. Er kann manchmal furchtbar nerven, aber ich bin froh, dass er den Fall übernommen hat.»

Ich konnte mich nicht mit Gardner anfreunden, doch Tom verteilte Lob nicht leichtfertig. «Was hältst du von York?», fragte ich.

«Abgesehen davon, dass ich mir die Hand waschen wollte, nachdem er sie geschüttelt hat, bin ich mir nicht sicher.» Er machte ein nachdenkliches Gesicht. «Er ist nicht gerade ein Werbeträger für Bestatter, aber er schien sich wegen der Exhumierung keine Sorgen zu machen. Auf jeden Fall so lange nicht, bis er gesehen hat, in welchem Zustand der Sarg war. Er wird bestimmt ein paar peinliche Fragen beantworten müssen, aber ich kann mir nicht vorstellen, dass er so gelassen gewesen wäre, wenn er gewusst hätte, was wir finden würden.»

«Trotzdem, es ist schwer vorstellbar, wie die Leichen vertauscht worden sein sollen, ohne dass jemand vom Bestattungsunternehmen davon wusste.»

Tom nickte. «Fast unmöglich. Aber ich spare mir das Urteil über York lieber noch auf.» Er hielt inne, um zu blinken und dann ein langsam fahrendes Wohnmobil zu überholen. «Gute Arbeit vorhin übrigens. Mir war an der Nasenhöhle nichts aufgefallen.»

«Es wäre dir auch aufgefallen, wenn du dich nicht so über Hicks aufgeregt hättest.»

«Mich über Hicks aufzuregen ist mein Berufsrisiko. Mittlerweile sollte ich mich daran gewöhnt haben.» Sein Lächeln verblasste, als er meine Miene sah. «Okay, raus damit. Was hast du auf dem Herzen?»

Eigentlich hatte ich nicht darüber sprechen wollen, aber dem Thema weiter auszuweichen hatte keinen Zweck. «Ich glaube, dass meine Reise hierher keine gute Idee gewesen ist. Ich weiß deine Bemühungen zu schätzen, aber … seien wir ehrlich: Es funktioniert nicht. Ich glaube, ich sollte zurückfliegen.»

Bis zu diesem Moment war mir nicht bewusst gewesen, dass ich eine Entscheidung getroffen hatte. Doch jetzt war mir so, als hätten meine Zweifel konkrete Formen angenommen und würden mich zwingen, den Tatsachen ins Auge zu sehen. Obwohl mich dieses Eingeständnis auch erschreckte, weil ich wusste, dass es etwas Endgültiges hatte. Wenn ich jetzt abreiste, würde ich nicht nur meinen Aufenthalt abkürzen.

Ich würde aufgeben.

Tom schwieg eine Weile. «Das hat nicht nur mit der Sache in der Hütte gestern zu tun, oder?»

«Das war nur ein weiterer Baustein.» Ich zuckte mit den Achseln und wusste nicht, wie ich es ausdrücken sollte. «Ich denke einfach, diese Reise war ein Fehler. Keine Ahnung, vielleicht war es zu früh.»

«Deine Wunde ist verheilt, oder?»

«Das meinte ich nicht.»

«Ich weiß.» Er seufzte. «Darf ich offen sein?»

Ich nickte nur, das war sicherer, als etwas zu sagen.

«Du bist schon einmal davongelaufen, und es hat nicht funktioniert. Wie kommst du darauf, dass es dieses Mal besser wird?»

Ich spürte, wie meine Wangen glühten. *Davongelaufen?*

Sah ich das auch so? «Wenn du die Situation meinst, als Kara und Alice gestorben sind, dann hast du wohl recht, da bin ich davongelaufen», sagte ich mit heiserer Stimme. «Dieses Mal ist es etwas anderes. Ich habe das Gefühl, als würde mir etwas fehlen, und ich weiß nicht was.»

«Dir ist das Selbstvertrauen verloren gegangen.»

«Wenn du so willst, ja.»

«Dann frage ich dich erneut: Wie soll dir das Davonlaufen helfen?»

Jetzt fiel ich ins Schweigen.

Tom wandte seinen Blick nicht von der Straße. «Ich werde dich nicht mit billigen Aufmunterungen nerven, David. Wenn du wirklich glaubst, dass es das Richtige ist, dann musst du abreisen. Ich glaube, du wirst es bereuen, aber es ist deine Entscheidung. Aber würdest du vorher etwas für mich tun?»

«Natürlich.»

Tom rückte seine Brille zurecht. «Ich habe das, abgesehen von Mary und Paul, noch niemandem erzählt. Aber ich werde nach dem Sommer in den Ruhestand gehen.»

Ich schaute ihn überrascht an. Ich hatte gedacht, er würde bis zum Jahresende bleiben. «Aus gesundheitlichen Gründen?»

«Sagen wir einfach, ich habe es Mary versprochen. Hör zu, du bist einer meiner besten Studenten gewesen, und das hier ist unsere letzte Gelegenheit, zusammenzuarbeiten. Du würdest mir einen großen Gefallen tun, wenn du noch eine Woche bleibst.»

Für einen Moment konnte ich nur bewundern, wie geschickt er mich in die Falle gelockt hatte. «Ich bin dir auf den Leim gegangen, oder?»

Er lächelte. «Allerdings. Aber du kannst kaum das Wort brechen, das du einem alten Mann gegeben hast, oder?»

Ich musste lachen. Komischerweise fühlte ich mich erleichtert wie seit einer Ewigkeit nicht. «Na schön. Eine Woche.»

Tom nickte zufrieden. Er trommelte mit seinen Fingern im Takt zur Trompete, die aus den Lautsprechern ertönte.

«Und was hältst du von Dans neuer Kollegin?»

Ich schaute aus dem Fenster. «Jacobsen? Sie macht einen ganz fähigen Eindruck.»

«Mmmh.» Er trommelte mit den Fingern einen kleinen Tusch auf das Lenkrad. «Attraktiv, oder?»

«Ja, wahrscheinlich.» Tom sagte nichts. Mein Gesicht begann schon wieder zu glühen. «Was?»

«Nichts», sagte er grinsend.

Tom hatte vorher in der Leichenhalle angerufen und angekündigt, dass die exhumierte Leiche unterwegs war. Sie musste in einem anderen Autopsiesaal als diejenige aus der Hütte untersucht werden, um eine gegenseitige Kontamination zu vermeiden. Allein der Verdacht darauf könnte die Beweisführung zu einem Albtraum machen, sobald der Mörder gefasst war.

Vorausgesetzt, er wurde gefasst.

Kyle befand sich gerade im Gespräch mit zwei anderen Assistenten, als wir ankamen. Er brach es ab und führte uns in den Saal, den er vorbereitet hatte, wobei er sich die ganze Zeit umschaute, als würde er erwarten – oder hoffen –, dass noch jemand kam. Nachdem er gemerkt hatte, dass wir allein waren, sah er geknickt aus.

«Kommt Summer heute nicht?»

Der Versuch, beiläufig zu klingen, schlug fehl. «Ich könnte mir denken, dass sie später vorbeischaut», sagte Tom zu ihm.

«Ach so. Ich dachte nur.»

Tom verzog keine Miene, bis Kyle den Autopsiesaal verlassen hatte. «Muss Frühling sein», sagte er lächelnd. «Bei allen spielen die Hormone verrückt.»

Der Sarg aus Steeple Hill wurde hereingebracht, als wir uns gerade umgezogen hatten. Er war in einem kistenartigen Aluminiumcontainer transportiert worden, sodass wie bei russischen Puppen ein Sarg im anderen steckte. Da die Leiche zuerst geröntgt werden musste, rollte Kyle das Ganze auf einem Wagen in die Radiologie.

«Brauchen Sie Hilfe dabei?», fragte er.

«Nein danke, wir kommen zurecht.»

«Tom …», sagte ich. Zum Röntgen mussten die Überreste aus dem Sarg gehoben werden. Durch die Verwesung war die Körpermasse zwar geringer geworden, ich wollte aber nicht, dass er sich überanstrengte.

Er hatte meine Gedanken erraten und seufzte verärgert auf. «Wir können warten, bis Summer hier ist. Ich habe Kyle erst neulich in Schwierigkeiten gebracht.»

«Ach, das ist schon in Ordnung. Martin und Jason können für mich einspringen.» Bei der Erwähnung von Summer war Kyle sofort hellhörig geworden. Er grinste schüchtern. «Außerdem ist Dr. Hicks gerade nicht hier.»

Widerwillig gab sich Tom geschlagen. «Na gut, meinetwegen. Sobald wir Fotos gemacht haben, kannst du David helfen, die Leiche herauszuheben.» In dem Moment klingelte sein Telefon. Er schaute auf das Display. «Es ist Dan. Ich gehe mal lieber ran.»

Während Tom auf den Flur ging, um mit Gardner zu sprechen, öffneten Kyle und ich die großen Schnappverschlüsse, mit denen der Aluminiumdeckel festgehalten wurde.

«Und Sie sind Engländer, ja?», fragte er. «Aus London?»

«Stimmt.»

«Wow. Und wie ist Europa so?»

Während ich mich mit einem klemmenden Verschluss abmühte, überlegte ich, was ich darauf antworten sollte. «Tja, es ist von Land zu Land ziemlich verschieden.»

«Echt? Irgendwann will ich mal hinfahren. Ich würde gern mal den Eiffelturm und solche Sachen sehen. Ich bin schon durch die Staaten gereist, aber ich wollte immer mal ins Ausland.»

«Dann sollten Sie es tun.»

«Nicht mit meinem Gehalt.» Er lächelte wehmütig. «Und … äh, wird Summer auch mal Anthropologe wie Dr. Lieberman?»

«Darauf läuft es wohl hinaus.»

Er konzentrierte sich darauf, die Verschlüsse zu öffnen, und versuchte, sich gleichmütig zu geben. «Heißt das, sie bleibt in Tennessee?»

«Warum fragen Sie sie nicht selbst?»

Er schaute mich erschrocken an und senkte dann schnell den Blick. «Nein, das kann ich nicht. Ich, äh, dachte nur.»

Ich unterdrückte ein Lächeln. «Ich glaube jedenfalls, dass sie noch eine Weile hier sein wird.»

«Ja, vermutlich.»

Er nickte heftig und vertiefte sich in die Arbeit. Seine Schüchternheit war mir irgendwie peinlich. Ich hatte keine Ahnung, ob sein Interesse Summer willkommen war, aber ich hoffte, dass er den Mut aufbringen würde, es herauszufinden.

Wir wollten gerade den Deckel von der Aluminiumkiste heben, als Tom zurückkehrte. Er sah nicht gerade glücklich aus.

«Ihr braucht euch nicht zu beeilen. Dan will, dass wir mit der Untersuchung noch warten. Offenbar möchte sich Alex Irving die Leiche so anschauen, wie sie gefunden wurde.»

«Weshalb?» Ich konnte verstehen, dass der Profiler die Leiche des ersten Opfers in der Hütte hatte sehen wollen, diese aber lag in einem Sarg. Mir war schleierhaft, welche Schlüsse er daraus ziehen wollte, die ihm nicht auch Fotos verschaffen würden.

«Wer weiß?» Tom atmete genervt aus. «Hicks und Irving an einem Morgen. Mein Gott, das kann ja noch heiter werden heute. Und du hast nicht gehört, dass ich das gesagt habe, Kyle.»

Der Assistent der Leichenhalle lächelte. «Nein, Sir. Kann ich sonst noch etwas tun?»

«Im Moment nicht. Ich rufe dich, wenn Irving hier ist. Mir wurde versichert, dass er nicht lange braucht.»

Aber wir hätten wissen müssen, dass Irving kein Typ war, der sich darum Gedanken machte, wie lange er andere warten ließ. Eine halbe Stunde verstrich, dann eine Stunde, und er hatte uns noch immer nicht mit seiner Anwesenheit beehrt. Tom und ich beschäftigten uns damit, die über Nacht in Lösungsmittel eingelegten Überreste aus der Hütte abzuspülen und zu trocknen. Erst nach fast zwei Stunden schlenderte der Profiler ohne anzuklopfen in den Autopsiesaal. Über einem schlichten schwarzen Hemd trug er wieder seine teure Wildlederjacke, ein gepflegter Dreitagebart bedeckte seine fülligen Wangen und das leicht schwabbelige Kinn.

Eine hübsche junge Frau begleitete ihn, die kaum älter als neunzehn oder zwanzig war. Sie hielt sich dicht hinter ihm, als wollte sie sich verstecken.

Er schenkte uns ein falsches Lächeln. «Dr. Lieberman, Dr. …» Er beließ es bei einem vagen Nicken in meine Richtung. «Ich nehme an, Dan Gardner hat Ihnen gesagt, dass ich komme.»

Tom erwiderte das Lächeln nicht. «Ja, vor zwei Stunden. Er hat auch gesagt, dass sie bald hier sein würden.»

Irving hob theatralisch die Hände und setzte ein Lächeln auf, das er anscheinend für entwaffnend hielt. «Mea culpa. Das Fernsehen hat gerade ein Interview mit mir aufgezeichnet, als Gardner anrief, und die Aufnahmen haben sich etwas verzögert. Sie kennen das ja.»

Toms Miene sagte, dass er genau Bescheid wusste. Er schaute fragend auf die junge Frau. «Und das ist …?»

Irving legte besitzergreifend eine Hand auf ihre Schulter. «Das ist, äh, Stacie. Eine meiner Studentinnen. Sie schreibt eine Dissertation über mein Werk.»

«Das ist bestimmt faszinierend», sagte Tom. «Aber sie muss leider draußen warten.»

Der Profiler tat die Bemerkung mit einer lässigen Handbewegung ab. «Schon in Ordnung, ich habe sie gewarnt, was sie erwartet.»

«Trotzdem, ich muss darauf bestehen.»

Irvings Lächeln wurde zu einer Maske, als er und Tom sich anstarrten. «Ich habe ihr versprochen, dass sie mich begleiten kann.»

«Das hätten Sie nicht tun sollen. Das hier ist eine Leichenhalle, kein Vorlesungssaal. Tut mir leid», fügte Tom etwas sanfter an die junge Frau gewandt hinzu.

Irving starrte ihn noch einen Moment an, dann schenkte er ihr ein bedauerndes Lächeln. «Sieht so aus, als wäre ich überstimmt worden, Stacie. Sie werden in meinem Wagen warten müssen.»

Stacie eilte verlegen mit gesenktem Kopf hinaus. Sie tat mir leid, aber Irving hätte wissen müssen, dass er sie nicht einfach mitbringen konnte, ohne Tom zu fragen. Kaum war die Tür hinter ihr zugefallen, verschwand das Lächeln des Profilers.

«Sie ist eine meiner besten Studentinnen. Wenn ich den Eindruck gehabt hätte, sie könnte meine Arbeit behindern, hätte ich sie nicht mitgebracht.»

«Das glaube ich gern, aber diese Entscheidung hatten nicht Sie zu treffen.» Toms Ton beendete die Diskussion. «David, würdest du bitte Kyle in die Radiologie bringen? Ich zeige Dr. Irving, wo der Umkleideraum ist.»

«Das wird nicht nötig sein. Ich habe nicht die Absicht, etwas anzufassen.» Das Auftreten des Profilers war eisig geworden.

«Das mag sein, aber was das angeht, sind wir pingelig. Außerdem möchte ich nicht, dass Ihre Jacke schmutzig wird.»

Irving schaute hinab auf seine teure Wildlederjacke. «Ach so. Na ja, vielleicht haben Sie recht …»

Tom warf mir ein kurzes Lächeln zu, als ich hinausging. Nachdem ich Kyle gefunden hatte, waren Tom und Irving bereits in der Radiologie. Sie standen sich schweigend zu beiden Seiten des Aluminiumcontainers gegenüber, in dem sich der Sarg befand.

Irving hatte sich einen Laborkittel übergezogen. Er machte ein gequältes Gesicht und knetete sich mit in Handschuhen steckendem Daumen und Zeigefinger den Nasenrücken, als Kyle und ich den Deckel des Containers abhoben.

«Ich hoffe, es dauert nicht lange. Ich habe Schnupfen, und die Klimaanlage tut meinen Nebenhöhlen … *Gott!*»

Kaum strömte der Gestank heraus, wich er hastig zurück und legte sich eine Hand vor die Nase. Man musste es ihm jedoch hoch anrechnen, dass er sich schnell wieder im Griff hatte, seine Hand senkte und einen Schritt nach vorn machte, als wir den eigentlichen Sarg öffneten.

«Ist das, äh, normal?»

«Meinen Sie den Zustand der Leiche?» Tom zuckte mit

den Achseln. «Kommt darauf an, was Sie für ‹normal› halten. Diesen Verwesungszustand kann man bei einer vergrabenen Leiche erwarten. Allerdings nicht bereits nach sechs Monaten.»

«Ich nehme an, Sie haben eine Erklärung dafür?»

«Noch nicht.»

Irving machte tatsächlich ein überraschtes Gesicht. «Wir haben also zwei Leichen, die beide rätselhafterweise stärker verwest sind, als sie sein sollten. Das ist eine Art Muster, denke ich. Und ich habe gehört, dass dieser Mann nicht derjenige ist, der im Grab hätte liegen sollen?»

«So sieht es aus. Dies ist ein Schwarzer. Willis Dexter war weiß.»

«Vielleicht war da jemand vom Bestattungsunternehmen besonders politisch korrekt», brummte er. Er deutete auf das schmutzige Tuch, das die Leiche, abgesehen vom Kopf, bedeckte. «Können Sie …?»

«Einen Moment noch. David, würdest du bitte ein paar Aufnahmen machen?»

Ich fotografierte die Leiche mit Toms Kamera, dann bedeutete Tom Kyle, das Tuch wegzunehmen. Der Assistent der Leichenhalle zog es vorsichtig zurück. Durch die bei der Verwesung freigesetzten Flüssigkeiten klebte der Stoff an der Leiche und ließ sich nur schwer ablösen. Als er sah, was darunter zum Vorschein kam, hielt er inne und schaute Tom unsicher an.

Die Leiche war nackt.

«Oh, hier ist ganz eindeutig ein Muster zu erkennen», sagte Irving. Er klang amüsiert.

Tom nickte Kyle zu. «Mach weiter.»

Der Assistent zog den Rest des Tuches zur Seite. Irving strich sich über den Bart, als er die Leiche betrachtete. Mir kam es affektiert vor, aber vielleicht war ich voreingenommen.

«Gut, auch wenn wir für einen Moment den Aspekt der Nacktheit außer Acht lassen, fallen sofort ein paar Dinge auf», erklärte er. «Die Leiche ist mit Bedacht arrangiert worden. Die Hände sind auf konventionelle Art über der Brust gefaltet, die Beine sind gerade hingelegt worden, als wäre dies eine normale Beerdigung gewesen. Was sie anscheinend nicht war. Die Leiche ist jedoch offenkundig mit Respekt behandelt worden, was eine ganz klare Abweichung zum ersten Opfer darstellt. Aber das macht die Sache nur umso interessanter, oder?»

Nicht für die Opfer. Ich konnte sehen, dass Irvings Art auch Tom ärgerte. «Die Leiche, die wir in der Hütte gefunden haben, war nicht das erste Opfer.»

«Entschuldigen Sie?»

«Selbst wenn dieser Mann ermordet worden ist, was wir erst mit Sicherheit sagen können, wenn wir die Todesart festgestellt haben, ist er schon wesentlich länger tot als der Mann, der gestern gefunden wurde», sagte Tom. «Wer auch immer das hier ist, er ist zuerst gestorben.»

«Ich gebe meinen Fehler zu», sagte Irving mit eingefrorenem Lächeln. «Aber das bestärkt nur meine Theorie. Es gibt eine eindeutige Weiterentwicklung. Und wenn dieser Dexter vor sechs Monaten seinen eigenen Tod fingiert hat, was wahrscheinlich der Fall ist, dann ist diese Entwicklung höchst symbolisch. Zuerst dachte ich, dass der Mörder seine Sexualität verleugnen würde und seine unterdrückten sexuellen Triebe in Gewalt umwandelt. Aber das hier wirft ein anderes Licht auf die Dinge. Das erste Opfer ist mit einem Tuch bedeckt und vergraben worden – es wurde beinahe schamhaft versteckt. Jetzt, sechs Monate später, ist die Leiche in der Hütte zur Schau gestellt worden, damit sie jeder sehen kann. Alles schreit: ‹Schaut mich an! Schaut, was ich getan habe!› Nachdem er sein altes Ich ‹beerdigt› hat, kommt der Mörder nun sozusagen aus seinem Versteck. Und angesichts des gewaltigen Unterschiedes, mit dem er diese beiden Opfer behandelt hat, würde es mich nicht überraschen, wenn es dazwischen ein paar weitere Opfer gegeben hat, von denen wir nichts wissen.»

Diese Aussicht schien ihn ziemlich zu erregen.

«Sie glauben also noch immer, dass der Mörder schwul ist», sagte Tom.

«Aber sicher. Was wir hier sehen, bestätigt das nur.»

«Sie klingen sehr überzeugt.» Ich hatte mich eigentlich nicht einmischen wollen, aber so, wie sich Irving aufführte, konnte ich den Mund nicht halten.

«Wir haben zwei nackte Leichen, beide männlich. Das scheint in diese Richtung zu deuten, meinen Sie nicht?»

«Es ist nicht ungewöhnlich, dass Leichen nackt in die Leichenhalle kommen. Und wenn es keine Familie gibt, die dem Bestatter Kleidung bringen kann, dann werden sie so beerdigt.»

«Also ist die zweite nackte männliche Leiche nur ein Zufall? Interessante Theorie.» Er bedachte mich mit einem herablassenden Blick. «Vielleicht können Sie auch erklären, warum der Fingerabdruck von Dexter auf der Filmdose mit Babyöl verschmiert war?»

Meine Überraschung spiegelte sich in Toms Gesicht. Irving tat erschrocken.

«Oh, tut mir leid, hat Gardner das nicht erwähnt? Ich nehme an, es gab keinen Grund dafür. Aber wenn der Mörder keine Vorliebe für Feuchtigkeitscremes hat, kann ich mir nur einen Grund vorstellen, warum er in der Hütte Babyöl benutzt hat.»

Er hielt einen Moment inne und ergötzte sich an seiner Bemerkung, ehe er fortfuhr.

«Darüber hinaus würde ein sexuelles Motiv die verschiedenen ethnischen Profile der Opfer erklären. Der entscheidende gemeinsame Nenner ist nicht die Hautfarbe, sondern die Tatsache, dass es Männer sind. Nein, wir haben es hier zweifelsohne mit einem Sexualtäter zu tun, und da Willis Dexter nicht in seinem Grab gelegen hat, würde ich sagen, dass er ein recht wahrscheinlicher Kandidat ist.»

«Nach allem, was Dan gesagt hat, glaube ich nicht, dass Dexter eine Vorstrafe oder irgendeine kriminelle Vergangenheit hat», sagte Tom.

Irving lächelte selbstgefällig. «Das haben die wirklich cleveren Täter nie. Sie halten sich im Verborgenen, häufig als respektierte Mitglieder der Gesellschaft, bis sie entweder einen Fehler begehen oder sich freiwillig zu erkennen geben. Krankhafter Narzissmus ist kein ungewöhnliches Merkmal bei Serienmördern. Irgendwann wollen sie ihr Licht nicht mehr unter den Scheffel stellen und lassen in der Öffentlichkeit die Muskeln spielen. Glücklicherweise stolpern die meisten schließlich über ihre eigene Eitelkeit. Wie in diesem Fall.»

Irving deutete theatralisch auf die Leiche im Sarg. Mittlerweile hatte er einen beinahe dozierenden Ton angenommen, als wären Tom und ich ein paar nicht besonders helle Erstsemesterstudenten.

«Da es logistisch nicht ganz einfach ist, Leichen zu vertauschen, muss es im Bestattungsunternehmen jemanden gegeben haben, der Dexter geholfen hat», fuhr er mit voller Inbrunst fort. «Entweder hat Dexter selbst dort gearbeitet — was bei seinem Hintergrund als Schlosser oder was auch immer eher unwahrscheinlich ist —, oder er hatte einen Komplizen. Einen Liebhaber vielleicht. Es ist sogar möglich, dass sie als Team gearbeitet haben; einer dominant, der andere unterwürfig. Also, das wäre wirklich interessant.»

«Faszinierend», brummte Tom.

Irving sah ihn giftig an, als würde er erst jetzt vermuten, dass er Perlen vor die Säue warf. Aber uns blieben seine weiteren möglichen Einsichten erspart, weil in diesem Moment Summer hereinkam.

Als sie uns vor dem Sarg versammelt sah, blieb sie in der Tür stehen. «Oh! Tut mir leid. Soll ich draußen warten?»

«Meinetwegen nicht», sagte Irving und beehrte sie mit einem breiten Lächeln. «Obwohl ich mich natürlich Dr. Lieberman beugen muss. Er hat ziemlich strenge Ansichten, wenn es um den Schutz der Jugend vor den Tatsachen des Lebens geht.»

Tom ignorierte den Seitenhieb. «Summer ist eine meiner Studentinnen. Sie hilft uns.»

«Natürlich.» Irvings Lächeln wurde noch breiter, als er die Piercings in Summers Gesicht entdeckte. «Wissen Sie was, Körperschmuck hat mich schon immer fasziniert. Ich habe selbst mal über ein Tattoo nachgedacht, doch so etwas wird in meiner Branche nicht gern gesehen. Aber ich liebe den heidnischen Aspekt an Piercings, diese ganze Idee des modernen Primitiven. Sehr erfrischend, diese Art von Individualismus in den heutigen Zeiten.»

Summers Gesicht war leuchtend rot geworden, aber vor Freude und nicht vor Verlegenheit. «Danke.»

«Aber Sie müssen mir doch nicht danken.» Irvings Charme lief auf vollen Touren. «Ich habe ein oder zwei Lehrbücher über primitiven Körperschmuck, die Sie interessieren könnten. Vielleicht …»

«Wenn das alles wäre, Professor Irving, wir müssen dann hier anfangen», unterbrach Tom ihn.

Für einen Augenblick flackerte Irvings Lächeln verärgert. «Natürlich. War nett, Sie kennenzulernen, Miss …»

«Summer.»

Irving zeigte erneut seine Zähne. «Meine liebste Jahreszeit.»

Er streifte seine Handschuhe ab und schaute sich um, wo er sie ablegen konnte. Da er keine passende Stelle fand, hielt er sie Kyle hin. Der junge Assistent machte ein erschrockenes Gesicht, nahm sie ihm aber unterwürfig ab.

Tom räusperte sich. «Okay, vielleicht können wir jetzt weitermachen.»

Während ich weitere Aufnahmen von den unbedeckten Überresten machte, ging er hinaus, um Gardner anzurufen. Ein Spurensicherungsteam musste den Sarg untersuchen, aber das würde normalerweise erst geschehen, nachdem wir die Leiche entnommen hatten. Die Tatsache, dass sie nackt war, würde daran nichts ändern, aber ich konnte verstehen, dass sich Tom erst mit dem TBI-Agenten absprechen wollte.

Kyle blieb in der Radiologie, obwohl es für ihn eigentlich nichts mehr zu tun gab. Doch als ich sah, wie er Summer anschaute, brachte ich es nicht übers Herz, ihm zu sagen, dass er nicht gebraucht wurde. Seine Miene erinnerte mich an einen getretenen Welpen.

Tom war nicht lange weg. Als er zurückkam, wirkte er energisch. «Dan sagt, wir sollen anfangen. Dann holen wir die Leiche raus.»

Ich wollte zu dem Container gehen, doch Tom hielt mich zurück. «Kyle, würdest du bitte Summer helfen?»

«Ich?» Das Gesicht des Assistenten wurde dunkelrot. Er schaute kurz zu ihr hinüber. «Ja, äh, klar. Kein Problem.»

Als Kyle neben Summer vor den Aluminiumcontainer trat, zwinkerte Tom mir zu.

«Wo sind Pfeil und Bogen?», murmelte ich, als die beiden sich daranmachten, die Leiche herauszuheben.

«Manchmal muss man solchen Dingen auf die Sprünge helfen.» Sein Lächeln verblasste. «Dan liegt viel daran, dass es schnell vorangeht. Normalerweise hätte ich erst die Untersuchung der Leiche aus der Hütte zu Ende gebracht, aber so, wie die Dinge stehen …»

Plötzlich ertönte ein Aufschrei. Als wir hinüberschauten, sahen wir Kyle neben dem Sarg stehen und auf seine behandschuhten Hände starren.

«Was ist los?», fragte Tom und ging zu ihm.

«Irgendwas hat mich gestochen. Als ich die Leiche angefasst habe.»

«Ist es durch die Haut gegangen?»

«Weiß ich nicht …»

«Lassen Sie mich mal sehen», sagte ich.

Er trug strapazierfähige Gummihandschuhe, die fast bis zum Ellbogen reichten. Obwohl sie mit den schleimigen Flüssigkeiten der verwesten Leiche überzogen waren, konnte man das Loch auf der Handinnenfläche deutlich erkennen.

«Alles in Ordnung, wirklich …», sagte Kyle.

Ich achtete nicht darauf und zog ihm den dicken Handschuh aus. Von dem Gummi war Kyles Hand verschrumpelt und blass. In der Mitte der Innenfläche war ein dunkler Blutfleck.

«Halten Sie sie unter Wasser. Gibt es einen Erste-Hilfe-Koffer?», fragte ich.

«Im Autopsiesaal müsste einer sein. Summer, können Sie ihn schnell holen?», sagte Tom.

Kyle ließ sich von mir zum Waschbecken führen. Ich hielt seine Hand unter das kalte Wasser und wusch das Blut ab.

Die Wunde war nur stecknadelkopfgroß. Aber dadurch war sie nicht weniger gefährlich.

«Ist es schlimm?», fragte er, als Summer mit dem Erste-Hilfe-Koffer zurückkam.

«Wenn Sie alle Impfungen haben machen lassen, müssen Sie sich keine Sorgen machen», sagte ich so zuversichtlich wie möglich. «Sie haben sich doch impfen lassen …?»

Er nickte und schaute besorgt zu, wie ich die Wunde mit Antiseptikum reinigte. Tom war zum Sarg gegangen.

«An welcher Stelle hast du die Leiche angefasst?»

«Äh, an der Schulter. Auf der rechten Seite.»

Tom beugte sich tiefer, um genauer nachzuschauen, berührte die Leiche aber nicht. «Da ist etwas. Summer, reichen Sie mir bitte die Zange?»

Er griff mit dem Instrument in den Sarg und packte den Gegenstand, der in dem verwesten Fleisch steckte. Nachdem er vorsichtig daran gewackelt hatte, konnte er ihn herausziehen.

«Was ist es?», fragte Kyle.

Tom hatte eine neutrale Miene aufgesetzt. «Sieht aus wie die Nadel einer Spritze.»

«Eine *Nadel*?», schrie Summer auf. «O mein Gott, er hat sich mit einer Nadel gestochen, die in der Leiche gesteckt hat?»

Tom warf ihr einen wütenden Blick zu. Aber uns allen war das Gleiche durch den Kopf gegangen. Als Mitarbeiter einer Leichenhalle war Kyle wahrscheinlich gegen die meisten Krankheiten geimpft worden, die von Leichen übertragen werden konnten, gegen manche gab es jedoch keinen Schutz. Die nötige Sorgfalt vorausgesetzt, bestand normalerweise nur ein geringes Risiko.

Es sei denn, man hatte eine offene Wunde.

«Ich bin mir sicher, dass kein Anlass zur Sorge besteht, aber wir sollten dich trotzdem lieber in die Notaufnahme bringen», sagte Tom äußerlich ruhig. «Zieh dich doch gleich um, ich warte dann draußen auf dich.»

Kyles Gesicht war weiß geworden. «Nein, mir geht's gut, wirklich …»

«Das glaube ich, aber um sicherzugehen, werden wir dich untersuchen lassen.» Sein Ton ließ keine weitere Diskussion zu. Betäubt tat Kyle, was ihm gesagt worden war. Tom wartete, bis sich die Tür hinter ihm geschlossen hatte. «Summer, sind Sie absolut sicher, dass Sie nichts berührt haben?»

Sie war blass geworden und nickte schnell. «Ich hatte keine Gelegenheit dazu. Ich wollte Kyle helfen, die Leiche anzuheben, als er … Mein Gott, glauben Sie, dass alles in Ordnung ist mit ihm?»

Tom antwortete nicht. «Sie können sich auch gleich umziehen, Summer. Ich sage Ihnen Bescheid, wenn ich Sie brauchen sollte.»

Sie entgegnete nichts. Als sie hinausging, steckte Tom die Nadel in ein kleines Probengläschen.

«Soll ich Kyle begleiten?», fragte ich.

«Nein, ich bin dafür verantwortlich. Du machst solange mit der anderen Leiche weiter. Ich möchte, dass niemand mehr in die Nähe des Sargs kommt, bis ich die Leiche eigenhändig geröntgt habe.»

So zornig hatte ich ihn noch nie gesehen. Es war möglich, dass die Spritzennadel abgebrochen und unbeabsichtigt in die Leiche eingedrungen war, aber das erschien höchst unwahrscheinlich. Ich war mir nicht sicher, was verstörender war: der Gedanke, dass die Nadel absichtlich dort deponiert worden war oder was diese Tatsache bedeutete.

Dass jemand die Exhumierung der Leiche erwartet hatte.

Dein erstes Mal war eine Frau. Sie war mehr als doppelt so alt wie du und so betrunken, dass sie kaum still sitzen konnte. Du hast sie in einer Kneipe gesehen, schlampig und verblüht, das Gesicht ausgezehrt und rot, gelbe Nikotinflecken an den Fingern. Immer wieder ist sie vom Barhocker gerutscht und umhergetaumelt. Und wenn sie ihren Kopf zurückgeworfen und auf den flimmernden Fernseher hinter der Theke geglotzt hat, hat ihr verschleimtes Lachen wie eine Sirene geklungen.

Du hast sie sofort gewollt.

Du hast ihr den Rücken zugewandt und sie vom anderen Ende des Raumes im Spiegel beobachtet. Zigarettenqualm umwaberte sie, als sie sich nach und nach den meisten Männern in der Kneipe an den Hals warf. Jedes Mal bist du eifersüchtig zusammengezuckt. Doch jedes Mal sind ihre Avancen angewidert abgewiesen worden. Sie ist zurück zu ihrem Hocker getorkelt und hat lautstark einen neuen Drink verlangt, um ihre Enttäuschung zu ertränken. Und du bist immer nervöser geworden, weil du wusstest, dass es in dieser Nacht passieren würde.

So sollte es sein.

Du hast gewartet, bis sie die Geduld des Barkeepers erschöpft hat. Während sie ihn noch angeschrien hat, mal fürchterlich fluchend, mal weinerlich flehend, bist du unbemerkt hinausgeschlichen. Draußen hast du deinen Kragen aufgestellt und dich im nächsten Hauseingang versteckt. Es war Herbst, der Dunst des Regens hat die Straßen vernebelt und das gelbe Licht der Straßenlaternen gedämpft.

Du hättest dir keine bessere Nacht wünschen können.

Du hast länger warten müssen, als du dachtest. Und während du zitternd vor Kälte und Aufregung ausgeharrt hast, hat die Anspannung bereits an deiner Vorfreude genagt.

Doch du bist standfest geblieben. Du hattest das schon zu lange aufgeschoben. Und du hast Angst gehabt, dass du es nie tun würdest, wenn du heute Nacht kneifen würdest.

Dann hast du sie aus der Kneipe kommen sehen. Strauchelnd hat sie versucht, eine für die Jahreszeit viel zu dünne Jacke anzuziehen. Sie ist direkt an dem Hauseingang vorbeigetorkelt, ohne dich zu bemerken. Mit rasendem Herzen bist du hinter ihr hergelaufen und hast sie durch die verlassenen Straßen verfolgt.

Als du vor ihr ein leuchtendes Kneipenschild gesehen hast, wusstest du, dass die Zeit gekommen war. Du hast sie eingeholt und bist neben ihr hergegangen. Eigentlich wolltest du etwas sagen, doch du hast kein Wort hervorgebracht. Selbst da hat sie es dir leichtgemacht und sich mit trübem Blick überrascht umgeschaut, ehe sie ihre viel zu roten Lippen zu einem heiseren Glucksen geöffnet hat.

Hey, Süßer. Spendierst du mir einen Drink?

Dein Wagen parkte ein paar Straßen weiter, aber du konntest nicht warten. Als du an einer dunklen Gasse vorbeigekommen bist, hast du sie hineingestoßen und zitternd das Messer gezogen.

Danach ist alles ganz schnell gegangen. Ein kurzer Hieb, gefolgt von einem Blutschwall. Es ist vorbei gewesen, ehe es richtig begonnen hat. Als du keuchend über ihr gestanden hast, war die Erregung schon längst verflogen. War es das? War das alles?

Voller Abscheu und Enttäuschung bist du davongerannt. Erst später, als du wieder klar im Kopf warst, hast du überlegt, was du falsch gemacht hast. Du bist zu aufgeregt gewesen und hast es zu eilig gehabt. Solche Dinge müssen langsam getan werden, sie müssen ausgekostet werden. Wie sollst du sonst etwas dadurch lernen? In all der Eile hast du sogar vergessen, deine Kamera hervorzuholen. Die ganze Sache ist viel zu plötzlich passiert, auch das mit dem Messer ...

Das Messer ist auf jeden Fall ein Fehler gewesen.

Seitdem hast du dich weiterentwickelt. Hast deine Technik verfeinert und dein Handwerk zu einer Kunstform erhoben. Mittlerweile weißt du genau, was du willst und was du tun musst, um es zu bekommen. Dennoch blickst du auf diesen unbeholfenen Versuch in der dunklen Gasse mit einer gewissen Rührung zurück. Es ist dein erstes Mal gewesen, und das erste Mal ist immer eine Katastrophe.

Erst die Übung macht den Meister.

KAPITEL 8

«Dreizehn?»

Gardner nahm eines der Probengläser vom Stahlwagen und hob es hoch. Wie die anderen enthielt es eine einzelne Spritzennadel, die der exhumierten Leiche entnommen worden war, ein dünner, mit einer dunklen Substanz verkrusteter Metallsplitter.

«Nach der ersten haben wir zwölf weitere gefunden», sagte Tom. Er klang nicht nur erschöpft, man konnte ihm auch deutlich die Strapazen des Tages ansehen. «Die meisten steckten im Gewebe von Armen, Beinen und Schultern, an den Stellen also, wo man die Leiche anfassen muss, wenn man sie bewegen will.»

Als Gardner das Glas wieder abstellte, bekam seine lebensüberdrüssige Miene einen angewiderten Zug. Er war allein gekommen, und ich hatte versucht, meine Enttäuschung zu verbergen, als ich sah, dass Jacobsen nicht bei ihm war. Wir befanden uns in einem freien Autopsiesaal, in den Tom und ich die Überreste gebracht hatten, nachdem wir mit dem Röntgen fertig gewesen waren. Die Nadeln hatten sich auf den Aufnahmen als gerade weiße Linien vor einem grauschwarzen Hintergrund abgezeichnet. Tom hatte darauf bestanden, jede einzelne selbst zu entfernen, und meine Hilfe abgelehnt. Wenn er die Leiche allein aus dem Sarg hätte heben können, hätte er auch das getan. Und bevor er einem von uns erlaubte, die Leiche anzufassen, hatte er sie gründlich mit einem Metalldetektor untersucht.

Nach dem, was Kyle passiert war, wollte er keine Risiken mehr eingehen.

Der Assistent hatte den ganzen Nachmittag in der Notaufnahme verbracht und war dann, vollgepumpt mit Breitbandantibiotika, nach Hause geschickt worden. Aber gegen manche Erreger, die durch die Nadel in seine Blutbahn gelangt sein konnten, würden weder sie noch andere Mittel wirksam sein. Die Ergebnisse einiger Tests sollte er in wenigen Tagen erhalten, andere dauerten jedoch wesentlich länger. Erst in ein paar Monaten würde er mit Sicherheit wissen, ob er infiziert worden war oder nicht.

«Die Nadeln steckten mit den Spitzen nach außen im Fleisch, man konnte die Leiche also kaum anfassen, ohne sich zu stechen», fuhr Tom fort. «Das ist alles mein Fehler. Ich hätte niemand anders an die Leiche heranlassen dürfen.»

«Du musst dir keine Vorwürfe machen», sagte ich. «Du konntest unmöglich wissen, was passieren wird.»

Gardner sah mich an, als würde ihm meine Anwesenheit immer noch nicht gefallen, aber er behielt seine Gedanken für sich. Tom hatte ihm bereits deutlich zu verstehen gegeben, dass ich seiner Meinung nach genauso viel Recht hatte, dort zu sein, wie er, und darauf hingewiesen, dass es mich hätte treffen können.

Wenn Kyle Tom nicht leidgetan hätte, hätte ich die Leiche aus dem Sarg gehoben und wäre verletzt worden.

«Es gibt nur einen Menschen, dem man Vorwürfe machen kann, und das ist derjenige, der das getan hat», sagte Gardner. «Zum Glück wurde sonst niemand verletzt.»

«Das erzähl mal Kyle.» Tom starrte auf die Probengläser,

seine Augen hatten vor Müdigkeit dunkle Ringe. «Hast du schon eine Ahnung, wer im Sarg lag?»

Gardners Blick schnellte zu der Leiche auf dem Aluminiumtisch. Wir hatten den größten Teil der Verwesungsflüssigkeiten gründlich abgespült, bevor Tom die Nadeln entfernt hatte. Der Gestank war nicht mehr so schlimm wie am Anfang, als der Sarg geöffnet worden war, aber er war noch da.

«Wir arbeiten daran.»

«Irgendjemand vom Bestattungsunternehmen muss etwas wissen!», erwiderte Tom. «Was hat York dazu zu sagen?»

«Wir vernehmen ihn noch.»

«Ihr *vernehmt* ihn? Mein Gott, Dan, mal abgesehen davon, dass die falsche Leiche im Grab lag, hat jemand dreizehn Spritzennadeln reingesteckt, während sie in Steeple Hill war! Wie zum Teufel konnte das passieren, ohne dass York davon wusste?»

Das Gesicht des TBI-Agenten war starr geworden. «Ich weiß es nicht, Tom. Deswegen vernehmen wir ihn ja.»

Tom holte tief Luft. «Entschuldige. Es war ein langer Tag.»

«Vergiss es.» Gardner schien seine frühere Zurückhaltung zu bereuen. Er lehnte sich gegen die Arbeitsplatte und rieb sich den Nacken. Die Spannung im Autopsiesaal nahm ein wenig ab. «York behauptet, vor ungefähr acht Monaten einen gewissen Dwight Chambers angestellt zu haben. Laut seiner Aussage war der Mann ein Geschenk des Himmels, denn er hat hart gearbeitet, schnell gelernt und bereitwillig Überstunden gemacht. Dann ist er eines Tages nicht mehr zur Arbeit erschienen, und York sagt, er hätte ihn seitdem nie mehr gesehen. Er beteuert, dass Chambers für die Beerdigung von Willis Dexter verantwortlich gewesen sei, dass er die Leiche zurechtgemacht und den Sarg verschlossen habe.»

«Und du glaubst ihm?»

Gardner lächelte schwach. «Ich glaube niemandem, das weißt du. York hat Angst, aber nicht wegen der Morde, glaube ich. Steeple Hill ist ein Saustall. Deswegen wollte er uns auch unbedingt helfen. Er hatte gehofft, dass wir schnell wieder verschwinden, wenn er nett zu uns ist. So wie es aussieht, kämpft er schon seit Jahren darum, die Firma am Laufen zu halten. Er spart an allen Ecken und Enden und stellt Gelegenheitsarbeiter ein, um die Kosten niedrig zu halten. Keine Steuern, keine Krankenversicherung, keine Fragen. Und deshalb gibt es leider auch keine Belege dafür, wer dort gearbeitet hat.»

«Es gibt also keinen Beweis dafür, dass es diesen Dwight Chambers wirklich gegeben hat?» Erst als ich schon gesprochen hatte, fiel mir ein, dass ich nur geduldet war. Gardner machte ein Gesicht, als wollte er die Antwort verweigern, aber das wollte Tom nicht durchgehen lassen.

«Die Frage ist berechtigt, Dan.»

Gardner seufzte. «Die Angestellten dieses Bestattungsunternehmens wechseln so häufig, dass Chambers nur einer von vielen gewesen ist. Es war nicht leicht, jemanden zu finden, der lange genug dort gearbeitet hat, um sich an ihn zu erinnern, aber wir haben zwei Leute aufgespürt, die glauben, sie könnten es. Die Beschreibung, die sie gegeben haben, ist ziemlich ungenau, passt aber mit der zusammen, die wir von York bekommen haben. Weiß, dunkles Haar, irgendwo zwischen fünfundzwanzig und vierzig.»

«Trifft das auf Willis Dexter zu?», fragte ich.

«Das trifft auf die Hälfte der Männer in Tennessee zu.» Abwesend schob Gardner eine Schachtel mit Objektträgern umher, bis sie parallel zur Kante der Arbeitsplatte ausgerichtet war. Dann ertappte er sich dabei, hielt inne und verschränkte die Arme. «Aber im Moment gehen wir der Hypothese nach,

126

dass Dexter und Chambers ein und dieselbe Person sind und dass Dexter so clever war, sowohl seinen Tod zu fingieren als auch seine eigene Beerdigung vorzunehmen. Laut Autopsiebericht starb er an einem schweren Schädeltrauma, nachdem sein Wagen einen Baum gerammt hatte. An dem Unfall war kein anderes Fahrzeug beteiligt, und er hatte genug Alkohol im Blut, um ein Pferd zu töten. Man nahm an, dass er einfach die Kontrolle verloren hat.»

«Aber?», sagte Tom.

«Aber … der Wagen ist in Flammen aufgegangen. Man hat die Leiche nur durch die Habseligkeiten identifiziert, die bei dem Mann gefunden wurden. Es ist also möglich, dass bei einer routinemäßigen Autopsie ethnische Kennzeichen übersehen worden sind. Außerdem hatte Dexter keine Familie, die Beerdigung war also eine reine Formsache. Geschlossener Sarg, keine Einbalsamierung.»

Es war bestimmt nicht das erste Mal, dass ein ausgebrannter Wagen dazu benutzt wurde, die Identität einer Leiche zu verschleiern. Dennoch gab es Aspekte an diesem Fall, die nicht zusammenpassten.

Tom war offenbar der gleichen Meinung. Er schaute hinüber zur Leiche. «Soweit ich bisher sehen konnte, habe ich keine Hinweise auf Verbrennungen erkannt. Du, David?»

«Nein, würde ich nicht sagen.» Obwohl die Verwesung die Merkmale bis zu einem gewissen Ausmaß hätte verbergen können, deutete nichts an der Leiche auf eine intensive Hitzeeinwirkung hin. Die Gliedmaßen waren nicht zu der für einen Feuertod charakteristischen Boxerhaltung angezogen, und selbst wenn sie später gewaltsam wieder begradigt worden waren, hätte ich erwartet, ein paar äußerliche Anzeichen zu entdecken.

«Dann ist sie vielleicht nur oberflächlich mit dem Feuer in

Kontakt gekommen, und nur die Haut ist versengt worden», sagte Gardner. «Tatsache ist jedenfalls, dass Willis Dexter noch immer vermisst wird, und solange wir keinen Beweis haben, dass er tot ist, bleibt er ein Verdächtiger.»

Ich sprach einfach drauflos. «Dass es Dexter ist, ergibt keinen Sinn.»

«Wie bitte?»

Mach weiter. Jetzt ist es zu spät, um einen Rückzieher zu machen. «Wenn Dexter wollte, dass man ihn für tot hält, warum hat er es dann nicht so arrangiert, dass die Leiche eingeäschert wird anstatt beerdigt? Warum hätte er sich die ganze Mühe machen sollen, wenn man sofort feststellen kann, dass ein anderer Mann im Sarg liegt?»

Gardners Gesicht war wie versteinert. «Da er angeblich bei einem Autounfall verbrannt ist, dachte er vielleicht, dass es keine Rolle spielen würde. Wenn wir nicht in der Hütte den Fingerabdruck entdeckt hätten, wären wir auch nicht auf das Grab gekommen.»

«Aber wer die Nadeln in die Leiche gesteckt hat, hat offenbar erwartet, ja sogar gewollt, dass sie exhumiert wird.»

Er musterte mich, als würde er überlegen, ob er mir antworten oder mich hinauswerfen sollte. «Das ist mir bewusst. Und um Ihrer nächsten Frage zuvorzukommen, auch wir sind bereits darauf gekommen, dass die Filmdose mit dem Fingerabdruck absichtlich in der Hütte liegengelassen worden sein könnte. Vielleicht hat das Dexter selbst getan, vielleicht liegt er aber auch in einem anderen Grab in Steeple Hill, und jemand bewahrt seine Hand in einer Kühlbox auf. Aber solange wir weder das eine noch das andere wissen, bleibt er ein Verdächtiger. Ist das in Ordnung für Sie, Dr. Hunter?»

Ich reagierte nicht. Die Haut auf meinem Gesicht schien zu spannen.

«David versucht nur zu helfen, Dan», sagte Tom, was die Sache irgendwie noch schlimmer machte.

«Natürlich.» Gardners Miene hätte alles bedeuten können. Er stand auf, um zu gehen, hielt dann inne und wandte sich an Tom, als wäre ich nicht da. «Eine Sache noch. Die Röntgenaufnahmen von der Leiche aus der Hütte stimmen mit dem Zahnschema von Terry Loomis überein. Wir sind vielleicht nicht Scotland Yard, aber wenigstens haben wir nun die Identität von einem der Opfer.»

Er nickte Tom zu, als er zur Tür ging.

«Ich melde mich.»

Als wir die Arbeit wiederaufnahmen, war der Tag fast vorbei. Wir lagen weit hinter dem Zeitplan zurück, und dass wir nur zu zweit waren, machte es nicht leichter. Nach dem, was Kyle passiert war, wollte Tom nicht mehr, dass Summer uns half.

«Meine Vorsicht kommt vielleicht zu spät, aber Summer studiert noch. Ich möchte mein Gewissen nicht noch mehr belasten», sagte er. Er betrachtete mich über den Rand seiner Brille. «Ich würde es verstehen, wenn du aussteigen willst.»

«Was ist mit der ‹letzten Gelegenheit, zusammenzuarbeiten›?», witzelte ich.

Der Versuch, seine Stimmung aufzuheitern, schlug fehl. Er rieb sich mit dem Handballen das Brustbein, hörte aber sofort damit auf, als er merkte, dass ich ihn beobachtete. «Da wusste ich noch nicht, in was ich dich hineingezogen habe.»

«Du hast mich in gar nichts hineingezogen. Ich bin freiwillig dabei.»

Tom nahm seine Brille ab und begann sie zu putzen. Er schaute mich nicht an. «Aber nur, weil ich dich gebeten habe. Vielleicht wäre es besser, wenn ich Paul oder einen anderen Kollegen frage, ob er mir hilft.»

Ich war überrascht, wie enttäuscht ich war. «Das würde Gardner bestimmt freuen.»

Die Bemerkung löste immerhin ein Lächeln aus. «Persönlich hat Dan nichts gegen dich. Er hält sich nur gern an die Regeln. Die ganze Öffentlichkeit schaut auf diese Mordermittlung, deswegen steht er als ihr Leiter unter großem Druck und muss Ergebnisse erzielen. Du bist eine unbekannte Größe für ihn, das ist alles.»

«Ich habe das Gefühl, er möchte, dass das so bleibt.»

Das Lächeln wurde zu einem leisen Lachen, es verging aber schnell wieder. «Betrachte es mal von meiner Warte aus, David. Nach dem, was letztes Jahr geschehen ist …»

«Letztes Jahr war letztes Jahr», sagte ich, und es war mir etwas heftiger herausgerutscht, als ich gewollt hatte. «Hör zu, ich weiß, dass ich nur auf deine Einladung hier bin, und wenn du dir lieber von Paul oder jemand anderem helfen lassen willst, dann ist das völlig in Ordnung. Aber ich kann nicht jedes Mal den Kopf einziehen und davonlaufen, sobald es kompliziert wird. Das hast du selbst gesagt. Außerdem haben wir jetzt die Nadeln gefunden. Was soll noch passieren?»

Tom starrte nachdenklich auf seine Brille, die er immer noch putzte, obwohl die Gläser mittlerweile sauber sein mussten. Ich schwieg, denn es war seine Entscheidung. Schließlich setzte er die Brille wieder auf.

«Machen wir uns an die Arbeit.»

Aber die Erleichterung wurde schnell von meinen zurückkehrenden Zweifeln verdrängt. Mit einem Mal fragte ich mich, ob es nicht doch besser wäre, wenn Paul oder ein anderer Kollege von Tom für mich einsprang. Ich war nicht hierhergekommen, um an einer Mordermittlung teilzunehmen, außerdem verursachte meine Anwesenheit Spannungen mit Gardner. Tom war genauso stur wie der TBI-Agent, besonders wenn es darum ging, mit wem er arbeitete, aber ich wollte ihm keine Probleme bereiten.

Trotzdem widerstrebte es mir, jetzt auszusteigen. Vielleicht lag es daran, was mit Kyle geschehen war, vielleicht daran, dass meine fachmännischen Instinkte endlich wieder funktionierten. Jedenfalls hatte sich etwas für mich geändert. Eine lange Zeit hatte ich das Gefühl gehabt, als würde ein wesentlicher Teil von mir fehlen, als wäre er durch Grace Strachans Messer amputiert worden. Jetzt hatte sich die alte Besessenheit wieder geregt, das Bedürfnis, die Wahrheit über das Schicksal des Opfers zu erfahren. Obwohl ich Tom nur assistierte, hatte ich das Gefühl, an der Ermittlung beteiligt zu sein. Ich wäre extrem ungern einfach davongegangen.

Es sei denn, ich hätte keine andere Wahl.

Während Tom in einem Autopsiesaal damit begann, das Skelett zu rekonstruieren, das nun als dasjenige von Terry Loomis identifiziert worden war, widmete ich mich in einem anderen Saal der anonymen Leiche aus Willis Dexters Sarg. Sie war abgespült worden, das zurückgebliebene Gewebe musste jedoch noch entfernt werden. Ich war erst seit kurzem mit dieser Arbeit beschäftigt, als Tom seinen Kopf durch die Tür steckte.

«Das möchtest du dir vielleicht mal anschauen.»

Ich folgte ihm über den Flur in den anderen Autopsiesaal. Er hatte die großen Knochen der Arme und Beine ihrer anatomischen Position gemäß auf dem Untersuchungstisch angeordnet. Die anderen Knochen würden schrittweise folgen, bis das gesamte Skelett wieder zusammengesetzt war. Eine mühsame, aber notwendige Arbeit.

Tom ging zur Stirnseite des Tisches und nahm den gesäuberten Schädel.

«Wunderschön, oder? Ein perfekteres Beispiel für rosarote Zähne habe ich nie gesehen.»

Nachdem das gesamte verweste Gewebe entfernt worden war, war die Verfärbung unverkennbar. Irgendetwas hatte dazu geführt, dass in Terry Loomis' Zahnfleisch, während oder kurz nachdem er getötet worden war, Blut eingedrungen war.

Aber was?

«Sein Kopf war nicht so weit zurückgeneigt, dass das durch die Schwerkraft verursacht worden sein könnte», sagte Tom, womit er aussprach, was ich dachte. «Wenn das viele Blut in der Hütte nicht gewesen wäre, würde ich sagen, er ist mit ziemlicher Sicherheit erwürgt worden.»

Ich nickte. Angesichts dessen, was ich gesehen hatte, war Terry Loomis praktisch ausgeblutet. Sollte das allerdings geschehen sein, hätten seine Zähne nicht rosarot verfärbt sein dürfen. Es war zwar möglich, dass die Wunden, die wir an seiner Leiche gesehen hatten, nach Eintritt des Todes zugefügt worden waren, aber dann hätten sie nicht annähernd so stark geblutet. Obwohl es bei der Frage der Todesursache also sowohl Beweise für Erdrosselung als auch für Erstechen gab, konnte beides zusammen nicht zutreffen. Die eine Möglichkeit schloss die andere aus.

Welche war also die richtige?

«Gibt es in den Knochen Anzeichen auf Schnitte?», fragte ich. Wenn das der Fall gewesen wäre, hätte es auf eine wilde Attacke hinweisen können, was wiederum auf die Wunden als Todesursache schließen lassen würde.

«Keine, die ich bisher gesehen habe.»

«Was ist mit dem Zungenbein?»

«Intakt. Bringt uns auch nicht weiter.»

Wenn der spangenförmige Knochen oberhalb des Kehlkopfs gebrochen gewesen wäre, hätte es bedeutet, dass Loomis höchstwahrscheinlich erwürgt worden war. Diese Erkenntnis sagte aber nichts über das Gegenteil aus. Es ist ein weitverbreiteter Irrtum, dass Erdrosselung immer zum Brechen des Zungenbeins führt. Der Knochen wirkt zwar zart, ist aber wesentlich stabiler, als er aussieht. Die Tatsache, dass er bei Loomis unbeschädigt war, bewies also weder das eine noch das andere.

Tom lächelte müde. «Ziemlich knifflig, oder? Mich würde interessieren, ob die Leiche aus dem Sarg auch rosarote Zähne hat. Wenn ja, dann tippe ich auf Erdrosselung, Schnitte hin oder her.»

«Wir müssen warten, bis der Schädel gereinigt ist, um das festzustellen», sagte ich. «Aber die Zähne sind ziemlich verfault, und so, wie es aussieht, war das Opfer starker Raucher. Die Zähne sind so gelb vom Nikotin, dass man irgendeine andere Verfärbung kaum erkennen kann.»

«Na ja, ich schätze, wir werden einfach …»

Bevor er ausreden konnte, wurde die Tür zum Autopsiesaal aufgerissen, und Hicks stürmte herein. Sein Gesicht war erhitzt, und selbst vom anderen Ende des Raumes konnte ich die Weinfahne und den Zwiebeldunst in seinem Atem riechen. Offenbar hatte er gerade üppig gespeist.

Sein kahler Schädel glänzte unter den Neonlichtern, als er, mich völlig ignorierend, auf Tom zumarschierte.

«Für wen halten Sie sich eigentlich, Lieberman?»

«Wenn Sie wegen Kyle gekommen sind, es tut mir leid …»

«Ach, es tut Ihnen leid? Das ist alles? Das können Sie mit Ihren verfluchten Studenten machen, aber nicht mit einem meiner Gehilfen! Haben Sie überhaupt eine Ahnung, was es uns kosten wird, wenn Webster uns verklagt?»

«Im Moment mache ich mir eher Sorgen um Kyles Gesundheit.»

«Daran hätten Sie vorher denken sollen! Beten Sie lieber, dass diese Nadel nicht infiziert war, denn sonst werden Sie es ein Leben lang bereuen, das schwöre ich Ihnen!»

Tom senkte den Blick. Ihm schien entweder der Wille oder die Kraft zur Gegenwehr zu fehlen.

«Das tue ich jetzt schon.»

Hicks wollte gerade einen weiteren Angriff vom Stapel lassen, als er merkte, dass ich ihn beobachtete. Wütend starrte er mich an.

«Haben Sie was zu sagen?»

Ich wusste, dass Tom es mir nicht danken würde, wenn ich mich einmischte. *Beiß dir auf die Zunge. Halt den Mund.*

«Sie haben Soße auf Ihrer Krawatte», sagte ich, bevor ich mich zügeln konnte.

Er kniff die Augen zusammen. Bis zu diesem Moment hatte er mich, wenn überhaupt, wohl nur als Anhängsel von Tom wahrgenommen. Jetzt wusste ich, dass er auch mich auf dem Kieker hatte, aber es war mir egal. Menschen wie Hicks suchen immer nach Ausreden, um sich aufzuregen. Manchmal ist es leichter, sie einfach machen zu lassen.

Er nickte nachdenklich, als würde er sich etwas schwören. «Diese Sache ist noch nicht erledigt, Lieberman», sagte er, warf Tom einen letzten finsteren Blick zu und marschierte dann hinaus.

Tom wartete, bis die Tür hinter ihm zugefallen war. «David ...», seufzte er.

«Ich weiß, entschuldige.»

Er lachte leise auf. «Ich glaube, es war Tomatensuppe, aber in Zukunft ...»

Er hielt inne, schnappte nach Luft und fasste sich an die Brust. Ich wollte zu ihm gehen, doch er machte eine abwehrende Handbewegung.

«Alles in Ordnung.»

Aber es war deutlich zu sehen, dass es ihm schlechtging. Er streifte zitternd die Handschuhe ab, nahm ein Pillendöschen aus seiner Tasche und steckte sich eine kleine Tablette unter die Zunge. Nach einem Augenblick begann er sich zu entspannen.

«Nitroglyzerin?», fragte ich.

Tom nickte und atmete wieder etwas gleichmäßiger. Nitroglyzerin wird bei akuten Anfällen von Angina Pectoris angewendet, denn es wirkt, durch die Mundschleimhaut eingenommen, erweiternd auf die Gefäße. Er hatte wieder ein wenig Farbe bekommen, doch unter dem grellen Licht des Autopsiesaals sah er noch immer erschöpft aus, als er die Pillen wegsteckte.

«Okay, wo waren wir?»

«Du wolltest gerade nach Hause gehen», sagte ich.

«Das ist nicht nötig. Mir geht's wieder gut.»

Ich schaute ihn nur an.

«Du bist ja schlimmer als Mary», brummte er. «Na schön, ich räume nur noch auf ...»

«Das kann ich machen. Geh nach Hause. Die Arbeit läuft dir nicht weg.»

Dass er sich fügte, war ein Zeichen dafür, wie erschöpft er war. Als ich ihm hinterherschaute, versetzte es mir einen Stich. Er sah schwach und gebrechlich aus, aber es war auch ein anstrengender Tag gewesen. *Nachdem er gegessen und die Nacht gut geschlafen hat, wird es ihm bessergehen.*

Jedenfalls wollte ich daran glauben.

In Toms Autopsiesaal musste nicht viel aufgeräumt werden. Nachdem ich damit fertig war, ging ich zurück in den anderen Saal, wo ich an der exhumierten Leiche gearbeitet hatte. Ich wollte den Rest des Gewebes entfernen und sie dann über Nacht in Lösungsmittel einlegen, doch als ich gerade damit anfing, wurde ich von einem Gähnen übermannt. Bis zu diesem Moment hatte ich nicht gemerkt, wie müde auch ich war. Auf der Uhr an der Wand sah ich, dass es nach sieben war, und mein Tag hatte schon vor Morgengrauen begonnen.

Noch eine Stunde. Das schaffst du noch. Ich widmete mich den Überresten auf dem Untersuchungstisch. Es waren bereits Gewebeproben an das Labor geschickt worden, um den Todeszeitpunkt genauer eingrenzen zu können, doch ich wusste auch ohne die Ergebnisse der Analysen, dass hier etwas nicht stimmte.

Zwei Leichen, beide stärker verwest, als sie es sein sollten. Darin konnte man ein Muster erkennen, so weit musste ich Irving recht geben. Allerdings konnte ich mir keinen Reim darauf machen. Das helle Deckenlicht schimmerte matt auf dem zerkratzten Aluminiumtisch, als ich das Skalpell in die Hand nahm. Da die Leiche schon teilweise vom Fleisch befreit war, glich sie einem schlecht zerlegten Schlachttier. Als ich mich hinabbeugte, um mit der Arbeit zu beginnen, fiel mir im Augenwinkel etwas auf.

Irgendetwas steckte im Gehörgang.

Es war ein brauner, halbovaler Gegenstand, kaum größer als ein Reiskorn. Ich legte das Skalpell weg, nahm eine kleine Pinzette und zog ihn vorsichtig aus der knorpeligen Gewebehöhle. Als ich die Pinzette ins Licht hielt, um ihn zu untersuchen, erkannte ich mit wachsender Überraschung, was es war. *Wie zum Teufel …?*

Es dauerte eine Weile, ehe ich merkte, dass mein Herz vor Aufregung raste.

Als ich nach einem Probenglas suchte, klopfte es plötzlich an der Tür. Ich zuckte zusammen und drehte mich um. Paul kam herein.

«Ich störe dich doch nicht, oder?»

«Überhaupt nicht.»

Mit professionellem Auge betrachtete er die vom Gewebe befreite Leiche. Er hatte bestimmt schon schlimmere gesehen, genau wie ich. Manchmal erkennt man erst an der Reaktion der anderen – oder an ihrer fehlenden Reaktion –, wie sehr man sich an die grausamsten Anblicke gewöhnt hat.

«Ich habe gerade Tom gesehen. Er hat gesagt, dass du noch arbeitest, deswegen wollte ich mal schauen, wie du vorankommst.»

«Wir sind immer noch hinter dem Zeitplan. Weißt du zufällig, wo die Probengläser sind?»

«Klar.» Er ging zu einem Schrank. «Tom sah nicht gut aus. Ist alles in Ordnung mit ihm?»

Ich war mir nicht sicher, was ich sagen sollte oder ob Paul von Toms Leiden wusste. Aber er hatte mein Zögern offenbar verstanden.

«Keine Sorge, ich weiß von seiner Angina Pectoris. Hatte er wieder einen Anfall?»

«Keinen schlimmen, aber ich habe ihn überredet, nach Hause zu gehen», sagte ich, erleichtert, dass ich mich nicht verstellen musste.

«Ich bin froh, dass er mal auf jemanden hört. Normalerweise können ihn keine zehn Pferde wegkriegen.» Paul reichte mir ein Glas. «Was ist das?»

Ich steckte das kleine braune Objekt hinein und hielt es hoch. «Eine leere Puppenhülle. Von einer Schmeißfliege, würde ich sagen. Sie muss in dem Gehörgang geklemmt haben, als wir die Leiche abgespült haben.»

Zuerst schaute Paul die Hülle gleichgültig an, dann sah ich, wie ihm etwas klar wurde. Er starrte von dem Glas zur Leiche.

«Diese Puppenhülle stammt von der Leiche, die ihr heute Morgen exhumiert habt?»

«Richtig.»

Er pfiff durch die Zähne und nahm mir das Glas ab. «Und wie zum Teufel ist sie in den Sarg gelangt?»

Das hatte ich mich auch gefragt. Schmeißfliegen sind in unserer Branche allgegenwärtig, denn sie legen ihre Eier in jede Körperöffnung. Sie können ihren Weg fast überallhin finden, sowohl im Freien wie in Innenräumen.

Allerdings hatte ich noch nie gehört, dass sie ihre Eier zwei Meter unter der Erde legen.

Ich schraubte den Deckel auf das Glas. «Das Einzige, was ich mir vorstellen kann, ist, dass die Leiche eine Weile im Freien gelegen haben muss, bevor sie begraben wurde. Hat dir Tom von der Verwesung erzählt?»

«Dass sie schlimmer ist, als sie nach sechs Monaten hätte sein sollen?», erwiderte er nickend. «Die Hülle ist offen, die Leiche muss also mindestens zehn oder elf Tage im Freien gelegen haben, damit die Fliege schlüpfen konnte. Und wenn wir sechs Monate zurückrechnen, muss der Tod irgendwann im letzten Herbst eingetreten sein. Da war es warm und feucht, die Leiche wird also nicht so schnell mumifiziert sein wie im Sommer.»

Langsam ergab die Sache einen Sinn. Bevor die Leiche in den Sarg gelegt worden war, hatte man sie entweder zufällig oder absichtlich verwesen lassen. Das würde jedenfalls ihren Zustand erklären. Paul schwieg eine Weile. Ich wusste, was er gerade dachte, und als er mich anschaute, sah ich, dass er genauso neugierig war wie ich.

«Ist der Sarg noch hier?»

Wir verließen den Autopsiesaal und gingen in den Lagerraum. Der Sarg befand sich in dem Aluminiumcontainer und wartete darauf, von den Beamten der Spurensicherung des TBI abgeholt zu werden. Als wir ihn öffneten, strömte uns der auch jetzt noch schlimme Verwesungsgeruch entgegen. Im Sarg lag das zusammengeknüllte, schmutzige und stinkende Leichentuch.

Paul nahm eine Pinzette und faltete es auseinander.

Bisher hatte die Leiche unsere Aufmerksamkeit in Anspruch genommen und nicht das Tuch, mit dem sie bedeckt war. Jetzt, da wir wussten, wonach wir suchen mussten, wurden wir schnell fündig. Durch die klebrige Sargflüssigkeit waren sie zwar schwer zu erkennen, aber in dem Baumwolltuch lagen weitere Puppenhüllen. Manche waren aufgebrochen und leer, wie diejenige, die ich gefunden hatte, aus anderen waren die Puppen jedoch noch nicht geschlüpft. Es waren keine Larven zu sehen, aber nach sechs Monaten unter der Erde hätten sich ihre weichen Körper auch längst aufgelöst.

«Damit haben wir Klarheit», sagte Paul. «Eine einzelne Hülle könnte man sich noch erklären, aber nicht so viele. Die Leiche muss schon ziemlich verwest gewesen sein, bevor sie in den Sarg gelegt worden ist.»

Er griff nach dem Sargdeckel, doch ich hielt ihn zurück. «Was ist das?»

In den Falten des Tuchs war mir etwas anderes aufgefallen. Ich nahm die Pinzette von Paul und zog es vorsichtig heraus.

«Was ist das? Eine Art Grille?», fragte er.

«Ich glaube, nein.»

Es war ein Insekt, so viel stand fest. Es war etwa drei Zentimeter lang und schmal und hatte einen langen, segmentierten Rückenschild. Teilweise war er zerdrückt worden, und die

Beine hatten sich im Tod zusammengekrümmt, was die längliche Tropfenform des Körpers betonte.

Ich legte es auf das Tuch. Auf dem weißen Hintergrund wirkte das Insekt erst recht fehl am Platz und fremd.

Paul schaute es sich genauer an. «So etwas habe ich noch nie gesehen. Du?»

Ich schüttelte den Kopf. Ich hatte auch keine Ahnung, was es war.

Ich wusste nur, dass es nicht dort hätte sein dürfen.

Nachdem Paul gegangen war, arbeitete ich noch zwei Stunden weiter. Durch die Entdeckung des unbekannten Insekts war meine Müdigkeit wie weggefegt, und so machte ich weiter, bis die exhumierten Überreste frei von jedem Gewebe waren und in Lösungsmittel eingeweicht werden konnten. Als ich das Leichenschauhaus verließ, war ich noch immer voller Tatendrang. Paul und ich hatten beschlossen, dass es zu spät war, um Tom noch an diesem Abend von unserer neuen Entdeckung zu berichten, aber ich war überzeugt, dass sie einen Durchbruch darstellte. Noch wusste ich nicht, auf welche Weise, mein Instinkt sagte mir jedoch, dass das Insekt wichtig war.

Es war ein gutes Gefühl.

Gedankenverloren ging ich über den Parkplatz. Es war nach zehn Uhr, und dieser Teil des Krankenhauses war verlassen. Abgesehen von meinem Wagen stand so gut wie kein anderes Fahrzeug mehr da. An den Seiten war der Parkplatz von Straßenlaternen gesäumt, in der Mitte aber war er beinahe stockfinster. Ich hatte bereits den halben Weg zurückgelegt und wollte gerade meinen Autoschlüssel aus der Tasche ziehen, als sich mir die Nackenhaare aufstellten.

Plötzlich wusste ich, dass ich nicht allein war.

Ich drehte mich schnell um, konnte aber nichts sehen. Der Parkplatz war ein dunkles Feld, die wenigen Autos wirkten wie massive Schatten. Obwohl sich nichts bewegte, konnte ich das Gefühl nicht abschütteln, dass in der Nähe irgendetwas – irgendjemand – war.

Du bist nur müde. Du bildest dir etwas ein. Ich ging weiter zu meinem Wagen. Auf dem Kies klangen meine Schritte unnatürlich laut.

Und dann hörte ich hinter mir einen Stein über den Kies rutschen.

Ich wirbelte herum und wurde von einem grellen Lichtstrahl geblendet. Als ich meine Augen abschirmte und daran vorbeispähte, sah ich hinter einem Pick-up eine dunkle Gestalt mit einer Taschenlampe auftauchen.

Sie blieb wenige Schritte entfernt stehen, die Taschenlampe weiterhin auf mein Gesicht gerichtet. «Würden Sie mir sagen, was Sie hier zu suchen haben?»

Die Stimme hatte den breiten Südstaatenslang und klang schroff und bedrohlich höflich. Hinter dem Lichtstrahl konnte ich Schulteraufschläge erkennen und entspannte mich. Es war nur ein Wachmann.

«Ich mache Feierabend», sagte ich. Er bewegte den Strahl nicht von meinem Gesicht. Durch das grelle Licht konnte ich, abgesehen von der Uniform, nichts sehen.

«Können Sie sich ausweisen?»

Ich zog den Ausweis hervor, der mir für die Leichenschauhalle gegeben worden war, und zeigte ihn dem Wachmann. Statt ihn zu nehmen, neigte er nur den Strahl seiner Taschenlampe auf die Plastikkarte, um ihn dann sofort wieder auf mein Gesicht zu richten.

«Könnten Sie die woandershin halten?», fragte ich blinzelnd.

Er senkte die Taschenlampe ein wenig. «Sie haben lange gearbeitet, was?»

«So ist es.» Lichtflecken tanzten mir vor den Augen, als ich versuchte, mich wieder auf die Dunkelheit einzustellen.

Er lachte heiser auf. «Nachtschichten sind die Hölle, oder?»

Die Taschenlampe wurde ausgeschaltet. Ich konnte nichts sehen, hörte aber seine knirschenden Schritte, die sich auf dem Kies entfernten. Aus der Finsternis driftete seine Stimme zu mir zurück.

«Fahren Sie vorsichtig.»

Du beobachtest, wie die Lichter des Wagens kleiner werden, und wartest, bis sie ganz verschwunden sind, ehe du hinter dem Pick-up hervorkommst. Dir kratzt es in der Kehle vom Verstellen deiner Stimme, und dein Puls rast, entweder vor Aufregung oder Frustration, das weißt du nicht genau.

Der Idiot hat keine Sekunde gemerkt, wie nah dran er war.

Du weißt, dass es ein Risiko war, ihm gegenüberzutreten, aber du konntest nicht anders. Als du gesehen hast, wie er über den Parkplatz gekommen ist, schien er ein Geschenk des Himmels zu sein. Es war niemand in der Nähe, und wahrscheinlich hätte ihn bis zum nächsten Tag niemand vermisst. Ohne darüber nachzudenken, bist du ihm in der Dunkelheit auf den Fersen geblieben und immer näher gekommen.

Aber so leise du auch gewesen bist, er muss etwas gehört haben. Jedenfalls ist er stehen geblieben und hat sich umgedreht. Natürlich hättest du ihn immer noch überwältigen können, wenn du gewollt hättest, aber dadurch hast du die Gelegenheit gehabt, noch einmal nachzudenken. Selbst wenn du nicht gegen diesen verfluchten Stein getreten wärst – du

hattest bereits beschlossen, ihn gehen zu lassen. Gott weiß,
dass du keine Angst hast, es darauf ankommen zu lassen,
aber irgendein Engländer, von dem noch niemand etwas ge-
hört hat, ist das Risiko nicht wert. Nicht jetzt, wo so viel auf
dem Spiel steht. Aber die Versuchung ist groß gewesen.

Und wenn du für morgen keine anderen Pläne gehabt
hättest, hättest du vielleicht trotzdem zugeschlagen.

Bei dem Gedanken daran lächelst du, Vorfreude kommt
in dir auf. Es wird gefährlich werden, aber wer nichts wagt,
gewinnt auch nichts. Du willst die Welt in Angst und Schre-
cken versetzen. Lange genug hast du dein Licht unter den
Scheffel gestellt und zugeschaut, wie andere, die dir nicht das
Wasser reichen können, den ganzen Ruhm geerntet haben.
Es ist höchste Zeit, dass du die Anerkennung erhältst, die du
verdienst. Und nach dem morgigen Tag wird niemand mehr
bezweifeln, wozu du fähig bist. Sie glauben, sie wissen, was
hier vorgeht, aber sie haben keine Ahnung.

Du hast gerade erst angefangen.

Du atmest die warme Frühlingsluft tief ein. Du fühlst
dich stark und selbstsicher, als du in den Pick-up steigst. Zeit,
nach Hause zu fahren.

Morgen liegt ein anstrengender Tag vor dir

KAPITEL 9

Die letzten Reste eines frühmorgendlichen Nebels hingen noch zwischen den Bäumen, die an den Waldweg grenzten. Ein paar Strahlen der tiefstehenden Sonne brachen durch das Dach aus jungem Laub und Ästen und sprenkelten den Boden mit ihrem warmen Licht.

Auf einer Bank aus grob bearbeiteter Kiefer saß eine einsame Gestalt und las eine Zeitung. Die einzigen Geräusche waren das Rascheln der Seiten und das aus dem Wald hallende Klopfen eines Spechtes.

Als von dort, wo der Pfad hinter den Bäumen verschwand, ein schriller Pfiff ertönte, schaute der Zeitungsleser in aller Ruhe hoch. Einen Augenblick später tauchte ein Mann auf. Er machte ein gereiztes Gesicht und suchte beim Gehen das Unterholz zu beiden Seiten ab. Er hatte eine Hundeleine in der Hand, deren leeres Halsband im Rhythmus seiner forschen Schritte hin- und herpendelte.

«Jackson! Hierher, mein Junge! Jackson!»

Zwischen seinen Rufen pfiff er gelegentlich. Nach einem gleichgültigen Blick richtete der Leser seine Aufmerksamkeit wieder auf die Zeitungsschlagzeilen. Der Mann blieb stehen, als er auf gleicher Höhe war, und kam dann herüber.

«Haben Sie vielleicht einen Hund gesehen? Einen schwarzen Labrador?»

Der Leser schaute überrascht auf. «Nein, ich glaube nicht.»

144

Der Mann schnaubte verärgert. «Verfluchter Hund. Jagt wahrscheinlich den Eichhörnchen hinterher.»

Der Leser lächelte höflich, ehe er sich wieder der Zeitung widmete. Der Mann mit der Hundeleine kaute auf der Lippe, als er den Weg hinabstarrte.

«Ich wäre Ihnen dankbar, wenn Sie ein Auge offen halten würden», sagte er. «Sollten Sie ihn sehen, lassen Sie ihn bitte nicht laufen. Er tut nichts.»

«Sicher.» Es wurde ohne Begeisterung gesagt. Doch als sich der Mann hilflos umschaute, senkte der Leser erneut seine Zeitung.

«Da fällt mir ein, dass ich vor einer Weile im Wald Geräusche gehört habe. Ich konnte nicht sehen, was es war, aber es könnte ein Hund gewesen sein.»

Der Mann reckte seinen Hals. «Wo?»

«Da drüben …» Der Leser deutete unbestimmt ins Unterholz. Als der Hundebesitzer in die Richtung schaute, schaukelte die Leine in seiner Hand.

«Neben dem Weg? Ich kann nichts erkennen.»

Mit einem resignierten Seufzen schlug der Leser die Zeitung zusammen. «Es ist wohl einfacher, wenn ich es Ihnen zeige.»

«Das ist sehr nett», sagte der Mann mit einem Lächeln, als sie in den Wald traten. «Ich habe ihn noch nicht lange. Er ist zwar abgerichtet, aber hin und wieder läuft er einfach weg.»

Er blieb stehen, um wieder zu pfeifen und den Namen des Hundes zu rufen. Der Leser warf einen nervösen Blick auf das Halsband und schaute sich dann zum Weg um. Niemand war zu sehen.

Plötzlich stieß der Hundebesitzer einen Schrei aus und lief los. Neben ein paar Büschen sank er auf die Knie. Dahinter lag ein schwarzer Labrador. Blut verklebte das dunkle Fell auf dem eingeschlagenen Schädel. Der Mann hielt seine Hand darüber, als hätte er Angst, ihn zu berühren.

«Jackson? O mein Gott, schauen Sie sich seinen Kopf an. Was ist passiert?»

«Ich habe ihm den Schädel eingeschlagen», sagte der Zeitungsleser und trat hinter ihn.

Der Hundebesitzer wollte sich erheben, doch irgendetwas hatte sich um seinen Hals gelegt. Der Druck war unnachgiebig und erwürgte den Schrei, bevor er ihn hervorbringen konnte. Er versuchte, auf die Beine zu kommen, fand aber kein Gleichgewicht. Arme und Beine waren kraftlos. Zu spät erinnerte er sich an das Hundehalsband. Während sein Gehirn noch versuchte, die notwendigen Befehle an seine Muskeln zu senden, wurde ihm bereits schwarz vor Augen. Seine Hand zuckte ein paarmal, dann fiel ihm das Halsband aus den erschlafften Fingern.

Hoch oben in den Zweigen neigte der Specht seinen Kopf, um unten die Lage zu peilen. Beruhigt, dass keine Gefahr bestand, nahm er seine Suche nach Maden wieder auf.

Sein Klopfen hallte durch den morgendlichen Wald.

Als ich aufwachte, fühlte ich mich so gut wie seit Monaten nicht mehr. Mein Schlaf war endlich einmal ungestört gewesen, und das Bett sah aus, als hätte ich mich die ganze Nacht kaum gerührt. Ich streckte mich und machte dann meine morgendlichen Übungen. Normalerweise waren sie ziemlich anstrengend, doch dieses Mal schienen sie gar nicht so schlimm zu sein.

Nachdem ich geduscht hatte, schaltete ich den Fernseher ein und suchte beim Anziehen nach einem internationalen Nachrichtenkanal. Ich ging die Programme durch und ließ den Schwall aus Werbung und banalem Geplapper an mir vorbeiziehen. Erst als ich vom regionalen Nachrichtensender weitergeschaltet hatte, wurde mir klar, was ich gerade gesehen hatte.

Ich schaltete zurück, und schon erschien wieder Irvings Gesicht mit dem ordentlich rasierten Bart auf dem Bildschirm. Mit betont nachdenklicher Miene klärte er eine Interviewerin, die die aufgemalte Schönheit einer Schaufensterpuppe hatte, auf.

«... natürlich. Der Begriff ‹Serienmörder› ist furchtbar überstrapaziert. Im Gegensatz zu einem Mörder, der nur mehrere Opfer tötet, ist ein Serienmörder ein Räuber, ganz einfach. Es sind die Tiger der modernen Gesellschaft, die unbemerkt im Steppengras lauern. Wenn man mit so vielen Gewalttätern zu tun gehabt hat wie ich, lernt man, die Unterschiede zu erkennen.»

«Um Gottes willen», stöhnte ich. Mir fiel ein, dass Irving am vergangenen Tag so spät ins Leichenschauhaus gekommen war, weil er ein Fernsehinterview aufgezeichnet hatte. Gestern hatte ich mir nicht viel dabei gedacht. Jetzt trübte sich beim Zuschauen meine Laune.

«Aber stimmt es, dass Sie nach der Entdeckung einer verstümmelten Leiche in einer Ferienhütte in den Smoky Mountains vom TBI herangezogen wurden, um ein Täterprofil zu erstellen?», fuhr die Interviewerin unbeirrt fort. *«Und dass in Zusammenhang mit diesem Fall auf einem Friedhof in Knoxville eine Leiche exhumiert worden ist?»*

Irving lächelte bedauernd. *«Über laufende Ermittlungen darf ich leider keine Auskunft geben.»*

Die Interviewerin nickte verständnisvoll, wobei sich ihr blondes Haar keinen Millimeter bewegte. *«Aber da Sie Experte darin sind, Profile von Serienmördern zu erstellen, scheint das TBI doch zu befürchten, es mit einem solchen zu* tun zu haben, oder? Glaubt man, dass dies nur der Anfang einer Mordserie ist?»

«Nochmals, ich darf dazu leider wirklich nichts sagen. Obwohl ich sicher bin, dass die Leute ihre eigenen Schlüsse ziehen werden», sagte Irving unschuldig.

Das Lächeln der Interviewerin zeigte zwischen blutroten Lippen perfekte weiße Zähne. Sie schlug die Beine übereinander. «Können Sie mir dann wenigstens sagen, ob Sie schon ein Profil des Mörders erstellt haben?»

«Also, Stephanie, Sie wissen, dass ich das nicht darf», entgegnete Irving mit einem weltmännischen Lächeln. «Was ich jedoch sagen kann, ist, dass alle Serienmörder, denen ich begegnet bin – und das waren einige, glauben Sie mir –, einen gemeinsamen Wesenszug hatten: ihre Gewöhnlichkeit.»

Die Interviewerin neigte den Kopf, als hätte sie sich verhört. «Entschuldigen Sie, sagten Sie gerade, dass Serienmörder gewöhnlich sind?» Ihre Überraschung wirkte so gekünstelt, als hätte sie im Voraus gewusst, was er sagen würde.

«Das ist richtig. Es liegt auf der Hand, dass sie sich selbst für das Gegenteil halten. Doch in Wahrheit ist jeder Serienmörder ein Nichts, sonst wäre er keiner geworden. Vergessen Sie die glamourösen Psychopathen aus Romanen oder Filmen, in der wirklichen Welt sind diese Individuen traurige Außenseiter, für die das Töten der einzige Lebensantrieb geworden ist. Gerissen, ja. Gefährlich, ganz bestimmt. Aber ihr einziges Kennzeichen ist, dass sie in der Masse nicht auffallen. Deshalb ist es so schwierig, sie zu erkennen.»

«Aber bestimmt ist es deshalb auch schwerer, sie zu fassen, nicht wahr?»

Irvings Lächeln ging in ein wölfisches Grinsen über. «Das ist es, was meine Arbeit so reizvoll macht.»

Das Interview endete, der Sender schaltete zurück ins

Studio zu einer Nachrichtensprecherin. «*Das war der Verhaltensforscher Alex Irving, Autor des Bestsellers ‹Zerbrochene Egos›, mit dem gestern …*»

Ich machte den Fernseher aus. «Mit seinem Ego stimmt alles», murmelte ich und warf die Fernbedienung zur Seite. Für das Interview hatte es keine Berechtigung gegeben. Es hatte keinem anderen Zweck gedient, als Irving eine Gelegenheit zur Selbstdarstellung im Fernsehen zu bieten. Ich fragte mich, ob Gardner davon gewusst hatte. Irgendwie konnte ich mir nicht vorstellen, dass es ihm gefiel, wie Irving die Ermittlung benutzte, um für sein neues Buch zu werben.

Trotzdem, als ich zum Leichenschauhaus fuhr, spürte ich eine Vorfreude, die mir auch die Selbstgefälligkeit des Psychologen nicht verderben konnte. An diesem Morgen war ich einmal vor Tom dort. Doch ich hatte mich gerade erst umgezogen, als auch er ankam.

Er machte einen besseren Eindruck als am Abend zuvor, wie ich mit Erleichterung feststellte. Ein gutes Essen und ein ruhiger Schlaf heilten vielleicht nicht alles, aber beides schadete selten.

«Da ist ja jemand sehr eifrig», sagte er, als er mich sah.

«Paul und ich haben gestern Abend etwas entdeckt.»

Ich zeigte ihm die Puppenhüllen sowie das geheimnisvolle Insekt und erklärte ihm, wie wir darauf gestoßen waren.

«Das wird ja immer merkwürdiger», sagte er, als er das Insekt betrachtete. «Ich denke, du hast recht damit, dass die Leiche schon verwest war, bevor sie begraben wurde. Was das hier angeht …» Er klopfte leicht gegen das Glas, in dem das tote Insekt lag. «Ich habe keine Ahnung, was das ist.»

«Ach.» Ich hatte angenommen, dass Tom es identifizieren könnte.

«Tut mir leid, dich zu enttäuschen. Schmeißfliegen und

Käfer sind eine Sache, aber so ein Insekt ist mir noch nie untergekommen. Aber ich kenne jemanden, der uns weiterhelfen kann. Josh Talbot bist du noch nicht begegnet, oder?»

«Ich glaube nicht.» Ich hatte die meisten von Toms Kollegen kennengelernt, aber dieser Name sagte mir nichts.

«Er ist unser Entomologe, ein wandelndes Insektenlexikon. Wenn jemand weiß, was das ist, dann Josh.»

Während er Talbot anrief, machte ich mich daran, die Knochen der exhumierten Leiche abzuspülen, die ich über Nacht in Lösungsmittel eingeweicht hatte. Als ich die ersten in die Trockenkammer legte, kam Tom zurück.

«Wir haben Glück», sagte er. «Er wollte gerade nach Atlanta zu einer Konferenz abreisen, aber er kommt vorher kurz vorbei. Es dürfte nicht lange dauern.» Tom begann, mir mit den Knochen zu helfen. «Hast du übrigens unseren Freund Irving im Fernsehen gesehen, gestern Abend?»

«Wenn du das Interview meinst, das habe ich heute Morgen gesehen.»

«Wie schön. Dann bringen sie schon die Wiederholung.» Tom lächelte und schüttelte den Kopf. «Das muss man ihm lassen, der lässt sich keine Gelegenheit entgehen, was?»

Er hatte kaum ausgesprochen, als es leise an der Tür klopfte. «Das kann Josh noch nicht sein», sagte Tom, seufzte und öffnete sie.

Er war es auch nicht. Es war Kyle.

Tom schluckte und trat zur Seite, um ihn hereinzulassen. «Ich hätte nicht damit gerechnet, dich so bald wiederzusehen. Warum nimmst du nicht ein paar Tage frei?»

Kyle grinste gequält. «Das wurde mir auch angeboten, aber es ist nicht gerecht, wenn die anderen für mich einspringen müssen. Ich fühle mich gut. Und bestimmt ist es besser zu arbeiten, als zu Hause zu sitzen.»

«Wie geht es Ihrer Hand?», fragte ich.

Er hielt sie hoch, um sie uns zu zeigen. Nur ein kleines Pflaster auf der Innenfläche zeugte davon, was geschehen war. Kyle betrachtete seine Hand, als wäre sie kein Teil von ihm. «Man sieht nicht viel, oder?»

Es entstand eine betretene Stille. Tom räusperte sich. «Und ... wie geht es sonst?»

«Ach, ganz gut, danke. Es dauert eine Weile, bis ich die Testergebnisse kriege, aber ich versuche, es positiv zu sehen. Im Krankenhaus hat man mir gesagt, dass ich schon jetzt für HIV und ein paar andere Sachen Behandlungen kriegen könnte, wenn ich will. Aber so, wie ich es sehe, war die Leiche vielleicht gar nicht infiziert. Und selbst wenn, muss ich mir ja nicht unbedingt etwas eingefangen haben, oder?»

«Du solltest es dir trotzdem überlegen», sagte Tom. Er machte eine hilflose Handbewegung. «Hör zu, es tut mir leid, dass ...»

«Bitte nicht!» Die Heftigkeit zeigte, unter welchem Druck Kyle stand. Er zuckte verlegen mit den Achseln. «Entschuldigen Sie sich bitte nicht. Ich habe nur meine Arbeit gemacht. So etwas kann passieren, oder?»

Eine unbehagliche Stille kam auf. Kyle beendete sie.

«Und ... wo ist Summer?» Er gab sein Bestes, um beiläufig zu klingen, aber es war nicht überzeugender als zuvor. Man konnte unschwer erraten, warum er wirklich zu uns gekommen war.

«Summer wird uns leider nicht mehr helfen.»

«Ach.» Er konnte seine Enttäuschung nicht verbergen. «Kann ich etwas tun?»

«Danke, aber David und ich kommen zurecht.»

«Okay.» Kyle nickte energisch. «Gut, wenn Sie etwas brauchen, sagen Sie mir Bescheid.»

151

«Das werde ich. Und pass auf dich auf.» Toms Lächeln verblasste, sobald die Tür geschlossen war. «Mein Gott …»

«Er hat recht», sagte ich. «Er hat seine Arbeit gemacht. Es bringt nichts, wenn du dir die Schuld gibst. Und wenn man es genau betrachtet, hätte eigentlich ich Summer helfen sollen, nicht er.»

«Es war nicht dein Fehler, David.»

«Deiner auch nicht. Außerdem wissen wir noch nicht, ob die Nadel verunreinigt war. Vielleicht hat er Glück gehabt.»

Es war eine schwache Hoffnung, aber es hatte keinen Sinn, dass Tom sich quälte. Er richtete sich auf.

«Du hast recht. Was geschehen ist, ist geschehen. Konzentrieren wir uns jetzt lieber darauf, diesen Hurensohn zu fassen.»

Tom fluchte selten, und es war ein Zeichen seiner Unruhe, dass es ihm jetzt nicht aufzufallen schien. Er ging zur Tür und blieb dann stehen.

«Das hätte ich fast vergessen. Mary lässt fragen, ob du Fisch isst?»

«Fisch?» Der plötzliche Themenwechsel verwirrte mich. «Ja, warum?»

«Du bist heute Abend zum Essen eingeladen.» Er hob die Augenbrauen und genoss meine Verwirrung. «Sam und Paul kommen auch. Hast du das etwa vergessen?»

Es war mir völlig entfallen. «Nein, natürlich nicht.»

Er grinste, und in seinen Augen war wieder das alte Funkeln. «Gott bewahre! Du musst dir ja auch um nichts anderes Gedanken machen, oder?»

Eine menschliche Leiche hat zweihundertundsechs Knochen. Sie variieren in der Größe vom Femur, dem schweren Oberschenkelknochen, bis zu den winzigen Knöchelchen des Mittelohrs, von denen das kleinste nicht größer als ein Reiskorn ist. Strukturell ist das Skelett ein Wunder der biologischen Technik und genauso kompliziert und hoch entwickelt wie alles, was der Mensch erschaffen hat.

Es wieder zusammenzusetzen ist keine einfache Aufgabe.

Befreit von den letzten Resten des verwesten Gewebes erzählten die nackten Knochen des in Willis Dexters Sarg begrabenen Mannes ihre eigene Geschichte. Die afroamerikanische Herkunft war nun unverkennbar und zeigte sich sofort in der etwas geraderen, leichteren Knochenstruktur und den eher rechteckigen Augenhöhlen. Der Mann war von mittlerer Größe und Statur und angesichts der Abnutzung seiner Gelenke zwischen Mitte fünfzig und Anfang sechzig gewesen. Im rechten Oberschenkelknochen und im linken Oberarmbein konnte ich lange verheilte Brüche, die beide wahrscheinlich von Unfällen aus der Kindheit stammten, in den Knien und Knöchelgelenken Anzeichen von Arthritis erkennen. Die Beschädigungen waren links deutlicher als rechts, was besagte, dass er diese Seite beim Gehen mehr belastet hatte. Außerdem war die linke Hüfte schwer verschlissen, Oberschenkelkopf und Gelenkpfanne waren abgeschliffen und abgenutzt. Wenn er vor seinem Tod nicht über einen Hüftgelenkersatz nachgedacht hatte, hätte er über kurz oder lang nicht mehr gehen können.

Aber diese Erkenntnis half ihm jetzt auch nicht mehr weiter.

Wie bei Terry Loomis war das Zungenbein des Mannes intakt. Das musste nichts bedeuten, aber als ich den tropfenden Schädel aus dem Lösungsmittel hob, musste ich bitter lächeln. Die Zähne waren noch immer braun und fleckig, doch weiter unten, wo einst das Zahnfleisch gewesen war, war nun ein Streifen aus sauberem Schmelz freigelegt.

Und die rosarote Verfärbung war unverkennbar.

Ich war noch dabei, den Schädel zu untersuchen, als Tom hereinkam. Ein kleiner, dicker Mann Mitte fünfzig war bei ihm. Sein dünnes, rötliches Haar hatte er halbherzig über den erhitzten Kopf gekämmt, und er trug eine abgewetzte Lederaktentasche, die zum Bersten mit Büchern vollgepackt war.

«Josh, ich möchte dir David Hunter vorstellen», sagte Tom, als er eintrat. «David, das ist Josh Talbot. Was er über Ungeziefer nicht weiß, ist es nicht wert zu wissen.»

«Er weiß, dass ich das Wort hasse», erwiderte Talbot freundlich. Er schaute sich bereits neugierig mit großen Augen im Raum um. Sein Blick verweilte auf dem Knochen, aber nicht lange. Deswegen war er nicht gekommen.

«Und wo ist das geheimnisvolle Insekt, das du für mich hast?»

Als er das Probenglas sah, strahlte er über das ganze Gesicht. Er bückte sich, um den Inhalt auf Augenhöhe zu betrachten. «Na, das ist ja wirklich eine Überraschung!»

«Du weißt, was das ist?», fragte Tom.

«Aber ja. Ein höchst interessantes Fundstück zudem. Es gibt nur einen anderen Teil von Tennessee, wo man diese Spezies von Odonata nachgewiesen hat. In dieser Gegend sind sie schon gesichtet worden, aber so einer Schönheit begegnet man nicht jeden Tag.»

«Freut mich zu hören», sagte Tom. «Kannst du uns auch sagen, was es ist?»

Talbot grinste. «Odonata sind Libellen. Das hier ist eine Libellennymphe. Eine Sumpflibelle, eine der größten Spezies in Nordamerika. In den meisten östlichen Staaten sind sie weit verbreitet, in Tennessee kommen sie allerdings nicht so häufig vor. Ich zeige es dir.»

Er wühlte in seiner Aktentasche herum und zog ein dickes

altes Lehrbuch mit Eselsohren hervor. Leise summend legte er es auf die Arbeitsplatte und blätterte durch die Seiten.

Dann hielt er inne und tippte auf eine Seite. «Da haben wir sie. *Epiaeschna heros*, die Sumpflibelle. Nomadisch, wird vor allem im Sommer und Herbst an bewaldeten Straßenrändern und Teichen angetroffen, die ausgewachsenen Tiere können aber in wärmeren Regionen auch im Frühjahr Eier legen.»

Ein Foto auf der Seite zeigte ein großes Insekt, das wie ein Miniaturhubschrauber geformt war. Es hatte die Doppelflügel und den stromlinienförmigen Körper der Libellen, die ich von zu Hause kannte, aber damit hörte die Ähnlichkeit auch schon auf. Dieses Insekt war so lang wie mein Finger und beinahe genauso dick und hatte einen braunen Körper mit hellgrünen Tigerstreifen. Am meisten fielen jedoch die riesigen und kugelförmigen, blau leuchtenden Augen auf.

«Ich kenne Sammler in Tennessee, die ihr letztes Hemd dafür geben würden, einmal eine ausgewachsene Sumpflibelle zu sehen», schwärmte Talbot. «Schau dir nur diese Augen an! Unglaublich, oder? An einem sonnigen Tag kann man sie aus einer Meile Entfernung erkennen.»

Tom hatte sich das Buch angeschaut. «Wir haben also eine Nymphe von dieser Libelle gefunden?»

«Oder eine Najade, wenn es dir lieber ist.» Talbot faltete seine Hände und begann zu dozieren. «Libellen haben kein Larvenstadium. Sie legen ihre Eier in stehenden oder langsam fließenden Gewässern, und wenn die Nymphen schlüpfen, findet ihr Leben vollständig unter Wasser statt. Auf jeden Fall so lange, bis sie voll entwickelt sind. Dann krabbeln sie zur letzten Verwandlung auf eine Pflanze, zum Beispiel einen Grashalm.»

«Aber Libellen werden normalerweise nicht von Aas angezogen, oder?», fragte ich.

«Du lieber Gott, nein.» Er klang bestürzt. «Es sind Räuber. Manchmal werden sie Moskitofalken genannt, denn das ist ihre Hauptnahrung. Deswegen sieht man sie normalerweise in der Nähe von Gewässern, obwohl die Sumpflibelle auch eine Vorliebe für geflügelte Termiten hat. Dieses Exemplar wurde in einem Sarg gefunden, hast du gesagt?»

«Richtig. Wir glauben, dass sie wahrscheinlich gemeinsam mit der Leiche vergraben worden ist.»

«Dann würde ich sagen, dass die Leiche vorher direkt an einem Gewässer, an einem See oder Teich gelegen hat.» Talbot nahm das Glas. «Als dieser kleine Kerl zur Metamorphose aus dem Wasser gekrabbelt ist, wurde er offenbar mit der Leiche weggeschafft. Selbst wenn er nicht zerdrückt worden wäre, hätten ihn die Kälte und die Dunkelheit unter der Erde getötet.»

«Gibt es bestimmte Gegenden, wo man sicher davon ausgehen kann, diese Spezies zu finden?», fragte Tom.

«Jedenfalls nicht an schnell fließenden Strömen oder Flüssen, aber in fast jedem Wald, wo es ein stehendes Gewässer gibt. Sie werden nicht umsonst Sumpflibellen genannt.» Talbot schaute auf seine Uhr und steckte dann das Buch wieder in die Aktentasche. «Tut mir leid, ich muss los. Wenn du ein lebendes Exemplar davon findest, sag mir unbedingt Bescheid.»

Tom brachte Talbot hinaus. Wenige Minuten später kehrte er mit nachdenklicher Miene zurück.

«Wenigstens wissen wir jetzt, was wir gefunden haben», sagte ich. «Und wenn die Leiche neben einem Teich oder irgendeinem anderen stehenden Gewässer gelegen hat, hat Gardner einen neuen Anhaltspunkt.»

Tom schien nicht zugehört zu haben. Er nahm den Schädel und untersuchte ihn, aber so abwesend, als wäre ihm gar nicht bewusst, was er tat. Selbst als ich ihm von dem unbeschädigten Zungenbein und den rosaroten Zähnen der exhumierten Leiche erzählte, wirkte er noch abgelenkt.

«Ist alles in Ordnung?», fragte ich schließlich.

Er legte den Schädel weg. «Kurz bevor Josh gekommen ist, hat Dan Gardner angerufen. Alex Irving wird vermisst.»

Mein erster Gedanke war, dass es sich um einen Irrtum handeln musste; schließlich hatte ich den Profiler noch am Morgen im Fernsehen erlebt. Dann erinnerte ich mich, dass das Interview am Tag zuvor aufgezeichnet worden war. Ich hatte nur die Wiederholung gesehen. «Was ist passiert?»

«Das weiß keiner genau. Anscheinend ist er heute Morgen spazieren gegangen und nicht zurückgekehrt. Seitdem hat ihn niemand gesehen.»

«Ist es nicht ein bisschen früh, zu sagen, er wird vermisst, wenn er erst seit ein paar Stunden verschwunden ist?»

«Normalerweise ja. Aber er war mit seinem Hund unterwegs.» Tom sah besorgt aus. «Und den hat man mit eingeschlagenem Schädel gefunden.»

Das Blut fließt wirbelnd das Spülbecken hinab und durchzieht das kalte Wasser aus dem Hahn mit roten Marmorstreifen. Ein Fleischstück, das jetzt, wo das Blut herausgespült wurde, nur noch blassrosa ist, bleibt im Ausguss hängen. Du drückst es mit einem Finger durch die Löcher, bis es weg ist.

Abwesend pfeifend schneidest du frische Chilischoten in kleine Stücke und lässt sie mit einer Handvoll Knoblauchsalz in die Pfanne fallen. Nachdem sie zu brutzeln begonnen haben, nimmst du das Fleisch und gibst es dazu. Die feuchten Würfel zischen und spritzen, als sie auf das heiße Fett treffen, eine Dampfwolke steigt auf. Du rührst alles schnell um und lässt es dann anbraten. Währenddessen öffnest du den Kühlschrank und holst einen Karton Orangensaft, Käse und Mayonnaise heraus. Du suchst ein Glas aus, das einigermaßen sauber aussieht, und wischst es mit einem Finger ab. Alles ist verstaubt, aber das fällt dir gar nicht auf. Und wenn es dir auffallen würde, wäre es dir egal. Manchmal, als würde sich ein Vorhang heben, bemerkst du die Unordnung deiner Umgebung und siehst den jahrealten Müll, der jeden Winkel verdreckt, aber er stört dich nicht. Der Verfall ist ein Teil der natürlichen Ordnung, und wie könntest du dich gegen die Natur wenden?

Nachdem du das erste Glas Orangensaft in einem Zug getrunken hast, wischst du dir den Mund mit dem Handrücken ab, streichst dann Mayonnaise auf zwei Scheiben Weißbrot und bedeckst sie mit dicken Käsescheiben. Du schenkst dir ein weiteres Glas ein und gehst zu dem großen Tisch in der Mitte der Küche. Da nicht mehr viel Platz auf ihm ist, stellst du den Teller auf eine Ecke und ziehst einen Stuhl heran. Das Sandwich schmeckt wie immer nach nichts, aber es macht dich satt. Eigentlich vermisst du es nicht, etwas schmecken oder riechen zu können, jedenfalls nicht mehr.

Und erst recht nicht, da es so viel anderes zu genießen gibt.

Jetzt werden sich die Ereignisse bald überstürzen, aber das ist in Ordnung. Damit hast du gerechnet, und unter Druck bist du am besten. Es läuft genau so, wie du es erwartet hast. So, wie du es geplant hast. Alles in der Berghütte zurückzulassen ist ein Risiko gewesen, aber ein kalkuliertes. Es war komisch, dort draußen außerhalb deiner vertrauten Umgebung zu arbeiten. Die Sache mit dem Filmbehälter ist ein brillanter Schritt gewesen, doch die Leiche dort zu lassen, wo sie gefunden werden musste, ist dir gegen den Strich gegangen. Aber es war notwendig. Du wolltest Eindruck machen, und was wäre besser gewesen, als ihnen eine Mordstätte zu bieten, an der sie sich austoben konnten? Sollen sie doch wie die aufgescheuchten Hühner herumlaufen und sich den Kopf darüber zerbrechen, was du als Nächstes tun wirst. Es wird ihnen nichts bringen.

Wenn sie es kapiert haben, wird es zu spät sein.

Du isst das Sandwich auf und spülst es mit Orangensaft herunter, der zwar nach nichts schmeckt, aber kalt ist. Im Mundwinkel sitzt noch ein bisschen Mayonnaise, als du zum Herd gehst und nach der Pfanne schaust. Du hebst den Deckel und atmest die aufsteigende Dampfwolke ein. Du kannst sie nicht riechen, aber dir tränen die Augen, und das ist ein gutes Zeichen. Das Fleisch beginnt schön braun zu werden. Es ist wie immer Schwein und nicht Rind. Erstens ist es billiger, und zweitens würdest du den Unterschied sowieso nicht schmecken.

Du nimmst einen Löffel und kostest es. Obwohl du nichts schmecken kannst, ist es so stark gewürzt, dass es dir im Mund brennt. Genau so, wie es gutes Chili tun sollte. Du gibst ein paar Dosentomaten dazu, nimmst dann die Pfanne vom Feuer und legst den Deckel drauf. Jetzt wird es langsam allein weitergaren, und wenn du zurückkommst, wird es genau richtig sein.

Du bist ein großer Anhänger davon, die Sachen im eigenen Saft schmoren zu lassen.

Du nimmst den Plastikbeutel mit Schmutzwäsche, den du bei der Wäscherei abgeben musst, und erinnerst dich daran, dass du auch deine Vorräte auffüllen solltest. Du brauchst wieder Dosentomaten und hast kaum noch Batterien und Fliegenfänger. Du untersuchst die klebrigen Streifen, die von der Decke hängen. Auf jeden Fall waren sie mal klebrig. Mittlerweile sind sie mit toten Fliegen und den Hüllen größerer, farbiger Insekten übersät.

Für einen Augenblick nimmt dein Gesicht eine Leere an, als wäre dir der Grund für die Streifen kurzzeitig entfallen. Dann blinzelst du und wirst wieder wach. Auf dem Weg hinaus bleibst du vor dem Tisch stehen. Der Mann, der darauf gefesselt ist, schaut dich mit panischem Blick an und atmet schnaufend an dem Knebel vorbei ein. Du lächelst ihn an.

«Keine Angst. Ich bin bald zurück.»

Dann hebst du den schweren Wäschebeutel hoch und gehst hinaus.

KAPITEL 10

Nach und nach entstand ein Bild dessen, was geschehen war. Irving wohnte auf dem Land in der Nähe von Cades Cove, einem wunderschönen Ort am Fuß der Smoky Mountains. Jeden Morgen vor dem Frühstück ging er mit seinem Hund auf einem Waldweg hinter seinem Haus spazieren. Es war ein fester Teil seiner täglichen Routine, und er hatte diese Gewohnheit bei den Interviews, die er so gern gab, mehr als einmal erwähnt.

Gegen neun Uhr war seine Haushälterin wie fast jeden Morgen in sein Haus gekommen und hatte die Kaffeemaschine angestellt, damit Irvings bevorzugte französische Röstung fertig war, wenn er zurückkehrte.

Doch an diesem Morgen war er nicht zurückgekehrt. Die Haushälterin – seine dritte in zwei Jahren – hatte versucht, ihn über sein Handy zu erreichen, aber keine Antwort erhalten. Als die Mittagszeit nahte und er immer noch nicht aufgetaucht war, war sie selbst den Waldweg abgegangen. Kaum eine halbe Meile von seinem Haus entfernt hatte sie einen Polizisten gesehen, der mit einem älteren Paar sprach, dessen Jack Russell aufgeregt kläffend an der Leine zog. Als sie vorbeigegangen war, hatte sie gehört, wie die beiden dem Polizisten von einem toten Hund erzählten, den ihr Terrier gefunden hatte. Einen schwarzen Labrador.

In dem Moment war ihr klar geworden, dass ihr Arbeitgeber möglicherweise nicht zum Mittagessen kommen würde.

Bei der Durchsuchung der Umgebung war in der Nähe des toten Labradors eine blutverschmierte Eisenstange gefunden worden, zudem wies der matschige Boden neben der Leiche Spuren eines Kampfes auf. Es gab zwar mehrere Fußabdrücke, keiner von ihnen war jedoch ausgeprägt genug, um einen Gipsabdruck anzufertigen.

Von Irving selbst fehlte jede Spur.

«Wir wissen nicht genau, was mit ihm geschehen ist», gab Gardner zu. «Wir glauben, dass das Blut auf der Stange von dem Hund stammt, aber sie muss erst im Labor untersucht werden, ehe wir Gewissheit haben.»

Wir befanden uns nicht im Autopsiesaal, sondern am Ende des Ganges in einem Büro des Leichenschauhauses. Es war fensterlos und klein und hätte in jede anonyme Firma gepasst. Gardner war auf Toms Wunsch hin gekommen. Dieses Mal war Jacobsen bei ihm, kühl und unnahbar wie immer in einem knielangen anthrazitfarbenen Rock und Sakko. Abgesehen von der Farbe sah die Kombination genauso aus wie diejenige, in der ich sie schon gesehen hatte. Ich fragte mich, ob sie einen Schrank voller identischer Kostüme hatte, die das ganze dunkle Spektrum neutraler Farbtöne abdeckten.

Obwohl niemand den eigentlichen Grund für das Treffen erwähnt hatte, war er uns allen bewusst. Auch unausgesprochen erzeugte er eine greifbare Spannung in dem kleinen Büro. Gardner hatte seinen Unmut über meine Anwesenheit nur durch einen missbilligenden Blick gezeigt, aber nichts gesagt. Er sah noch vergrämter aus als sonst. Die Falten seines braunen Anzugs spiegelten jene in seinem Gesicht, so als würde er einer stärkeren Schwerkraft unterliegen als der Rest von uns.

«Du musst doch irgendwelche Theorien haben», sagte Tom. Er saß hinter dem Schreibtisch und hatte mit einer abwesenden Miene zugehört, die seine wachsende Ungeduld zeigte, wie ich wusste. Er war der Einzige, der Platz genommen hatte. Obwohl vor dem Schreibtisch ein weiterer Stuhl stand, waren wir anderen stehen geblieben und hatten ihn frei gelassen, als würden wir noch jemanden erwarten.

«Es ist möglich, dass Irving das Opfer eines Raubüberfalls oder einer zufälligen Attacke geworden ist, aber es ist noch zu früh, um das zu sagen. In diesem Stadium können wir nichts ausschließen», sagte Gardner.

Tom konnte seine Verärgerung nicht mehr unterdrücken. «Und wo ist dann seine Leiche?»

«Im Moment wird die Gegend noch durchkämmt. Er könnte sich auch verletzt haben und umherirren, alles ist möglich. Der Wald, in dem der Hund gefunden wurde, ist eine halbe Meile von der nächsten Straße entfernt. Das ist eine lange Strecke, um einen erwachsenen Mann zu tragen, aber es gibt keine andere Möglichkeit, wie man Irving von dort hätte wegschaffen können. Bisher haben wir nur Fußabdrücke und Fahrradspuren gefunden.»

«Dann ist er vielleicht mit vorgehaltenem Gewehr oder Messer abgeführt worden.»

Gardner reckte störrisch sein Kinn. «Am helllichten Tag? Unwahrscheinlich. Aber wie gesagt, wir ziehen jede Möglichkeit in Betracht.»

Tom musterte ihn. «Wie lange kennen wir uns jetzt, Dan?»

Der TBI-Agent machte ein verlegenes Gesicht. «Keine Ahnung. Zehn Jahre?»

«Zwölf, um genau zu sein. Und dies ist das erste Mal, dass du mich verarschen willst.»

«Das ist nicht fair!», konterte Gardner. Seine Miene war finster geworden. «Wir sind heute aus reinem Wohlwollen hergekommen und …»

«Komm schon, Dan, du weißt genauso gut wie ich, was passiert ist! Du glaubst doch nicht im Ernst, es ist Zufall, dass Irving genau an dem Tag verschwindet, an dem er sich im Fernsehen über einen Serienmörder lustig macht, oder?»

«Ohne Beweise werde ich keine voreiligen Schlüsse ziehen!»

«Und was ist, wenn noch jemand verschwindet, der an der Ermittlung beteiligt ist? Bist du dann froh, keine voreiligen Schlüsse gezogen zu haben?» Seit ich Tom kannte, hatte ich ihn noch nie so wütend erlebt. «Verdammt, Dan, gestern wurde hier ein Mensch verletzt, vielleicht ernstlich, und jetzt das! Ich habe eine Verantwortung für die Menschen, die für mich arbeiten. Wenn sie in Gefahr sind, *dann will ich es wissen!*»

Gardner sagte nichts. Er warf mir einen scharfen Blick zu.

«Ich bin im Autopsiesaal», sagte ich und wollte zur Tür gehen.

«Nein, David, du hast genauso viel Recht, das zu hören, wie ich», sagte Tom.

«Tom …», begann Gardner.

«Ich habe ihn um Hilfe gebeten, Dan. Wenn er das Risiko auf sich nimmt, darf er ja wohl auch wissen, in was er da hineingezogen wurde.» Tom verschränkte die Arme. «Ich werde ihm sowieso alles erzählen, was du sagst, also kann er es auch gleich von dir hören.»

Die beiden starrten einander an. Gardner kam mir nicht wie der Typ vor, den man leicht einschüchtern konnte, aber ich wusste auch, dass Tom stur bleiben würde. Ich schaute zu Jacobsen und sah, dass sie genauso beunruhigt aussah, wie ich mich fühlte. Dann merkte sie, dass ich sie beobachtete, und löschte schnell jede Gefühlsregung aus ihrem Gesicht.

Gardner seufzte resigniert auf. «Mein Gott, Tom. Okay, es ist möglich, dass es eine Verbindung gibt. Aber so einfach ist es nicht. Ein paar von Alex Irvings Studentinnen haben sich über sein Verhalten beschwert. Die Universität hat jahrelang ein Auge zugedrückt, weil er eine Berühmtheit ist und überall in den Staaten eine Professur hätte kriegen können. Dann hat ihn eine Studentin wegen sexueller Belästigung angezeigt, und das hat eine riesige Welle ausgelöst. Die Polizei wurde eingeschaltet, und es sah so aus, als würde die Universität ihn lieber fallenlassen, als sich dem Risiko auszusetzen, selbst mit Anklagen überhäuft zu werden.»

Ich musste daran denken, wie aufdringlich Irving mit Summer und selbst mit Jacobsen geflirtet hatte, obwohl er sie kurz zuvor öffentlich runtergeputzt hatte. Es überraschte mich nicht, dass das keine Einzelfälle waren. Offenbar erlag nicht jede seinem Charme.

«Du glaubst also, er hat sich aus dem Staub gemacht?», fragte Tom skeptisch.

«Wie gesagt, wir schließen keine Möglichkeit aus. Aber Irving hat nicht nur die Anklage wegen Belästigung am Hals. Das Finanzamt ermittelt gegen ihn, weil er für seine Buchverträge und Fernsehauftritte keine Steuern gezahlt hat. Ihm steht eine Nachzahlung von über einer Million Dollar bevor, vielleicht sogar eine Haftstrafe. Er stand in jeder Hinsicht vor dem beruflichen und finanziellen Ruin. Vielleicht hat er nur die ideale Gelegenheit gesucht, um unterzutauchen.»

Tom zog stirnrunzelnd an seiner Unterlippe. «Und deswegen hat er seinen eigenen Hund umgebracht?»

«Es gibt Menschen, die haben schon Schlimmeres für weniger getan. Und wenn wir schon einmal dabei sind, wir haben deutliche Fingerabdrücke auf der Eisenstange gefunden, mit der Irvings Hund erschlagen wurde. Als wir sie in den Computer eingegeben haben, haben wir eine Übereinstimmung mit einem gewissen Noah Harper gefunden. Er ist ein Berufskrimineller und hat eine Reihe Vorstrafen wegen Autodiebstahl und Einbruch.»

«Warum machst du so ein Gesicht, wenn du einen Verdächtigen hast?», fragte Tom.

«Zum einen, weil sich Harper in der Vergangenheit nur leichter Vergehen schuldig gemacht hat. Und zum anderen wird er seit fast sieben Monaten vermisst. Zum letzten Treffen mit seinem Bewährungshelfer ist er nicht erschienen, seitdem hat ihn niemand gesehen. Von den Sachen in seiner Wohnung fehlt nichts, und die Miete ist bis Ende des Monats bezahlt worden.»

«Ist er Afroamerikaner?», fragte ich. «Zwischen fünfzig und sechzig, zieht ein Bein beim Gehen nach?»

Es war schwer, Gardners Überraschung nicht zu genießen. «Woher wissen Sie das?»

«Weil ich glaube, dass er am Ende des Ganges im Autopsiesaal liegt.»

Ich beobachtete, wie die Erkenntnis seinem bereits zerknitterten Gesicht noch ein paar Falten hinzufügte. «Ich bin so langsam geworden», sagte er verärgert über sich selbst.

Jacobsen schaute unsicher von einem zum anderen. «Sie meinen die Leiche, die in Willis Dexters Grab war? Das ist Noah Harper?»

«Zeitlich kommt es hin», sagte Gardner. «Aber wie sind Harpers Fingerabdrücke auf die Waffe gelangt, mit der Irvings Hund umgebracht wurde, wenn er tot ist?»

«Vielleicht auf die gleiche Art, wie die von Willis Dexter in die Hütte gelangt sind», schlug Tom vor.

Es entstand eine Stille, während wir darüber nachdachten. Es war natürlich möglich, dass Willis Dexter seinen eigenen Tod doch nicht fingiert hatte und dass sich der Mörder lediglich Dexters Leiche und seine Fingerabdrücke angeeignet hatte. Doch das konnte in diesem Fall nicht geschehen sein.

«Fehlt der Leiche in Willis Dexters Sarg eine Hand?», fragte Jacobsen.

«Nein», sagte ich. «Die Finger sind auch vollständig vorhanden.»

«Es ist möglich, dass jemand die Filmdose und die Eisenstange aufbewahrt hat, nachdem die Fingerabdrücke von Dexter und Harper bereits drauf waren», erwog Tom.

«Die Filmdose vielleicht. Dexters Abdruck war mit einem Mineralöl verschmiert, das für die meisten Babycremes verwendet wird. Man kann unmöglich sagen, wie lange er schon auf dem Behälter war», sagte Gardner. «Aber Harpers Abdrücke wurden im Blut auf der Stange gefunden. Und sie waren erst wenige Stunden alt.»

«Dann kann die Leiche im Sarg nicht Noah Harper sein. Das ist völlig unmöglich», stellte Jacobsen fest.

Niemand sagte etwas. Die Logik gab ihr recht. Die Fingerabdrücke eines Toten konnten nicht an diesem Morgen auf die Eisenstange gelangt sein. Aber wenn man die Gesichter im Büro betrachtete, schien niemand sehr überzeugt davon zu sein.

Tom nahm seine Brille ab und begann sie zu putzen. Ohne sie sah er müder und irgendwie verletzlicher aus. «Du kannst ihnen auch gleich erzählen, was du noch herausgefunden hast, David.»

Gardner und Jacobsen hörten schweigend zu, als ich von

dem unbeschädigten Zungenbein und den rosaroten Zähnen der exhumierten Leiche berichtete.

«Es sieht also so aus, als ob Terry Loomis und die Person im Sarg auf die gleiche Weise getötet worden sind», sagte Gardner, nachdem ich fertig war. Er wandte sich an Tom. «Und du glaubst, dass diese rosaroten Zähne durch Erdrosselung verursacht worden sein können?»

«Das erscheint jedenfalls wahrscheinlicher als Ertrinken», räumte Tom süffisant ein, und ich unterdrückte ein Lächeln. Er hatte Gardners Seitenhieb gegen mich in der Hütte offensichtlich nicht vergessen. «Es würde kaum Zweifel daran geben, wenn Loomis nicht so viele Wunden zugefügt worden wären und er enorm viel Blut verloren hätte.»

Gardner rieb sich den Nacken. «Die Spritzmuster in der Hütte sehen authentisch aus. Aber wir wissen erst mit Sicherheit, ob das Blut von Loomis stammt, wenn wir das Ergebnis des DNA-Tests haben.»

«Das wird Wochen dauern», bemerkte Tom.

«Wem sagst du das? In solchen Momenten wünschte ich, wir würden noch eine Blutgruppenbestimmung machen. Dann wüssten wir wenigstens, ob das Blut zur gleichen Gruppe gehört wie seins. Aber das ist eben der Fortschritt.» Man konnte ihm deutlich ansehen, was er davon hielt. «Ich werde im Labor anrufen. Die Tests haben bereits oberste Priorität, aber vielleicht kann die Sache noch etwas beschleunigt werden.»

Er klang nicht sehr hoffnungsvoll. Ein DNA-Test war zwar eine wesentlich genauere Methode zur Feststellung von Übereinstimmungen und zur Identifizierung als die alte Blutgruppenbestimmung, sie benötigte aber frustrierend viel Zeit. Es war auf beiden Seiten des Atlantiks das Gleiche. Ich hatte mehr als einen englischen Polizeibeamten sich darüber beklagen hören, dass die Laborarbeit viel länger dauere, als es in Filmen dargestellt wurde. Es war nun einmal so, dass die Tests in der realen Welt, unabhängig davon, ob sie oberste Priorität hatten oder nicht, Monate dauern konnten.

Tom begutachtete die Gläser seiner Brille und polierte sie dann weiter. «Du hast meine Frage noch nicht beantwortet, Dan. Müssen wir uns Sorgen machen?»

Gardner hob genervt die Arme. «Was willst du hören, Tom? Ich kann die Gedanken dieses Typen nicht lesen, ich habe keine Ahnung, was er als Nächstes tun wird. Ich wünschte, ich wüsste es. Aber selbst wenn er tatsächlich für Irvings Verschwinden verantwortlich ist, heißt das noch lange nicht, dass jeder, der an dem Fall arbeitet, in Gefahr ist. Es tut mir furchtbar leid für Irving, aber seien wir ehrlich: Der Mann hat um Öffentlichkeit gebuhlt. Mit seinem Fernschauftritt könnte er alle möglichen Psychos gegen sich aufgebracht haben, nicht nur diesen.»

«Dann sollen wir also weitermachen, als wenn nichts geschehen wäre?»

«Im vernünftigen Rahmen, ja. Wenn ich der Meinung wäre, dass eine echte Gefahr besteht, würde ich jeden von euch rund um die Uhr bewachen lassen, das kannst du mir glauben. Aber vorausgesetzt, ihr trefft vernünftige Vorsichtsmaßnahmen, bin ich mir sicher, dass es keinen Grund zur Sorge gibt.»

«‹Vernünftige Vorsichtsmaßnahmen›?», wiederholte Tom ungehalten. «Was soll denn das bedeuten? Keine Süßigkeiten von Fremden nehmen?»

«Es bedeutet, dass ihr nicht alleine mit Hunden durch den Wald spazieren sollt», entgegnete Gardner. «Lauft nachts nicht allein durch dunkle Straßen. Komm schon, Tom, muss ich es in allen Einzelheiten erläutern?»

Nein, musst du nicht. Ich erinnerte mich an die Angst, die mir der Wachmann in der vergangenen Nacht eingejagt hatte. Vielleicht sollte ich in Zukunft an einem weniger verlassenen Ort parken.

«Na schön. Treffen wir also vernünftige Vorsichtsmaßnahmen», erklärte sich Tom einverstanden, obwohl er nicht gerade glücklich klang. Er setzte seine Brille wieder auf. «Und wie stehen deiner Meinung nach die Chancen, Irving zu finden?»

«Wir suchen ihn mit allen uns zur Verfügung stehenden Mitteln», sagte Gardner mit gewohnter Zurückhaltung.

Tom beließ es dabei. Wir wussten alle genau, wie Irvings Chancen standen. «Wirst du einen neuen Profiler hinzuziehen?»

«Darüber wird nachgedacht», sagte Gardner vorsichtig. «Wir berücksichtigen weiterhin Irvings Profil des Mörders, suchen aber gleichzeitig nach alternativen Sichtweisen. Und Diane hat eine interessante Theorie entwickelt.»

Jacobsens ansonsten ungerührte Miene bekam Farbe. Der Errötungsreflex ist schwer zu kontrollieren. Einen Menschen, der eine derartige äußere Kontrolle kultiviert hatte, musste das rasend machen, konnte ich mir vorstellen.

«Bei allem nötigen Respekt für Professor Irving, aber ich glaube nicht, dass die Morde sexuell motiviert sind oder dass der Mörder homosexuell sein muss», sagte sie. «Möglicherweise hat sich Professor Irving durch die Tatsache ablenken lassen, dass beide Opfer männlich und nackt waren.»

Diese Meinung hatte sie bereits vertreten, als sich der Profiler die Leiche von Terry Loomis in der Hütte angeschaut hatte, und war, weil sie es gewagt hatte, ihm zu widersprechen, in die Schranken gewiesen worden. Irving zuliebe hoffte ich nun, dass sie recht hatte.

«Und wie würden Sie die Morde erklären?», fragte Tom.

«Das kann ich noch nicht. Aber die Taten des Mörders lassen darauf schließen, dass er nicht aus einem sexuellen Antrieb handelt.» Sie sprach nun zu Tom wie zu ihresgleichen, jede Zurückhaltung war vergessen. «Wir haben zwei Tatorte und zwei Fingerabdrücke von Personen, die höchstwahrscheinlich selbst Opfer sind. Und dann haben wir die Nadel in der Leiche aus Willis Dexters Grab, die nur darauf wartete, von uns exhumiert zu werden. Der Mörder prahlt, er führt uns an der Nase herum, um zu zeigen, wer die Oberhand hat. Es genügt ihm nicht, zu töten, er will *Anerkennung*. Ich stimme mit Professor Irving darin überein, dass die Morde Anzeichen eines krankhaften Narzissmus aufweisen, ich würde aber sagen, dass es noch weiter geht. Ich begebe mich hier in den Bereich der Psychiatrie, aber ich glaube, der Mörder weist alle Kennzeichen eines bösartigen Narzissten auf.»

Tom schaute sie verständnislos an. «Sie müssen mich entschuldigen, aber ich habe keine Ahnung, was das bedeutet.»

Jacobsen konnte nicht mehr aus der Fassung gebracht werden. «Alle Narzissten sind von sich selbst besessen, bösartige Narzissten aber gehen darüber hinaus. Sie haben einen krankhaften Glauben an sich selbst, leben im Gefühl der eigenen Großartigkeit, das Aufmerksamkeit und Bewunderung einfordert. Sie sind davon überzeugt, auf eine bestimmte Weise etwas Besonderes zu sein, und verlangen von ihren Mitmenschen, das anzuerkennen. Sie sind zudem Sadisten, die keinerlei Gewissen haben. Sie finden ihre Erfüllung nicht unbedingt im Zufügen von Schmerz, aber sie genießen es, Macht auszuüben. Und es mangelt ihnen völlig an Mitgefühl für jedwedes Leiden, das sie verursacht haben.»

«Das hört sich nach einem Psychopathen an», sagte ich.

Jacobsens graue Augen wandten sich mir zu. «Nicht ganz, obwohl es einige ähnliche Wesenszüge gibt. Ein bösartiger Narzisst ist zu extremer Grausamkeit fähig und kann trotzdem Bewunderung und sogar Respekt für andere Menschen empfinden. Vorausgesetzt, das Objekt dieses Respekts besitzt das, was er als ‹angemessene› Charakteristika betrachtet – normalerweise ein gewisses Maß an Erfolg oder Macht. Laut Kernberg …»

«Ich glaube, die Fußnoten brauchen wir nicht, Diane», unterbrach Gardner sie.

Jacobsen sah gekränkt aus, fuhr aber fort. «Was ich sagen will, ist, dass wir es meiner Meinung nach mit einem Menschen zu tun haben, der ständig seine Überlegenheit beweisen muss, vielleicht genauso sehr sich selbst wie uns. Er ist äußerst empfindlich und hat das Gefühl, dass seine Talente und wahren Werte nicht erkannt werden. Das könnte die Anstrengungen erklären, die er auf sich nimmt, außerdem seine Reaktion auf Professor Irvings Aussagen im Fernsehen. Wahrscheinlich hat ihn nicht allein wütend gemacht, öffentlich herabgesetzt zu werden, er konnte es auch nicht ertragen, dass jemand anders an seiner Stelle im Rampenlicht steht.»

«Vorausgesetzt, dieser Kerl ist tatsächlich auch für Irvings Verschwinden verantwortlich», schaltete sich Gardner ein und warf ihr einen mahnenden Blick zu.

«Du hörst dich an wie so ein blöder Anwalt, Dan», sagte Tom zu ihm, aber ohne Schärfe. Er starrte ins Leere und tippte sich abwesend mit einem Finger ans Kinn. «Was ist mit den Angestellten des Bestattungsunternehmens? Haben die alle Alibis für die Zeit, als Irving verschwunden ist?»

«Das überprüfen wir gerade, aber ehrlich gesagt, kann ich mir nicht vorstellen, dass einer von denen dahintersteckt. Bisher haben wir erst zwei gefunden, die zu der Zeit von Willis Dexters Beerdigung dort gearbeitet haben, und die sind beide über siebzig.»

«Und York?»

«Er behauptet, seit fünf Uhr morgens bei der Arbeit gewesen zu sein. Und bevor du fragst, nein, es gibt niemanden, der das bestätigen kann», sagte Gardner und klang dabei wie jemand, der sich in eine Ecke gedrängt fühlt.

«Was für eine Überraschung», brummte Tom. «Gibt es schon Hinweise auf diesen mysteriösen Angestellten, der angeblich bei ihm gearbeitet hat?»

«Dwight Chambers? Der Sache gehen wir noch nach.»

«Also nein.»

Gardner seufzte. «York bleibt ein Verdächtiger. Aber wer hinter dieser Sache steckt, ist zu clever, um die ganze Aufmerksamkeit auf sich zu ziehen. Wir werden das gesamte Gelände von Steeple Hill durchkämmen, und morgen um diese Zeit wird es dort vor Presse nur so wimmeln. Yorks Firma ist so gut wie tot, egal was passiert.» Er verzog das Gesicht, als ihm klar wurde, was er gesagt hatte. «Und das Wortspiel war unbeabsichtigt.»

«Soweit ich gesehen habe, hätte er sowieso nicht viel länger weitermachen können.» Ein Lichtreflex funkelte auf Toms Brillengläsern, als er hinter dem Schreibtisch aufstand. «Vielleicht wollte er sich lieber mit einem Knall verabschieden.»

Oder vielleicht ist er nur ein weiteres Opfer. Aber ich behielt diesen Gedanken für mich.

Es wurde gerade dunkel, als ich in die ruhige, von Bäumen gesäumte Straße bog, in der Tom und Mary wohnten. Wenn ich nicht zum Abendessen eingeladen gewesen wäre, hätte ich wieder bis in die Nacht gearbeitet, und nach den Unterbrechungen des Tages war ich frustriert gewesen, die Arbeit liegenlassen zu müssen. Aber nicht lange. Sobald ich aus dem Leichenschauhaus in den sonnigen Abend trat, spürte ich, wie meine Anspannung nachließ. Bis dahin hatte ich sie gar nicht richtig wahrgenommen, doch Irvings Verschwinden, einen Tag nachdem Kyle verletzt worden war, hatte mich mehr erschüttert, als ich gedacht hatte. Und jetzt stimulierte mich die Aussicht auf ein paar Drinks und ein gutes Essen mit Freunden.

Die Liebermans wohnten in einem hübschen, weißgestrichenen Holzhaus, das ein gutes Stück von der Straße zurückgesetzt war. Seit ich das erste Mal hier gewesen war, schien sich, abgesehen von der majestätischen alten Eiche, die den Vordergarten dominierte, nichts verändert zu haben. Bei meinem letzten Besuch war sie in der Blüte ihrer Jahre gewesen, nun hatte langsamer Verfall eingesetzt, sodass die Hälfte des ausgedehnten Astwerks tot und kahl war.

Mary begrüßte mich an der Tür. «David! Schön, dass du gekommen bist», sagte sie, stellte sich auf die Zehenspitzen und küsste mich auf die Wange.

Ihr sah man das Alter nicht so sehr an wie ihrem Mann. Das rotblonde Haar war etwas heller geworden, hatte aber seine natürliche Farbe behalten, und obwohl auch ihr Gesicht Falten hatte, strotzte es vor Gesundheit. Nicht viele Frauen über sechzig können es sich erlauben, Jeans zu tragen, doch Mary war eine davon.

«Danke, wie lieb von dir», sagte sie, als sie die Flasche Wein nahm, die ich mitgebracht hatte. «Komm mit ins Wohnzimmer. Sam und Paul sind noch nicht da, und Tom telefoniert gerade mit Robert.»

Robert war das einzige Kind der beiden. Er arbeitete für eine Versicherungsgesellschaft und lebte in New York. Ich hatte ihn nie kennengelernt, und Tom redete nicht viel über ihn, aber ich hatte den Eindruck, dass sie kein einfaches Verhältnis hatten.

«Du siehst gut aus», sagte sie, als sie mich durch den Flur führte. «Viel besser als letzte Woche.»

An meinem ersten Abend hatte ich mit ihnen zu Abend gegessen. Es schien bereits eine Ewigkeit her zu sein. «Muss an der Sonne liegen», sagte ich.

«Was es auch ist, es bekommt dir.»

Sie machte die Tür zum Wohnzimmer auf. Eigentlich war es ein alter Wintergarten voller Heilpflanzen und gepolsterter Rattanstühle. In einem davon ließ sie mich Platz nehmen, gab mir ein Bier und entschuldigte sich dann, weil sie sich ums Essen kümmern musste.

Die Wintergartenfenster zeigten hinaus auf den hinteren Garten. In der Dunkelheit konnte ich gerade noch die großen Umrisse der Bäume erkennen, die sich vor den gelblichen Lichtern des Nachbarhauses abhoben. Es war eine gute Gegend. Tom hatte mir einmal erzählt, dass er und Mary sich fast finanziell ruiniert hätten, um das halbverfallene Haus in den siebziger Jahren zu kaufen, ohne es jemals bereut zu haben.

Als ich an dem kalten Bier nippte, spürte ich, wie ich mich noch mehr entspannte. Ich legte meinen Kopf zurück und dachte daran, was geschehen war. Es war erneut ein zerrissener Tag gewesen, da mich erst die Nachrichten über Irving und dann der Besuch von Gardner und Jacobsen von der eigentlichen Arbeit abgehalten hatten. Am späten Nachmittag hatte es durch das Eintreffen der Analysen von Terry Loomis' Gewebeproben eine weitere Ablenkung gegeben. Tom war mit den Ergebnissen in den Autopsiesaal gekommen, in dem ich die Überreste des Opfers aus dem Sarg bearbeitet hatte.

«Tja, wir haben uns geirrt», hatte er ohne Vorrede erklärt. «Nach meinen Berechnungen bestätigt der Todeszeitpunkt die Geschichte des Hüttenvermieters. Loomis ist erst seit fünf Tagen tot gewesen und nicht seit sieben, wie wir dachten. Hier, schau selbst nach.»

Er reichte mir ein Blatt mit Diagrammen. Ein kurzer Blick sagte mir, dass er recht hatte, aber Tom unterliefen bei solchen Dingen auch keine Fehler.

«Scheint zu stimmen», sagte ich und gab es ihm zurück. «Trotzdem verstehe ich nicht, wie das sein kann.»

«Ich auch nicht.» Er schaute stirnrunzelnd auf die Berechnungen, als würden sie ihn beleidigen. «Selbst wenn man davon ausgeht, dass der Heizkörper die ganze Zeit an war, habe ich noch keine Leiche gesehen, die nach fünf Tagen in diesem Ausmaß verwest war. Es haben verpuppte Larven draufgelegen, Herrgott nochmal!»

Die Larven der Schmeißfliege brauchen sechs oder sieben Tage bis zur Verpuppung. Selbst wenn sowohl Tom als auch ich uns bei der Schätzung der Todeszeit getäuscht hatten, hätten sie dieses Entwicklungsstadium erst nach mindestens einem weiteren Tag erreichen dürfen.

«Es gibt nur eine Möglichkeit, wie sie dorthin gelangt sind», sagte ich.

Tom lächelte. «Du hast dir also auch schon deine Gedanken gemacht. Nur zu.»

«Die Maden müssen absichtlich ausgesetzt worden sein.» Das war die einzige Erklärung für den Zustand von Terry Loomis' Leiche. So hätten die Larven nicht erst aus den Eiern schlüpfen müssen, sondern wären vollständig entwickelt gewesen und hätten sich sofort an die Zersetzungsarbeit machen können. «Dadurch wäre der Verwesungsprozess um einiges beschleunigt worden, mindestens um zwölf bis vierundzwanzig Stunden. Und bei den vielen offenen Wunden der Leiche hätte es wahrscheinlich gereicht.»

Er nickte. «Erst recht, da die Heizung voll aufgedreht war. Und das würde auch erklären, warum so viele Larven an der Leiche waren, obwohl Türen und Fenster der Hütte verschlossen waren. Offenbar wollte der Täter der Natur auf die Sprünge helfen. Sehr clever, auch wenn ich nicht ganz verstehe, was er damit erreichen wollte. Abgesehen davon, uns ein paar Tage im Dunkeln tappen zu lassen.»

Darüber hatte ich auch schon nachgedacht. «Vielleicht hat ihm das gereicht. Erinnerst du dich daran, was Diane Jacobsen gesagt hat? Der Täter will etwas beweisen. Vielleicht wollte er damit nur zeigen, wie gerissen er ist.»

«Könnte sein.» Tom lächelte mich nachdenklich an. «Da fragt man sich allerdings, woher er sich so gut damit auskennt, oder?», hatte er gesagt.

Es war ein verstörender Gedanke.

Ich grübelte noch darüber nach, als Tom in den Wintergarten kam. Er war frisch rasiert und hatte sich umgezogen und eine so gesunde Gesichtsfarbe, dass sie nur von einer heißen Dusche herrühren konnte.

«Entschuldige. Unser monatliches Pflichttelefonat», sagte er. Die Verbitterung in seiner Stimme überraschte mich. Er lächelte, als wäre es ihm selbst aufgefallen, und ließ sich seufzend auf einem Stuhl nieder. «Hat Mary dir was zu trinken angeboten?»

Ich hielt mein Bier hoch. «Ja, danke.»

Er nickte, schien aber immer noch abgelenkt zu sein.

«Alles in Ordnung?», fragte ich.

«Ja.» Er zupfte gereizt an der Stuhllehne. «Es ist nur wegen Robert. Er wollte uns eigentlich in ein paar Wochen besuchen. Jetzt hat er anscheinend doch keine Zeit. Mir ist es einigermaßen egal, aber Mary hat sich darauf gefreut, ihn zu sehen, und jetzt … Ach, was soll's. Sei froh, dass du keine Kinder hast.»

Er hatte eine witzige Bemerkung machen wollen, fing aber an zu stammeln, als er begriff, was er gesagt hatte. So ein Fauxpas konnte passieren, Tom sah dennoch erleichtert aus, als das Klingeln an der Tür die Ankunft von Sam und Paul verkündete.

«Entschuldigt die Verspätung», sagte Paul, als Mary die beiden in den Wintergarten führte. «Ich hatte auf dem Nach-hauseweg einen platten Reifen und brauchte eine Ewigkeit, um das verfluchte Öl von meinen Händen zu schrubben.»

«Jetzt seid ihr ja hier. Samantha, du siehst großartig aus», sagte Tom und ging zu ihr, um sie zu küssen. «Wie geht es dir?»

Etwas unbeholfen wegen des dicken Bauchs, ließ sich Sam auf einem Stuhl mit hoher Lehne nieder. Sie hatte das blonde Haar zu einem Pferdeschwanz zurückgebunden und wirkte gesund und munter. «Ich werde ungeduldig. Wenn Junior sich nicht beeilt, werden wir bald mal ein Wörtchen mitein-ander reden müssen.»

«Ehe du dich's versiehst, ist er in der Schule», sagte Tom lachend.

Seine Stimmung hatte sich mit der Ankunft der beiden aufgeheitert, und als wir am Esstisch Platz nahmen, war die Atmosphäre locker und entspannt. Das Essen war einfach und unkompliziert – Lachs aus dem Ofen mit Pellkartoffeln und Salat –, aber Mary war eine so gute Köchin, dass es köstlich und speziell schmeckte. Als sie den Nachtisch auftrug, einen heißen Pfirsichkuchen mit Eiscreme, beugte sich Sam zu mir herüber.

«Wie geht's dir? Du scheinst nicht mehr so angespannt zu

sein wie beim letzten Mal, als ich dich gesehen habe», sagte sie so leise, dass die anderen sie nicht hören konnten.

Das war in dem Restaurant gewesen, als ich dachte, ich hätte Grace Strachans Parfüm gerochen. Es schien Wochen her zu sein, obwohl es erst vor wenigen Tagen war. Aber seitdem war eine Menge passiert.

«Nein, bin ich wohl auch nicht.» Ich lächelte. «Ich fühle mich ganz gut, um ehrlich zu sein.»

Sie musterte mich einen Augenblick. «Ja, das sieht man dir an.»

Sie drückte meinen Arm und widmete sich wieder den Gesprächen am Tisch.

Nach dem Essen verschwanden Mary und Sam in der Küche, um Kaffee zu machen. Unsere Hilfsangebote lehnten sie ab. «Ihr wollt doch sowieso nur fachsimpeln, und Sam und ich haben bessere Dinge zu besprechen.»

«Jede Wette, dass es um Babys geht», sagte Tom, nachdem sie hinausgegangen waren. Er rieb sich die Hände. «So, ich für meinen Teil könnte einen Bourbon vertragen. Was ist mit euch beiden? Ich suche schon die ganze Zeit nach einem Grund, um den Blanton's aufzumachen.»

«Nur einen kleinen», sagte Paul.

«David? Oder willst du lieber einen Scotch?»

«Bourbon ist in Ordnung, danke.»

Tom ging zur Vitrine und holte Gläser und eine eigentümlich geformte Flasche hervor, auf deren Korken ein Jockey auf einem Pferd hockte. «Wir haben Eis, aber wenn ich in die Küche gehe, liest mir Mary die Leviten, weil ich trinke. Und du sagst lieber auch nichts, David.»

Ich hatte gar nichts sagen wollen. Manchmal kann Abstinenz eher schaden als helfen. Tom reichte Paul und mir ein Glas und erhob dann seines.

«Auf euer Wohl, Gentlemen.»

Der Bourbon war weich und schmeckte im Abgang nach gebranntem Karamell. Wir nippten daran und genossen ihn schweigend. Tom räusperte sich.

«Wo ihr beide schon mal hier seid, möchte ich euch etwas sagen. Dich betrifft es eigentlich nicht, David, aber du kannst es ruhig auch hören.»

Paul und ich schauten uns an. Tom starrte sinnierend in seinen Bourbon. «Wie ihr beide wisst, wollte ich zum Ende des Sommers meinen Ruhestand vorbereiten. Also, ich habe beschlossen, nicht so lange zu warten.»

Paul stellte sein Glas ab. «Du machst Witze.»

«Es wird Zeit», sagte Tom nur. «Entschuldige, dass ich es dir so plötzlich eröffne, aber … Na ja, es ist kein Geheimnis, dass es um meine Gesundheit in letzter Zeit nicht zum Besten bestellt ist. Und ich muss auch an Mary denken. Ich dachte, Ende des nächsten Monats wäre der richtige Zeitpunkt. Das ist nur ein paar Wochen früher als geplant, außerdem ist es ja nicht so, dass das Institut ohne mich zum Stillstand kommt. Ich habe das Gefühl, dass der nächste Direktor ein guter sein wird.»

Das war auf Paul gemünzt, aber es schien ihm nicht aufzufallen. «Hast du das schon jemandem erzählt?»

«Nur Mary. Nächste Woche findet ein Institutstreffen statt. Ich hatte vor, es dann bekannt zu geben. Aber ich wollte, dass du es zuerst weißt.»

Paul wirkte noch immer wie gelähmt. «Mein Gott, Tom. Ich weiß nicht, was ich sagen soll.»

«Wie wäre es mit ‹Alles Gute zum Ruhestand›?» Tom lächelte. «Es bedeutet ja nicht das Ende der Welt. Ich werde weiterhin ab und zu als Berater arbeiten, könnte ich mir denken. Mensch, vielleicht fange ich sogar mit Golf an. Also kommt schon, zieht nicht solche Gesichter. Trinken wir noch einen.»

Er griff nach der Flasche Blanton's und schenkte uns nach. Ich hatte einen Kloß im Hals, aber ich wusste, dass Tom uns nicht rührselig sehen wollte. Ich erhob mein Glas.

«Auf die Neuanfänge.»

Er stieß mit mir an. «Darauf trinke ich.»

Seine Ankündigung gab dem Rest des Abends einen bittersüßen Beigeschmack. Mary strahlte, als sie mit Sam zurückkehrte, doch ihre Augen glänzten vor Tränen. Sam versuchte gar nicht erst, ihre zu verbergen, und drückte Tom so fest an sich, dass er sich über ihren schwangeren Bauch beugen musste.

«Schön für dich», erklärte sie und rieb sich die Augen.

Tom lächelte breit und erzählte von den Plänen, die er und Mary hatten, wobei er die ganze Zeit die Hand seiner Frau drückte. Doch über allem lag eine Traurigkeit, die auch die feierliche Stimmung nicht verschleiern konnte. Mit seiner Pensionierung trat Tom nicht nur von einem Posten ab.

Sie bedeutete das Ende einer Ära.

Ich freute mich mehr denn je darüber, dass ich sein Angebot, ihm bei der Ermittlung zu helfen, angenommen hatte. Er hatte gesagt, dass es unsere letzte Gelegenheit wäre, zusammenzuarbeiten, aber ich hätte nie daran gedacht, dass es auch seine letzte Ermittlung sein würde. Und ich fragte mich, ob es ihm in dem Moment bewusst gewesen war.

Als ich kurz nach Mitternacht zurück in mein Hotel fuhr, ärgerte ich mich darüber, dass ich sein Angebot nicht genügend zu schätzen gewusst hatte. Jetzt beschloss ich, alle verbliebenen Zweifel beiseitezuschieben und die Arbeit mit Tom zu genießen, solange sie noch währte. Noch ein oder zwei Tage, dann würde alles vorbei sein.

Jedenfalls dachte ich das. Ich hätte klüger sein müssen.

Am nächsten Tag wurde eine weitere Leiche gefunden.

Langsam und wie von Geisterhand setzen sich die Bilder auf dem leeren Papier zusammen. Im blutroten Licht der Lampe wartest du den richtigen Moment ab, nimmst dann den Kontaktbogen aus dem Entwicklerbecken, tauchst ihn kurz ins Stoppbad und legst ihn schließlich in den Fixierer.

So. Perfekt. Du bist dir dessen zwar kaum bewusst, aber du pfeifst leise vor dich hin, ein fast lautloses Ausatmen ohne bestimmte Melodie. So beengt sie auch ist, du liebst es, in der Dunkelkammer zu sein. Sie erinnert dich an eine Mönchszelle; eine friedliche, meditative und abgeschlossene Welt für sich. Eingehüllt in das transformierende, dunkelrote Licht der Kammer, fühlst du dich von allem losgelöst und kannst dich voll und ganz darauf konzentrieren, die in dem glänzenden Fotopapier verborgenen Bilder zum Leben zu erwecken.

Und so sollte es auch sein. Dein Spiel mit dem TBI, das ihre sogenannten Experten wie die blinden Hühner im Kreise laufen lässt, ist zwar eine willkommene Abwechslung und schmeichelt deinem Ego. Gott weiß, dass du diese Freude verdienst nach all den Opfern, die du gebracht hast. Aber du darfst nie vergessen, dass das nur eine Ablenkung ist. Die Hauptsache, die wirkliche Arbeit, findet in dieser kleinen Kammer statt.

Es gibt nichts Wichtigeres.

Um in dieses Stadium zu kommen, hat es Jahre gebraucht, in denen du durch ständiges Ausprobieren gelernt hast. Deine erste Kamera stammte aus einem Pfandhaus, eine alte Kodak Instamatic. Damals warst du noch zu unerfahren, um zu wissen, dass sie für deine Bedürfnisse völlig ungeeignet war. Sie konnte den Moment festhalten, aber mehr als Schnapp-

schüsse waren damit nicht möglich. Sie war unzuverlässig, zu langsam, und die Bilder waren nicht scharf genug. Sie bot nicht annähernd die Präzision, die Kontrolle, die du wolltest.

Seitdem hast du andere Apparate ausprobiert. Eine Zeitlang warst du Feuer und Flamme für Digitalkameras, die zwar bequem zu handhaben waren, deren Bildern aber – und hier musst du lächeln – nicht die Seele des Filmmaterials haben. Pixel haben keine Tiefe und nicht die Wirkung, die du suchst. Ganz gleich, wie hoch die Auflösung ist, wie natürlich die Farben, sie bieten nur eine impressionistische Annäherung an das Objekt. Film dagegen fängt etwas vom Wesen des Objekts ein, eine Übertragung, die über den chemischen Prozess hinausgeht. Ein echtes Foto wird durch Licht geschaffen, ganz einfach. Ein Pinsel aus Photonen hinterlässt seine Spuren auf der Leinwand des Filmmaterials. Es gibt eine physische Verbindung zwischen Fotograf und Objekt, die gutes Urteilsvermögen und Können erfordert. Zu lange im Entwicklerbad, und das Bild ist ruiniert. Nicht lange genug, und es ist ein blasses, uneingelöstes Versprechen. Ja, Film bedeutet unbestreitbar mehr Probleme, mehr Anstrengung.

Aber niemand hat behauptet, dass eine Suche einfach ist.

Denn das ist es, eine Suche. Die Suche nach deinem persönlichen heiligen Gral, nur dass du ganz genau weißt, dass du nach etwas Existierendem suchst. Du hast es gesehen. Und was man einmal gesehen hat, kann man wieder sehen.

Mit der gewohnten Unruhe nimmst du den tropfenden Kontaktbogen aus dem Fixierbad – vorsichtig, denn du hast dir die Flüssigkeit schon einmal ins Auge gespritzt – und spülst ihn unter kaltem Wasser ab. Jetzt kommt der Moment der Wahrheit. Der Mann war reif und bereit gewesen, als du zurückgekommen bist. Die Angst und das Warten haben ihn bis in die Haarspitzen wachsam gemacht, das ist immer so. Obwohl du versuchst, dir nicht zu große Hoffnungen zu machen, bist du wie immer aufgeregt, als du den glänzenden Bogen betrachtest. Doch die Freude vergeht dir schnell, als du die kleinen Bilder der Reihe nach untersuchst.

Verschwommen. Nein. Nein.

Nutzlos!

In einem plötzlichen Wutanfall reißt du den Kontaktbogen entzwei und wirfst ihn weg. Du holst mit der Hand aus und schleuderst die Entwicklerschalen zu Boden, dass die Chemikalien nur so umherspritzen. Du hebst die Hand, um auch die vollen Flaschen vom Regal zu fegen, hältst dann aber inne. Mit geballten Fäusten und schwer atmend stehst du in der Dunkelkammer und versuchst dich zu beherrschen.

Als du die Unordnung betrachtest, legt sich deine Wut. Apathisch bückst du dich, um den zerrissenen Bogen aufzuheben, sparst dir dann aber die Mühe. Es kann warten. Die chemischen Ausdünstungen sind unerträglich, außerdem ist dir etwas Flüssigkeit auf den nackten Arm gespritzt. Es beginnt bereits zu jucken, und du weißt aus Erfahrung, dass es bald brennen wird, wenn du es nicht abspülst.

Als du die Dunkelkammer verlässt, bist du schon ruhiger, die Enttäuschung verfliegt langsam. Mittlerweile bist du daran gewöhnt, außerdem hast du keine Zeit, lange zu grollen. Du hast zu viel zu tun, du musst eine Menge vorbereiten. Bei dem Gedanken daran wird dein Schritt wieder leichter. Fehlschläge sind immer frustrierend, aber du darfst dich davon nicht unterkriegen lassen.

Es gibt immer ein nächstes Mal.

KAPITEL 11

Bevor ich am nächsten Morgen das Hotel verließ, rief mich Tom an. «Das TBI hat auf dem Gelände von Steeple Hill menschliche Leichenteile gefunden.» Er hielt inne. «Sie sind nicht vergraben worden.»

Um nicht mit zwei Autos fahren zu müssen, kam er zum Hotel und holte mich ab. Dieses Mal gab es keine Diskussion darüber, ob ich ihn begleiten sollte, nur eine stillschweigende Übereinkunft, dass es besser wäre, wenn er die Arbeit nicht allein auf sich nahm. Ich hatte mich gefragt, in welcher Stimmung er nach dem vergangenen Abend sein würde und ob er es bedauerte, seinen Ruhestand angekündigt zu haben. Wenn das so war, dann verbarg er es gut.

«Und … wie fühlst du dich?», fragte ich, als wir uns auf den Weg machten.

Er zog eine Schulter hoch. «Der Ruhestand ist nicht das Ende der Welt. Das Leben geht weiter, oder?»

Ich stimmte ihm zu.

Dieses Mal war die Sonne schon aufgegangen, als wir uns dem abgeblätterten Tor von Steeple Hill näherten. Die dichten, an die Grünflächen grenzenden Kiefernwälder sahen jedoch so undurchdringlich aus, dass man den Eindruck gewinnen konnte, zwischen ihren enggepflanzten Stämmen wäre noch Nacht.

Vor dem Friedhofstor standen uniformierte Polizeibeamte,

die den Pressevertretern, die sich bereits draußen versammelt hatten, den Zutritt verwehrten. Offenbar war das Gerücht durchgesickert, dass etwas entdeckt worden war. Direkt auf die Exhumierung folgend, war die Nachricht bei den sensationshungrigen Medien wie eine Bombe eingeschlagen. Als Tom abbremste, um seinen Ausweis zu zeigen, ging ein Fotograf in die Hocke und fotografierte uns durch das Autofenster.

«Für zehn Dollar kann er mein Autogramm kriegen», brummte Tom und fuhr durchs Tor.

Wir fuhren an dem Grab vorbei, das wir beim letzten Mal exhumiert hatten, und auf das Hauptgebäude zu. Die Kapelle von Steeple Hill war dem Äußeren nach in den sechziger Jahren gebaut worden, als der amerikanische Optimismus sogar die Bestattungsindustrie angesteckt hatte. Der einstöckige Flachdachbau war ein billiger Versuch, dem Modernismus und der Architektur von Frank Lloyd Wright nachzueifern, was allerdings jämmerlich gescheitert war. Die farbigen Glasbausteine, aus der eine Wand neben dem Eingang bestand, waren schmutzig und gesprungen, und die Proportionen stimmten irgendwie nicht, auch wenn ich nicht genau sagen konnte, in welcher Weise. Auf dem Flachdach thronte ein Turm, der dort so unpassend aussah wie ein Hexenhut auf einem Tisch. Auf seiner Spitze war ein Metallkreuz aus zwei rostigen, schlecht zusammengeschweißten Stahlträgern montiert worden.

Gardner stand vor der Kapelle und sprach mit einer Gruppe Agenten der Spurensicherung in verschmutzten weißen Overalls. Als er uns sah, kam er zu uns.

«Es ist auf der Rückseite», sagte er ohne Vorrede.

Als wir ihm um die Kapelle herum folgten, fing es plötzlich wie aus dem Nichts zu regnen an, und die Luft wurde mit silbrigen Tropfen erfüllt. Nachdem der Schauer so schnell aufhörte, wie er begonnen hatte, glitzerten winzige Regenbogenprismen auf dem Rasen und dem Unterholz. Gardner führte uns einen schmalen Kiesweg entlang, der immer dürftiger wurde und mit immer mehr Unkraut überwuchert war, je weiter wir gingen. Als wir die hohe Eibenhecke erreichten, die die Rückseite abschirmte, war er kaum mehr als ein Trampelpfad auf dem Rasen.

Wenn die Vorderseite der Kapelle schon heruntergekommen war, dann zeigte sich hinter der Hecke die wahre Schäbigkeit von Steeple Hill. Ein hässlicher, zweckmäßiger Anbau ragte in einen eingefriedeten Hof, der mit verrosteten Geräten und leeren Containern vollgestellt war. Vor der offenen Hintertür war der Boden mit ausgetretenen Zigarettenkippen übersät, die wie schmutzige weiße Pastillen aussahen. Eine Atmosphäre der Verwahrlosung und des Verfalls hing über diesem Hof, der von unzähligen, aufgeregt über dem Müll herumschwirrenden Fliegen beherrscht wurde.

«Dadrinnen ist die Leichenhalle», sagte Gardner und deutete mit einem Nicken auf den Anbau. «Das Team der Spurensicherung hat noch nichts gefunden, aber die Umweltschutzbehörde ist nicht besonders glücklich über Yorks Betriebsführung.»

Als wir uns dem Eingang näherten, hörte man laute Stimmen. Drinnen konnte ich Jacobsen sehen, gut einen Kopf kleiner als die Männer in ihrer Begleitung, aber mit trotzig erhobenem Kinn. Zwei der Männer waren wahrscheinlich Beamte der Umweltschutzbehörde, die Gardner erwähnt hatte. Der dritte war York. Er schrie beinahe, bebend vor Emotionen, und fuchtelte mit einem Finger in der Luft herum.

«… ungeheuerlich! Das hier ist ein angesehenes Unternehmen! Ich werde mir diese Unterstellungen nicht bieten …»

«Niemand unterstellt Ihnen etwas, Sir», unterbrach Jacobsen ihn höflich, aber bestimmt. «Dies ist Teil einer laufenden Mordermittlung, es ist also in Ihrem eigenen Interesse, zu kooperieren.»

Die Augen des Bestattungsunternehmers traten hervor. «Sind Sie *taub*? Ich habe Ihnen bereits gesagt, dass ich nichts weiß! Haben Sie eigentlich eine Ahnung, wie dieser Aufruhr meinem Ruf *schadet*?»

Offenbar war er blind für die Verwahrlosung um ihn herum. Als er uns vorbeigehen sah, brach er seine Tirade ab.

«Dr. Lieberman!», rief er und eilte heraus zu uns. «Sir, ich wäre Ihnen dankbar, wenn Sie helfen würden, dieses Missverständnis aufzuklären! Unter Fachleuten, können Sie diesen Leuten bitte begreiflich machen, dass ich mit alldem nichts zu tun habe?»

Tom wich unweigerlich einen Schritt zurück, als der Bestattungsunternehmer auf ihn zustürzte. Gardner stellte sich zwischen die beiden.

«Dr. Lieberman ist im Auftrag des TBI hier, Mr. York. Gehen Sie wieder rein, dann wird Agent Jacobsen …»

«Nein, das werde ich nicht! Ich werde nicht untätig zusehen, wie der gute Name von Steeple Hill in den Schmutz gezogen wird!» Im morgendlichen Sonnenschein konnte ich sehen, dass Yorks Anzug erneut schmuddelig und zerknittert war, und auf dem Hemdkragen hatten sich Schuppen angesammelt. Er war unrasiert, seine Wangen waren mit grauen Stoppeln überzogen.

Jacobsen war herausgekommen und hatte sich neben ihn gestellt, sodass der Bestattungsunternehmer zwischen ihr und Gardner eingekeilt war und nirgendwohin konnte. Neben dem verwahrlosten Mann sah sie gepflegter aus denn je. Sie verströmte einen Duft nach Shampoo und einem unaufdringlichen Parfüm.

Ihre Stimme war allerdings alles andere als sanft, und sie wirkte gelassen, aber auch auf alles gefasst. «Sie müssen wieder zurückkommen, Sir. Die Herren von der Umweltschutzbehörde haben noch ein paar Fragen zu stellen.»

York ließ sich von ihr zurück ins Gebäude lotsen, starrte uns dabei aber die ganze Zeit über die Schulter an.

«Das ist eine Verschwörung! Eine *Verschwörung!* Glauben Sie, ich weiß nicht, was hier vor sich geht? *Glauben Sie das?*»

Seine Stimme hallte hinter uns her, als Gardner uns wegführte. «Tut mir leid.»

Tom lächelte, aber die Sache schien ihn mitgenommen zu haben. «Er ist wohl ziemlich verzweifelt.»

«Und das ist erst der Anfang.»

Gardner ging zu den Bäumen hinter der Leichenhalle der Kapelle. Zwischen die Stämme war Absperrband gebunden worden, und durch die Äste konnte ich weißgekleidete Gestalten bei der Arbeit sehen.

«Einer der Spürhunde hat die Leichenteile gefunden», sagte Gardner. «Sie sind ziemlich weit verstreut, aber nach den bisherigen Erkenntnissen stammen sie von einer Person.»

«Definitiv menschlich?», fragte Tom.

«Sieht so aus. Zuerst waren wir uns nicht sicher, weil sie stark angeknabbert sind. Dann haben wir einen Schädel gefunden, sodass man davon ausgehen kann, dass sie zusammengehören. Aber nach der Tri-State-Sache wollten wir kein Risiko eingehen.»

Das konnte ich verstehen. Der Tri-State-Friedhof in Georgia war 2002 weltweit in die Schlagzeilen geraten, nachdem Inspektoren auf dem Gelände einen menschlichen Schädel gefunden hatten. Wie sich herausstellte, war das nur die Spitze des Eisbergs gewesen. Aus Gründen, die nie zufriedenstellend geklärt werden konnten, hatte der Besitzer viele der Leichen, die er eigentlich hätte einäschern sollen, aufbewahrt. Über dreihundert Leichen waren in winzigen Grüften gelagert oder im angrenzenden Wald aufeinandergestapelt worden. Einige hatte man sogar im Haus des Besitzers gefunden. Aber so schlimm dieser Fall in Tri-State auch gewesen war, es gab einen wesentlichen Unterschied zu der jetzigen Situation.

Keines der Opfer war ermordet worden.

Gardner führte uns an den Waldrand, wo ein Klapptisch mit Masken und Schutzkleidung stand. Ein paar Meter weiter bildeten die Kiefern eine fast massive Wand.

Der TBI-Agent schaute Tom skeptisch an, als würde ihm erst jetzt bewusst werden, was er von ihm verlangte. «Bist du dir sicher, dass du dazu bereit bist?»

«Ich habe schon Schlimmeres erlebt.» Tom hatte bereits eine Packung Einwegoveralls geöffnet. Gardner schien nicht überzeugt zu sein, aber als er merkte, dass ich ihn anschaute, verschwanden die Sorgenfalten aus seinem Gesicht.

«Na schön, dann lasse ich dich machen.»

Ich wartete, bis er zurück zur Leichenhalle gegangen war. «Er hat recht, Tom. Dadrinnen wird es ungemütlich werden.»

«Ich komme schon zurecht.»

Bei seiner Sturheit verschwendete ich nur meine Zeit. Ich schlüpfte selbst in einen Overall und zog Handschuhe und Überschuhe an. Nachdem Tom fertig war, gingen wir in den Wald.

Sofort umgab uns eine Stille, als wären wir von der Außenwelt abgeschnitten worden. Und doch hörte man etwas: Um uns herum säuselten die Kiefernnadeln, ein unheimliches Geräusch hier in Friedhofsnähe, als ob die Toten untereinander wispern würden. Auf dem Boden hatten die Nadeln einen dicken, mit herabgefallenen Zapfen bestreuten Teppich gebildet. Der reine Duft der Kiefern drang durch meine Maske und war nach dem Schmutz des Bestattungsinstituts eine willkommene Abwechslung.

Aber sie hielt nicht lange an. Da zwischen den Bäumen kein Windhauch wehte, war die Luft stickig und heiß. Als wir gebeugt unter den niedrigen Ästen auf die weißgekleideten Agenten zugingen, begann ich fast augenblicklich zu schwitzen.

«Und, was habt ihr gefunden?», fragte Tom und versuchte, seine Atemlosigkeit zu verbergen, während sie Platz für uns machten.

In den aufgeblähten Schutzanzügen und mit den Masken sahen die Beamten alle gleich aus, aber ich erkannte den großen Mann aus der Berghütte wieder. *Lenny? Nein, Jerry.* Was man von seinem Gesicht sehen konnte, war erhitzt und verschwitzt, sein Overall war mit Kiefernnadeln und Borke bedeckt.

«Mein Gott, was für ein Tag», sagte er keuchend, als er sich aufrichtete. «Wir haben einen Schädel und die Überreste eines Brustkorbs gefunden, außerdem ein paar andere Knochen. Sie liegen ziemlich weit verstreut, selbst die größeren. Und diese gottverdammten Bäume sind wirklich zum Kotzen. Etwas weiter dahinten ist ein Zaun, aber er ist so eingefallen, dass jeder hier reinkann. Vierbeiner und Zweibeiner.»

«Irgendwelche Kleidungsstücke?»

«Nee, aber wir haben so eine Art Laken gefunden. Könnte das Leichentuch gewesen sein.»

Wir ließen ihn allein und bahnten uns einen Weg zu den Funden. Einem ungepflegten Golfplatz gleich war der Waldboden mit kleinen Fähnchen übersät, die jede einzelne Entdeckung markierten. Das erste, das wir sahen, steckte neben den Überresten eines Beckenknochens. Er lag unter einem Baum, sodass wir uns tief bücken und fast über den Nadelteppich kriechen mussten, um dranzukommen. Ich schaute zu Tom und hoffte, dass es nicht zu viel für ihn war, doch da die Maske sein Gesicht verdeckte, konnte ich seine Miene nur schwer lesen.

Der Beckenknochen war so stark angeknabbert, dass man nicht sagen konnte, ob er von einem Mann oder von einer Frau stammte, das danebenliegende Femur bot aber bessere Anhaltspunkte. Obwohl beide Enden des großen Oberschenkelknochens von Tierzähnen angenagt waren, konnte man an der Länge deutlich erkennen, dass es der eines Mannes war.

«Ziemlich groß», sagte Tom und hockte sich hin, um ihn zu untersuchen. «Was würdest du sagen, wie groß die Person war?»

«Gut über eins achtzig. Wie groß war Willis Dexter?»

«Eins sechsundachtzig.» Trotz der Maske konnte ich sehen, wie Tom lächelte. Offenbar dachte er das Gleiche wie ich. Es schien so auszusehen, als hätten wir den Mann gefunden, der eigentlich in Steeple Hill hätte beerdigt sein sollen. «Na schön, schauen wir mal, was wir sonst noch haben.»

Als wir uns durch die Bäume zwängten, streiften wir gegen die Zweige und wurden von Nadeln berieselt. Obwohl wir nur schwer vorankamen, ließ sich Tom keine Schwäche anmerken. Mir lief der Schweiß das Gesicht hinab, außerdem bekam ich langsam Krämpfe, weil wir die ganze Zeit gebeugt gehen mussten. Der Kiefernduft widerte mich mittlerweile an, und in dem engen Overall begann es mich überall zu jucken.

In einiger Entfernung von dem Beckenknochen lagen die Reste eines Tuchs. Die schmutzigen und zerrissenen Stoffteile waren mit einem andersfarbigen Fähnchen markiert, um sie von den Leichenteilen zu unterscheiden. Unweit davon, teilweise mit Kiefernnadeln bedeckt, lag ein Brustkorb. Ein paar Ameisen huschten darüber und suchten nach den letzten Fleischresten, aber es war nur noch wenig übrig. Die Knochen waren schon längst abgenagt worden, und das Brustbein sowie mehrere kleinere Rippen fehlten.

«Sieht so aus, als wäre die Leiche hier abgelegt worden», meinte Tom, während ich Fotos machte. «Die Verteilung der Knochen erscheint mir ziemlich typisch. Die Leiche ist nicht vorher zerstückelt worden, das haben Tiere gemacht, würde ich sagen.»

In der Natur wird nichts verschwendet, deshalb wird eine im Freien liegende Leiche schnell zur Nahrungsquelle der in der Umgebung lebenden Tiere. Hunde, Füchse, Vögel, Nager – in manchen Teilen der Vereinigten Staaten auch Bären – nehmen an dem Festmahl teil, um abzutrennen und mitzunehmen, was sie können. Da der massige Torso, wenn überhaupt, nur von den größten Aasfressern mitgenommen werden kann, wird er meistens an Ort und Stelle abgenagt. Aus diesem Grund markiert der Brustkorb normalerweise die Stelle, an der die Leiche ursprünglich lag.

Tom begutachtete das Ende einer der Rippen. Er winkte mich heran. «Siehst du das? Sägespuren.»

Wie die meisten anderen Knochen war die Rippe stark angeknabbert worden. Doch zwischen den Einkerbungen, die von Zähnen stammten, waren parallele Linien zu sehen, schmale Schrammen, die quer über das Ende des Knochens verliefen.

«Sieht nach einer Bügelsäge aus. Wie man sie bei einer Autopsie benutzt», sagte ich. Bei einer Sektion ist es üblich, den Brustkorb auf beiden Seiten des Brustbeins aufzuschneiden, damit er zurückgeklappt werden kann, um Zugriff auf die darunterliegenden Organe zu haben. Manchmal wird dafür ein Knochenschneider benutzt, häufig aber ist eine elektrische Säge schneller.

Und eine solche würde Spuren wie diese erzeugen.

«Sieht immer mehr danach aus, als hätten wir Willis Dexter gefunden, oder?», sagte Tom. Er stemmte sich hoch. «Männlich, die Größe passt, dazu die Autopsieschnitte in den Rippen. Und Dexters Kleidung ist bei dem Autounfall verbrannt. Da er keine Familie hatte, wird man die Leiche bestimmt in dem Tuch gelassen haben, in dem sie aus der Leichenhalle kam. Zeitlich kommt es auch hin. Auf den Knochen ist noch kein Moos, sie liegen also noch kein Jahr hier. Das bedeutet ...»

Er rang plötzlich nach Luft, krümmte sich zusammen und fasste sich an die Brust. Ich zog ihm die Maske vom Gesicht und musste meine Bestürzung verbergen, als ich sah, wie kreidebleich er war.

«Wo sind deine Tabletten?»

Sein Mund hatte sich zu einer Grimasse verzogen. «Seitentasche ...»

Ich riss seinen Overall auf und verfluchte mich. *Du hättest ihm diese Anstrengung niemals erlauben dürfen!* Wenn er hier kollabierte ... Seine hellen Baumwollhosen hatten seitliche Taschen auf den Oberschenkeln. Ich knöpfte sie auf, konnte aber keine Tabletten finden.

«Da sind sie nicht.» Ich versuchte, nicht so besorgt zu klingen, wie ich war.

Er hatte seine Augen vor Schmerz zusammengekniffen. Seine Lippen waren blau geworden. «Hemd ...»

Ich tastete seine Hemdtasche ab und fühlte etwas Hartes. *Gott sei Dank!* Ich zog das Döschen hervor, drehte den Deckel ab und schüttelte eine der winzigen Pillen heraus. Toms

Hand zitterte, als er sie sich unter die Zunge legte. Einen Augenblick lang passierte nichts, dann begann sich sein Gesicht zu entspannen.

«Okay?», fragte ich. Er nickte, zu erschöpft, um zu sprechen. «Ruh dich eine Weile aus.»

In der Nähe war ein Rascheln zu hören. Jerry, der große Agent von der Spurensicherung, kam zu uns. «Alles in Ordnung?»

Ich spürte, wie Tom meinen Arm drückte, ehe ich antworten konnte. «Ja. Wir müssen nur mal ein bisschen Luft schnappen.»

Der Agent sah nicht so aus, als könnte man ihm etwas vormachen, ließ uns aber allein. Sobald er weg war, ließ Tom wieder die Schultern hängen.

«Kannst du gehen?», fragte ich.

Er atmete unregelmäßig. «Ich glaube …»

«Dann komm, ich bringe dich hier raus.»

«Ich schaffe es schon. Mach du hier weiter.»

«Ich lasse dich nicht …»

Er packte mich wieder am Arm und sah mich flehend an. «Bitte, David.»

Mir gefiel der Gedanke nicht, ihn allein durch den Wald gehen zu lassen, aber es hätte ihn nur noch mehr aufgeregt, wenn ich darauf bestanden hätte, ihn zu begleiten. Ich schaute durch die Bäume zum Waldrand, um abzuschätzen, wie weit es war.

«Ich werde schön langsam gehen», sagte er. Offenbar hatte er meine Gedanken erraten. «Und ich verspreche, dass ich eine Pause mache, sobald ich draußen bin.»

«Du musst zum Arzt.»

«War ich erst.» Er lächelte schwach. «Mach dir keine Sorgen. Du arbeitest hier einfach weiter.»

Voller Unruhe schaute ich zu, wie er sich seinen Weg durch die Bäume bahnte. Er bewegte sich so behutsam wie ein alter Mann. Ich wartete, bis er den Waldrand erreicht hatte und durch die dichten Zweige im Tageslicht verschwand, und ging dann hinüber zu Jerry, der ein Objekt auf dem Boden untersuchte, das ein Stück Knochen gewesen sein könnte. Als ich näher kam, schaute er auf.

«Alles in Ordnung mit ihm?»

«Ja, es ist nur die Hitze. Sie sagten vorhin, Sie hätten einen Schädel gefunden?», fuhr ich schnell fort.

Er führte mich zum Fuß einer Anhöhe, wo ein weiteres Fähnchen im Boden steckte. Daneben, halb unter Kiefernnadeln verborgen, lag ein blasser Schädel, und zwar verkehrt herum, sodass er einer schmutzigen Elfenbeinschüssel glich, ein Eindruck, der noch dadurch verstärkt wurde, dass der Unterkieferknochen fehlte. Die schwere Struktur ließ darauf schließen, dass er von einem Mann stammte. Außerdem konnte ich Risse erkennen, die sich von einem Zentrum am Stirnbein ausdehnten. Eine solche Bruchverletzung konnte nur durch einen Zusammenprall mit einer harten Fläche verursacht worden sein.

Zum Beispiel mit einer Windschutzscheibe.

Ich war mir jetzt sicher, dass wir es mit den Überresten von Willis Dexter zu tun hatten, und in diesem Fall würden sie uns nicht weiterbringen. Man konnte davon ausgehen, dass der Schlosser tatsächlich durch einen Autounfall ums Leben gekommen und nicht ermordet worden war. Seine einzige Verbindung zu den Morden waren sein Sarg und sein Grab, die sich der Mörder angeeignet hatte. Wenn wir hätten nachweisen können, dass eine seiner Hände oder auch nur einige Finger fehlten, hätten wir wenigstens erklären können, wie seine Fingerabdrücke so lange nach seinem Tod auf den Film-

behälter gelangt waren. Aber man hatte weder Handwurzel-
knochen noch Fingerknochen gefunden, und angesichts der
Größe des Waldes würde das wohl auch nie geschehen. Die
Aasfresser hatten ganze Arbeit geleistet. Selbst wenn die
kleineren Knochen nicht gefressen worden waren, könnten
sie mittlerweile überall sein.

«Umsonst gekommen, was, Doc?», sagte Jerry vergnügt,
als ich den letzten Fund fotografierte – eine bis auf die Hälfte
ihrer ursprünglichen Länge abgenagte Rippe. «Man kann
nicht viel mehr erkennen, als dass es menschliche Überreste sind. Und das hätten wir Ihnen auch sagen können. Egal,
wenn Sie fertig sind, würden wir gerne damit anfangen, alles
einzusammeln und zu verpacken.»

Es war ein Wink mit dem Zaunpfahl. Als ich gerade gehen
wollte, fiel mir in der Nähe ein weiteres Fähnchen auf.

«Was ist das da drüben?»

«Nur ein paar Zähne. Sind wohl rausgefallen, als der Kiefer abgerissen wurde.»

Das war nicht ungewöhnlich. Aasfresser machen sich normalerweise zuerst über das Gesicht her, und die Zähne hätten sich leicht aus dem fehlenden Unterkieferknochen lösen
können. Beinahe hätte ich mir die Mühe erspart, hinüber-
zugehen. Ich war verschwitzt und müde, außerdem wollte ich
schauen, wie es Tom ging. Doch aus harter Erfahrung hatte
ich gelernt, nichts als selbstverständlich hinzunehmen.

«Ich schaue sie mir lieber mal an», sagte ich.

Das Fähnchen steckte zwischen den freigelegten Wurzeln
einer verkrüppelten Kiefer. Obwohl sie nicht weit entfernt
vom Brustkorb lagen, konnte ich die schmutzigen Klumpen
erst sehen, als ich dicht davorstand. Es waren vier Backenzähne, die mit Dreck überzogen und zwischen den Kiefernnadeln
schwer zu erkennen waren. Dass sie überhaupt gefunden

worden waren, war ein Beweis für die Gründlichkeit der Suche. Doch als ich sie betrachtete, hatte ich das Gefühl, dass etwas nicht stimmte …

Die Hitze und die Beschwerden waren sofort vergessen, als mir klar wurde, was es war.

«Wie gesagt, es sind nur Zähne. So, sind Sie dann fertig?», fragte Jerry, als ich sie fotografierte. Dieses Mal war der Wink noch deutlicher.

«Haben Sie schon Fotos davon gemacht?»

Er warf mir einen Blick zu, als würde er mich für einen Idioten halten. «Doc, wir haben Fotos ohne Ende.»

Ich richtete mich auf. «Ich würde trotzdem noch ein paar von den Zähnen machen. Sie werden sie brauchen.»

Er starrte mich an, doch ich ließ ihn stehen und machte mich auf den Weg durch den Wald. Der Schweiß rann mir den Rücken hinab, als ich das klaustrophobische Kieferndickicht verließ und dankbar meine Maske abnahm. Ich öffnete meinen Overall, duckte mich unter dem Absperrband hindurch und schaute mich nach Tom um. Er stand etwas abseits im Schatten der Eibenhecke und sprach mit Gardner und Jacobsen. Er schien sich erholt zu haben, doch meine Erleichterung verflog sofort, als ich sah, dass Hicks bei ihnen war. Einen Moment später hörte ich seine laute Stimme.

«… keine rechtliche Befugnis bei dieser Ermittlung! Das wissen Sie genauso gut wie ich!»

«Machen Sie sich nicht lächerlich, Donald. Das ist doch reine Haarspalterei», sagte Tom.

«Haarspalterei?» Die Sonne schimmerte auf dem kahlen Kopf des Pathologen, als er sein Kinn vorreckte. «Ist es auch Haarspalterei, wenn der Richter einen Mordprozess platzen lässt, weil ein Experte im Zeugenstand einen *Assistenten* unbeaufsichtigt über einen Tatort trampeln ließ? Einen, der wahrscheinlich nicht mal mehr im *Land* ist, wenn dieser Fall vor Gericht kommt?»

Man musste nicht lange rätseln, über wen sie sprachen. Als ich zu ihnen ging, verfielen alle in Schweigen.

«Wie geht es dir?», fragte ich Tom. Eins nach dem anderen.

«Gut. Ich brauchte nur etwas Wasser.»

Aus der Nähe konnte ich sehen, dass er zwar noch blass war, aber wesentlich besser aussah als zuvor. Sein Blick sagte mir deutlich, dass ich seinen Anfall vor den anderen nicht erwähnen sollte.

Ich wandte mich an Gardner. «Gibt es ein Problem?»

«Und ob es ein Problem gibt!», mischte sich Hicks ein. Trotz seiner Entrüstung schien ihm die Situation zu gefallen.

«Vielleicht besprechen wir das ein anderes Mal», schlug Gardner leicht genervt vor.

Doch der Pathologe ließ sich nicht aufhalten. «Nein, das muss jetzt geklärt werden! Dies ist eine der größten Serienmörderermittlungen, die die Staaten seit Jahren gesehen haben. Wir können es nicht riskieren, dass sie durch Amateure vermasselt wird!»

Amateure? Ich presste die Lippen zusammen, damit mir nichts Unbeherrschtes herausrutschte. Jedes Wort von mir hätte die Situation nur verschlimmert.

«David ist genauso kompetent wie ich», sagte Tom, aber ihm fehlte die Kraft, um sich durchzusetzen. Hicks fuchtelte mit einem Finger vor ihm herum.

«Das tut nichts zur Sache! Er hätte nicht allein über einen Tatort laufen dürfen! Was sollte das, Gardner? Wollen Sie jetzt Eintrittskarten verteilen, damit jeder hier hereinspazieren kann?»

Gardners Miene war ohne Regung, doch Hicks' Bemerkung hatte ihn getroffen. «Da ist was dran, Tom.»

«Mein Gott, Dan. David hat uns einen *Gefallen* getan!»

Aber ich hatte genug gehört. Es war offensichtlich, wohin diese Diskussion führen würde. «Schon in Ordnung. Ich möchte keine Schwierigkeiten machen.»

Tom sah niedergeschlagen aus, aber Hicks konnte seine Schadenfreude kaum unterdrücken.

«Nichts für ungut, Dr. … Hunter, richtig? Ich bin mir sicher, dass Sie zu Hause sehr angesehen sind, aber wir sind hier in Tennessee. Diese Sache geht Sie nichts an.»

Ich verkniff mir lieber eine Bemerkung. Jacobsen starrte Hicks mit einer unergründlichen Miene an. Gardner sah aus, als wünschte er, das Ganze wäre endlich vorbei.

«Tut mir leid, David …», sagte Tom hilflos.

«Schon gut.» Ich reichte ihm die Kamera. Ich wollte nur noch weg. Irgendwohin. «Kommst du klar?»

Mehr wollte ich nicht sagen, nicht vor den anderen, aber Tom wusste, was ich meinte. Er nickte kurz und verlegen. Als ich weggehen wollte, fiel mir ein, was ich ihm noch sagen musste.

«Schau dir die Zähne genau an, die im Wald gefunden wurden. Sie gehören nicht zu den Überresten.»

«Wie kommen Sie darauf?», wollte Hicks wissen.

«Sie stammen von einem Schwein.»

Das ließ ihn verstummen. Ich sah das interessierte Funkeln in Toms Augen. «Backenzähne?»

Ich nickte. Er hatte verstanden. Aber er war der Einzige. Hicks starrte mich an, als würde er mich eines faulen Tricks bezichtigen.

«Sie wollen mir sagen, dass man Schweinezähne gefunden hat? Was zum Teufel haben die dort zu suchen?»

«Mich dürfen Sie nicht fragen. Ich bin nur ein Amateur», sagte ich.

Es war eine billige Retourkutsche, aber ich konnte nicht anders. Als ich davonging, sah ich ein Lächeln über Toms Gesicht huschen. Sogar Jacobsens Mundwinkel schienen nach oben gezuckt zu sein.

Allerdings fühlte ich mich dadurch kein bisschen besser. Ich ging um die Kapelle herum und zog dabei den Reißverschluss des Overalls so heftig auf, dass er einriss. Dann schälte ich mich heraus und stopfte ihn in einen Plastikeimer, der bereits halb voll war mit ausgedienter Schutzkleidung. Als ich die Latexhandschuhe abstreifte, tropfte Schweiß heraus und bildete auf dem Boden dunkle Flecken, die wie ein modernes Gemälde aussahen. Meine Hände waren blass und verschrumpelt, und für einen Augenblick spürte ich eine Art Déjà-vu-Gefühl.

Wieso? Woran erinnert mich der Anblick?

Aber ich war zu wütend, um darüber nachzugrübeln. Und dann fiel mir etwas Profaneres ein. Ich war in Toms Wagen nach Steeple Hill gekommen. Nach meinem großartigen Abgang saß ich nun hier draußen fest.

Wunderbar. Ich schleuderte die Handschuhe in den Eimer und holte mein Handy hervor, doch da wurde mir klar, dass ich die Nummern der hiesigen Taxiunternehmen nicht kannte. Und selbst wenn ich eine Nummer gehabt hätte, man würde den Wagen gar nicht auf das Friedhofsgelände lassen.

Ich fluchte vor mich hin. Ich hätte natürlich warten können, bis Tom fertig war, aber das ließ mein Stolz nicht zu. *Schön. Dann gehe ich eben zu Fuß.* Das war zwar furchtbar stur, aber ich hatte zu schlechte Laune, um mich darum zu scheren, und marschierte auf das Tor zu.

«Dr. Hunter!»

Als ich mich umdrehte, sah ich Jacobsen auf mich zu-kommen. Die Sonne schien ihr direkt ins Gesicht, sodass sie leicht die Augen zusammenkniff. Dadurch entstanden winzige Krähenfüße an den Augenwinkeln, was ihr einen seltsamen, beinahe amüsierten Blick verlieh, der ihre Züge weicher machte.

«Dr. Lieberman sagte, dass Sie nicht mit Ihrem Wagen hier sind. Wie kommen Sie zurück in die Stadt?»

«Ich komme schon zurecht.»

«Ich fahre Sie.»

«Nein danke.» Ich war nicht in der Stimmung, einen Ge-fallen anzunehmen.

Mit undurchschaubarer Miene strich sie sich eine Haar-strähne aus dem Gesicht und klemmte sie sich ordentlich hinters Ohr. «Ich würde Ihnen nicht empfehlen, zu Fuß zu gehen. Draußen wimmelt es nur so von Presse.»

Daran hatte ich nicht gedacht. Während meine Wut ab-flaute, kam ich mir nur noch dumm vor.

«Ich hole meinen Wagen», sagte Jacobsen.

KAPITEL 12

Die Stille im Wagen war nicht völlig entspannt, aber auch nicht unangenehm. Ich war nicht gesprächig, und Jacobsen schien es egal zu sein. Obwohl meine Wut sich etwas abgekühlt hatte, spürte ich noch einen leisen Groll, der nicht abklingen wollte.

Ich zog an meinem Hemd. Durch den Aufenthalt in dem Kiefernwald war mir noch immer heiß und unwohl. Außerdem hatte der Wagen direkt in der Sonne gestanden, und die Gluthitze im Inneren musste erst allmählich von der Klimaanlage niedergerungen werden. Ich starrte trübsinnig aus dem Fenster und sah die endlose Kette aus Supermärkten und Fastfoodrestaurants vorbeiziehen, eine Wand aus Glas, Stein und Beton vor dem dunkelgrünen Hintergrund der Berge. Mehr denn je wurde mir bewusst, wie fremd mir das meiste war. Ich gehörte nicht hierher. *Und erwünscht bist du auch nicht.*

Vielleicht sollte ich mich doch um einen früheren Rückflug kümmern.

«Sie hören es wahrscheinlich nur ungern, aber Dr. Hicks hat nicht ganz unrecht», sagte Jacobsen und riss mich aus meinen Gedanken. «Dr. Lieberman ist ein autorisierter Berater des TBI. Sie nicht.»

«Ich kenne mich mit der Arbeit an Tatorten aus», entgegnete ich gereizt.

«Dessen bin ich mir sicher, aber es geht hier nicht um Ihre

Fähigkeiten. Wenn dieser Fall vor Gericht kommt, können wir es uns nicht erlauben, dass ein Verteidiger uns vorwirft, wir hätten die Richtlinien nicht eingehalten.» Sie drehte sich zu mir um und sah mich mit ihren grauen Augen offen an. «Das müsste Ihnen klar sein.»

Ich spürte, wie meine selbstgerechte Wut verebbte. Sie hatte recht. Und es stand mehr auf dem Spiel als mein Stolz.

«Dr. Lieberman ist krank, nicht wahr?»

Die Frage überrumpelte mich. «Wie kommen Sie darauf?»

Jacobsen konzentrierte sich wieder auf die Straße. «Mein Vater hatte Herzprobleme. Er sah genauso aus.»

«Wie geht es ihm?», fragte ich.

«Er ist gestorben.»

«Das tut mir leid.»

«Es ist Jahre her», sagte sie und beendete damit das Thema.

Obwohl sie wieder eine reglose Miene aufgesetzt hatte, hatte ich das Gefühl, dass sie selbst diese knappe persönliche Bemerkung bereute. Wieder fiel mir auf, wie attraktiv sie war. Es war mir natürlich die ganze Zeit bewusst gewesen, aber nur auf eine theoretische Weise, so wie man die Form und Beschaffenheit einer Marmorstatue bewunderte.

Doch jetzt, in der Enge des Wagens, nahm ich sie anders wahr. Sie hatte ihr Sakko ausgezogen, und die kurzärmelige Bluse brachte ihre gebräunten, muskulösen Arme zur Geltung. Zu dem eleganten Kostüm wirkte die Waffe an ihrem Gürtel wie ein Fremdkörper. Am meisten aber nahm mich das Rascheln ihres Rocks gefangen, wenn sie auf die Pedale trat, und der frische, reine Duft ihrer Haut, der zu schwach war, um von einem Parfüm zu stammen.

Die Beachtung, die ich ihr plötzlich schenkte, irritierte mich. Ich wandte meinen Blick von den vollen Lippen und zwang mich, nach vorn auf die Straße zu starren. Jacobsen würde mir wahrscheinlich den Arm brechen, wenn sie wüsste, was ich dachte. *Oder dich erschießen.*

«Gibt es schon Neuigkeiten über Irving?», fragte ich, um auf andere Gedanken zu kommen.

«Wir suchen ihn noch.» *Mit anderen Worten, nein.* «Dr. Lieberman sagt, dass die Leichenteile im Wald wahrscheinlich von Willis Dexter stammen», sagte sie wieder ganz sachlich.

«Es sieht so aus.» Ich beschrieb die Frakturen des Schädels und wie sie mit den Verletzungen übereinstimmten, die sich Dexter bei seinem Unfall zugezogen haben musste. «Auf jeden Fall passt alles zusammen. Der Täter hat die Leichen vertauscht und dann die von Dexter im Wald abgelegt, wo man sie wahrscheinlich nie gefunden hätte, wenn das Gelände nicht durchsucht worden wäre.»

«Aber der Täter muss gewusst haben, dass eine Durchsuchung stattfinden wird, sobald wir die falsche Leiche im Grab entdeckt haben. Also wollte er offenbar, dass wir auch sie finden.»

Erst Loomis, dann die unidentifizierte Leiche im Sarg, nun Dexter. Eine Spur aus Leichen, von der jede zur nächsten führte. «Es muss jemand sein, der in Steeple Hill ein und aus gehen konnte», sagte ich. «Sind Sie schon mit der Suche nach diesem Dwight Chambers weitergekommen, von dem York behauptet, dass er dort angestellt war?»

«Wir arbeiten noch daran.» Jacobsen bremste ab und blieb vor einer roten Ampel stehen. «Sind Sie sicher, dass die Zähne, die Sie gesehen haben, von einem Schwein stammen?»

«Absolut sicher.»

«Und Sie glauben, dass die absichtlich dort platziert wurden?»

«Warum sollten sie sonst dort sein? Sie lagen oberhalb

des Brustkorbs, genau an der Stelle, wo der Schädel gewesen sein muss, bevor sich Aasfresser über die Leiche hergemacht haben. Keiner der Zähne war jedoch in irgendeiner Form beschädigt. Wenn Zahnfleisch an ihnen gewesen wäre, wäre es von Nagern abgeknabbert worden, und diese Spuren würde man sehen. So aber muss man davon ausgehen, dass die Zähne bereits gesäubert waren, als sie dort hingelegt wurden.»

Zwischen Jacobsens Augen hatte sich eine kleine Furche gebildet. «Aber wozu das Ganze?»

«Fragen Sie nicht mich. Vielleicht wollte der Täter einfach wieder prahlen.»

«Ich kann nicht ganz folgen. Ist es Prahlerei, Schweinezähne in den Wald zu legen?»

«Die vorderen Backenzähne von Schweinen unterscheiden sich kaum von menschlichen Backenzähnen. Wenn man nicht weiß, was man sucht, kann man sie leicht verwechseln.»

Die Furche auf Jacobsens Stirn verschwand. «Der Mörder lässt uns also wissen, dass er sich mit solchen Details auskennt. Ähnlich wie bei den Fingerabdrücken an den Tatorten. Er stellt uns nicht nur auf die Probe, er zeigt uns damit, wie klug er ist.»

Sie zuckte zusammen, als hinter uns eine Hupe ertönte, um darauf aufmerksam zu machen, dass die Ampel auf Grün gesprungen war. Nervös fuhr sie weiter. Ich schaute aus dem Fenster, damit sie mein Lächeln nicht sehen konnte.

«Es hört sich so an, als hätte er ziemlich spezielles Wissen. Wer kennt sich mit solchen Dingen aus?», fragte sie und klang wieder so beherrscht wie üblich.

«Das ist kein Geheimnis. Jeder mit …»

Ich verstummte.

«Mit einem forensischen Hintergrund?», beendete Jacobsen den Satz für mich.

«Genau», gab ich zu.

«Wie zum Beispiel forensische Anthropologie?»

«Oder forensische Archäologie oder Pathologie. Oder eine andere der zahlreichen forensischen Wissenschaften. Jeder, der sich die Mühe macht, ein Lehrbuch anzuschauen, kann solche Informationen finden. Das heißt noch lange nicht, dass man jetzt Leute verdächtigen muss, die in diesem Bereich arbeiten.»

«Ich habe niemanden verdächtigt.»

Die Stille, die daraufhin entstand, war alles andere als angenehm. Ich überlegte, wie ich sie durchbrechen konnte, aber Jacobsen strahlte eine Aura aus, in der Smalltalk undenkbar war. Erschöpft und müde starrte ich aus dem Fenster. Der Verkehr strömte vorbei, eine in der Nachmittagssonne glitzernde Blechlawine.

«Sie halten nicht viel von Psychologie, oder?», fragte sie plötzlich.

Ich wünschte, ich hätte nichts gesagt, aber jetzt konnte ich mich nicht drücken. «Ich finde, dass man sich manchmal zu sehr darauf verlässt. Sie ist ein nützliches Hilfsmittel, aber nicht unfehlbar. Das hat man an Irvings Profil gesehen.»

Sie hob ihr Kinn. «Professor Irving hat sich davon ablenken lassen, dass beide Opfer männlich und nackt waren.»

«Sie halten das nicht für wichtig?»

«Nicht die Tatsache, dass sie männlich waren, nein. Und ich glaube, Sie und Dr. Lieberman haben schon erkannt, warum sie nackt waren.»

Das verwirrte mich, aber nur für einen Augenblick. «Eine nackte Leiche verwest schneller als eine bekleidete», sagte ich, verärgert darüber, dass ich nicht schon eher darauf gekommen war.

Sie nickte. Ihr schien genauso wie mir daran gelegen zu

207

sein, die kurze Phase der Verlegenheit zu umschiffen. «Und sowohl Terry Loomis' Leiche als auch die exhumierten Über- reste waren stärker verwest, als sie hätten sein sollen. Die Vermutung liegt also nahe, dass beide aus ähnlichen Grün- den unbekleidet waren.»

Eine weitere Gelegenheit für den Mörder, Verwirrung zu stiften und seine Gerissenheit zu demonstrieren. «Die exhumierte Leiche musste sowieso ausgezogen werden, um die Nadeln zu deponieren», sagte ich. «Und danach wäre es zu riskant gewesen, sie mehr als nötig anzufassen. Auf jeden Fall hätte man sie kaum wieder anziehen können, ohne sich zu verletzen. Aber das ändert nichts an der Tatsache, dass alle Opfer männlich waren.»

«Sie meinen die, von denen wir wissen.»

«Glauben Sie, dass es weitere Opfer gibt, die noch nicht gefunden worden sind?»

Zuerst dachte ich, ich wäre zu weit gegangen. Jacobsen antwortete nicht, und ich erinnerte mich daran, dass sie auch nicht antworten musste. Ich hatte mit der Ermittlung nichts mehr zu tun. *Gewöhn dich daran. Jetzt bist du nur noch Tou- rist.*

Doch als ich die Frage gerade zurückziehen wollte, schien sie zu einer Entscheidung gelangt zu sein. «Das ist jetzt reine Spekulation, aber ich muss Professor Irving in einer Sache recht geben: Wir haben nur die Opfer gefunden, die wir finden sollten. Das Ausmaß an Brutalität und das unglaub- liche Selbstvertrauen, das der Mörder in seinen Taten zeigt, deuten darauf hin, dass es höchstwahrscheinlich weitere gibt. Niemand legt eine solche … *Raffinesse,* sage ich jetzt mal, an den Tag, wenn er noch am Anfang steht.»

Das war mir noch nicht in den Sinn gekommen. Es war ein verstörender Gedanke.

Als nach einer Kurve die Sonne direkt von vorn kam, klappte Jacobsen die Sonnenblende herunter. «Welchen Plan der Mörder auch immer verfolgt, ich glaube nicht, dass die physischen Merkmale seiner Opfer dabei eine Rolle spielen», fuhr sie fort. «Wir haben einen sechsunddreißig Jahre alten weißen Versicherungsangestellten, einen Schwarzen Mitte fünfzig und – aller Wahrscheinlichkeit nach – einen vierundvierzigjährigen Psychologen, zwischen denen es keine offensichtliche Verbindung gibt. Das lässt darauf schließen, dass wir es mit einem Opportunisten zu tun haben, der sich seine Opfer wahllos aussucht. Männlich oder weiblich, ich bezweifle, dass das einen Unterschied für ihn machen würde.»

«Was ist mit Irving? Er war kein wahlloses Opfer, er wurde bewusst ausgesucht.»

«Professor Irving war eine Ausnahme. Ich glaube nicht, dass er in den Plänen des Mörders eine Rolle gespielt hat, bis er im Fernsehen aufgetreten ist. Aber dann hat der Mörder fast augenblicklich gehandelt. Und das verrät uns etwas sehr Wichtiges.»

«Sie meinen, abgesehen davon, dass er ein gefährlicher Irrer ist?»

Kurz huschte ein Lächeln über ihr Gesicht, was ihre Züge weicher machte. «Abgesehen davon. Alles, was wir bisher wissen, deutet darauf hin, dass der Mörder seine Taten bewusst und sorgfältig plant. Die Nadeln wurden *sechs Monate* bevor er die Fingerabdrücke von Dexter in der Hütte zurückgelassen hat, in der Leiche deponiert. Das zeugt von einem methodischen, strukturierten Kopf. Was aber mit Professor Irving geschehen ist, zeigt, dass er auch eine andere Seite hat. Eine impulsive und labile. Wenn man sein Ego verletzt, kann er sich nicht mehr beherrschen.»

Mir fiel auf, dass sie mittlerweile keinen Hehl mehr daraus

machte, dass Irving ein weiteres Opfer sein könnte. «Ist das gut oder schlecht?»

«Beides. Es bedeutet, dass er unberechenbar ist, was ihn noch gefährlicher macht. Aber wenn er impulsiv handelt, wird er früher oder später einen Fehler machen.» Jacobsen musste die Augen zusammenkneifen, weil die Sonne von den Autos vor uns reflektiert wurde. «Würden Sie mir bitte meine Sonnenbrille geben? Sie ist in meiner Jacke.»

Ich drehte mich um und nahm das ordentlich auf dem Rücksitz zusammengelegte Sakko. Der weiche Stoff verströmte einen zarten Duft, und als ich die Taschen absuchte, spürte ich eine merkwürdige Vertrautheit. Nachdem ich die Fliegersonnenbrille gefunden hatte, reichte ich sie ihr, wobei sich unsere Finger kurz berührten. Ihre Haut war kühl und trocken, strahlte aber eine unterschwellige Hitze aus.

«Danke», sagte sie und setzte sich die Sonnenbrille auf.

«Sie haben vorhin seinen Plan angesprochen», nahm ich schnell den Faden wieder auf. «Ich glaube, Sie hatten bereits gesagt, dass er sich nach Anerkennung sehnt, dass er ein … wie hatten Sie ihn genannt? Einen ‹bösartigen Narzissten›? Ist das die Erklärung?»

Jacobsen neigte ihren Kopf etwas. Jetzt, wo ihre Augen hinter der Sonnenbrille versteckt waren, sah sie noch undurchschaubarer aus. «Es erklärt die ungeheuren Anstrengungen, die er auf sich nimmt, aber nicht, warum er eigentlich tötet. Er muss irgendetwas davon haben, das Morden befriedigt irgendeinen krankhaften Reiz in ihm. Wenn es kein sexueller ist, was dann?»

«Vielleicht genießt er es, anderen Schmerzen zuzufügen», schlug ich vor.

Sie schüttelte den Kopf. Über der Sonnenbrille war wieder das kleine «v» zu sehen. «Nein. Vielleicht genießt er das

Machtgefühl, das es ihm gibt, aber da steckt mehr dahinter. Irgendetwas treibt ihn zu seinen Taten an. Wir wissen nur noch nicht, was es ist.»

Ein Schatten fiel plötzlich auf das Auto, als ein schwarzer Pick-up auftauchte. Eine Weile fuhr das spritfressende Ungetüm mit getönten Scheiben neben uns her, dann gab der Fahrer Gas. Der Wagen war kaum an uns vorbei, als er direkt vor uns auf unsere Spur scherte. Ich trat automatisch mit einem Fuß auf den Boden und machte mich auf einen Zusammenstoß gefasst. Jacobsen aber berührte kaum die Bremse und wich so geschmeidig auf die andere Straßenseite aus, als wäre dieses Manöver einstudiert.

Es war eine coole Demonstration ihrer Fahrkünste, die umso beeindruckender war, weil es ihr gar nicht bewusst zu sein schien. Als der Pick-up davonjagte, warf sie ihm einen verärgerten Blick hinterher, schenkte ihm aber sonst keine weitere Beachtung.

Doch der Vorfall ruinierte die Stimmung. Sie wurde danach wieder distanziert, entweder weil sie mit dem beschäftigt war, worüber wir gesprochen hatten, oder weil sie bereute, so viel gesagt zu haben. Wir waren bereits ins Zentrum von Knoxville gelangt, und meine Stimmung sank, je näher wir dem Ziel kamen. Als mich Jacobsen vor meinem Hotel hinausließ, war ihre Zurückhaltung so undurchdringlich wie eine Mauer. Die Sonnenbrille verbarg ihre Augen, als sie mit dem knappsten Nicken davonfuhr und mich auf dem Gehweg stehenließ. Vom Kriechen durch den Kiefernwald taten mir alle Gelenke weh.

Ich hatte überhaupt keine Ahnung, was ich als Nächstes tun sollte. Ich wusste nicht, ob mein Ausschluss von der Ermittlung die Leichenhalle mit einbezog, und ich wollte Tom nicht anrufen, um zu fragen. Und solange nicht klar war, wie die Dinge standen, hatte ich auch keine Lust, ins Institut zu gehen.

Als ich dort im strahlenden Sonnenschein des Frühlings stand, inmitten der Leute, die geschäftig an mir vorbeiliefen, wurde mir erst richtig bewusst, was geschehen war. Die Fahrt mit Jacobsen hatte mich davon abgelenkt, doch nun musste ich der bitteren Realität ins Auge sehen.

Zum ersten Mal in meiner Karriere war ich von einer Ermittlung ausgeschlossen worden.

Ich duschte und zog mich um, kaufte mir dann ein Sandwich und aß es am Flussufer, wobei ich die Kanus betrachtete, mit denen Touristen vorbeipaddelten. Wasser löst eine irgendwie ursprüngliche Ruhe aus. Es scheint uns tief im Unterbewusstsein zu berühren und uns an die Zeit im Mutterleib zu erinnern. Ich atmete die leicht schwüle Luft ein, beobachtete eine Schar Gänse, die flussaufwärts zog, und versuchte mir einzureden, dass ich mich nicht langweilte. Im Grunde wusste ich, dass ich die Sache auf dem Friedhof nicht persönlich nehmen durfte. Ich war in Hicks' Kreuzfeuer geraten und zum Kollateralschaden eines Kompetenzgerangels geworden, das mich nichts anging. Ich sagte mir, dass ich es nicht als Gesichtsverlust betrachten sollte.

Aber bessere Laune bekam ich dadurch nicht.

Nachdem ich aufgegessen hatte, spazierte ich ziellos durch die Straßen und wartete darauf, dass mein Telefon klingelte. Mein letzter Aufenthalt in Knoxville lag lange zurück, und seitdem hatte sich die Stadt sehr verändert. Die Straßenbahnen gab es aber noch, und die Sunsphere, die Sonnenkugel auf dem Stahlturm, war eine unübersehbare Attraktion geblieben.

Doch ich war nicht in der Stimmung für einen Stadtbummel. Mein Handy blieb standhaft stumm und war nur ein überflüssiges Gewicht in meiner Tasche. Ich spielte mit dem Gedanken, Tom anzurufen, wusste aber, dass das sinnlos wäre. Sobald er konnte, würde er sich bei mir melden.

Es war später Nachmittag, als ich endlich von ihm hörte. Mit müder Stimme entschuldigte er sich für das, was am Morgen geschehen war.

«Hicks wollte sich nur groß aufspielen. Ich werde morgen noch einmal mit Dan reden. Sobald sich die Aufregung gelegt hat, wird er die Sache bestimmt vernünftiger sehen. Aber es spricht nichts dagegen, dass du wenigstens weiter mit mir in der Leichenhalle arbeitest.»

«Was wirst du in der Zwischenzeit machen?», fragte ich. «Allein kommst du nicht zurecht. Warum lässt du dir nicht von Paul helfen?»

«Paul ist heute nicht in der Stadt. Aber Summer wird bestimmt wieder einspringen.»

«Du darfst dich nicht überanstrengen. Warst du schon beim Arzt?»

«Mach dir keine Sorgen», sagte er in einem Ton, der mir klarmachte, dass jedes weitere Wort umsonst war. «Mir tut das alles wirklich leid, David, aber ich werde die Sache klären. Warte erst einmal ab.»

Mehr konnte ich wohl kaum tun. Ich beschloss, nicht zu verzagen und den Rest des Abends zu genießen. *Ein bisschen Freizeit wird dich nicht umbringen.* Die Bars und Cafés begannen sich langsam zu füllen, vor allem mit Büroangestellten, die sich auf dem Heimweg ein Feierabendbier genehmigten. Das Lachen und die Gespräche klangen einladend, sodass ich spontan in ein Lokal ging, das eine Holzterrasse am Flussufer hatte. Ich fand einen Tisch am Geländer und bestellte ein Bier. Und während ich die untergehende Sonne genoss, betrachtete ich den träge dahinfließenden Tennessee River, auf dessen spiegelglatter Oberfläche unsichtbare Strömungen kleine Wellen und Strudel bildeten.

Ich spürte, wie ich mich nach und nach entspannte. Als ich mein Bier ausgetrunken hatte und mir kein dringender Grund zum Gehen einfiel, bat ich um die Speisekarte. Ich bestellte Linguine mit Meeresfrüchten und ein Glas kalifornischen Zinfandel. Nur eines, schwor ich mir, denn ich wollte am nächsten Morgen früh aufstehen, egal, ob ich Tom helfen würde oder nicht. Doch als ich die reichhaltige, mit Knoblauch gewürzte Pasta aufgegessen hatte, schien mir das kein zwingendes Argument mehr zu sein.

Ich bestellte noch ein Glas Wein. Hinter den Bäumen ging die Sonne unter, aber es war trotz des Nebels, der sich auszubreiten begann, noch recht warm. Die Lampen auf der Terrasse zogen die ersten Motten des Abends an, die wie schwarze Silhouetten um die weißen Birnen herumschwirrten und gegen das Glas prallten. Ich versuchte mich zu erinnern, ob ich bei meinem ersten, Jahre zurückliegenden Aufenthalt in Knoxville an diesem Abschnitt des Flusses gewesen war. Ich nahm an, dass ich irgendwann einmal hier gewesen sein musste, aber ich hatte keine Erinnerung daran. Ich hatte damals eine enge Erdgeschosswohnung gemietet, allerdings in einem anderen – und billigeren – Teil der Stadt am Rand des zunehmend kostspieliger werdenden alten Zentrums. Wenn ich ausgegangen war, dann wohl eher in die Bars der nahen Umgebung und nicht in die teureren am Flussufer.

Bei dem Gedanken daran wurden andere Erinnerungen wach. Wie aus dem Nichts sah ich plötzlich das Gesicht einer jungen Frau vor mir, mit der ich eine Weile zusammen gewesen war. Beth, eine Krankenschwester aus der Klinik. Seit Jahren hatte ich nicht an sie gedacht. Ich musste lächeln und fragte mich, wo sie heute lebte und was sie tat. Ob sie manchmal an den britischen Forensikstudenten dachte, den sie einmal gekannt hatte.

Kurz darauf war ich nach England zurückgekehrt. Und nur wenige Wochen später hatte ich meine Frau kennengelernt, Kara. Der Gedanke an sie und unsere Tochter erzeugte wie immer ein flaues Gefühl in mir, aber mittlerweile war ich schon so daran gewöhnt, dass ich nicht mehr darin versank.

Ich nahm mein Handy vom Tisch und öffnete im Menü das Telefonbuch. Jennys Name und Nummer schienen mich schon anzuspringen, noch ehe ich sie auf dem beleuchteten Display markiert hatte. Ich ging die Liste der Optionen durch, bis ich zu *Löschen* kam, und hielt meinen Daumen über die Taste. Doch anstatt sie zu drücken, klappte ich das Handy zu und steckte es weg.

Ich trank den Rest meines Weins aus und lenkte meine Gedanken in eine andere Richtung. Ein Bild der im Auto sitzenden Jacobsen ersetzte sie. Ich sah ihre nackten Arme vor mir, muskulös und gebräunt in der kurzärmeligen weißen Bluse. Mir fiel ein, dass ich nichts von ihr wusste. Nicht, wie alt sie war, woher sie kam oder wo sie wohnte.

Aber ich hatte bemerkt, dass sie keinen Ehering trug.

O Mann, hör auf damit. Trotzdem musste ich lächeln, als ich ein weiteres Glas Wein bestellte.

Draußen wird es dunkel. Deine liebste Tageszeit. Der Übergang zwischen zwei Extremen: Tag und Nacht. Himmel und Hölle. Die Erdumdrehung ist an den Scheitelpunkt gelangt, an einen Moment, der weder das eine noch das andere ist und doch alle Möglichkeiten von beiden verspricht.

Wenn nur alles so einfach wäre.

Du reinigst vorsichtig die Kameralinse und polierst sie

dann mit einem weichen Tuch, bis das feine Glas glänzt wie ein Spiegel. Du neigst das Objektiv, damit Licht auf die Linse fällt, um sie auf mögliche letzte Staubflecken zu untersuchen, die ihre perfekte Oberfläche beschmutzen könnten. Obwohl nichts zu sehen ist, polierst du sie zur Sicherheit noch einmal.

Die Kamera ist dein wertvollster Besitz. Die alte Leica ist in den Jahren, seitdem du sie gekauft hast, schwer in Anspruch genommen worden und hat dich trotzdem nie im Stich gelassen. Die schwarzweißen Bilder sind immer kristallklar und so gestochen scharf, dass man hineinfallen könnte.

Die Kamera ist nicht schuld daran, dass du nicht gefunden hast, wonach du suchst.

Du versuchst dir zu sagen, dass es heute genauso werden wird wie all die anderen Male, aber du weißt, dass es nicht stimmt. Bisher hast du immer im Schutz der Verborgenheit operiert und ungestraft handeln können, weil niemand wusste, dass du existierst. Das war jetzt nicht mehr so. Und obwohl es deine Entscheidung war, ins Rampenlicht zu treten, verändert es alles.

Ob zum Guten oder zum Schlechten, du hast dich festgelegt. Es gibt kein Zurück mehr.

Du hast dich natürlich darauf vorbereitet. Du hättest das alles nicht begonnen, wenn du keine Strategie für einen Abgang hättest. Wenn die Zeit kommt, wirst du dich wieder in die Dunkelheit zurückziehen können, genau wie zuvor. Doch zuerst musst du bis zum Ende durchhalten. Der Lohn dafür könnte groß sein, das Risiko aber ebenso.

Du darfst dir keinen Fehler erlauben.

Du willst glauben, dass das, was heute Nacht passiert, für den allumfassenden Plan von keiner großen Bedeutung ist und dass deine wahre Arbeit unabhängig davon weitergehen wird. Doch es klingt falsch. In Wahrheit steht jetzt mehr auf dem Spiel. Du gibst es zwar nur ungern zu, aber die Rückschläge haben ihren Tribut gefordert. Was jetzt kommt, brauchst du. Du brauchst die Bestätigung, dass du die ganzen Jahre nicht verschwendet hast.

Dein gesamtes Leben.

Du hörst auf, die Linse zu polieren, und schenkst dir ein Glas Milch ein. Irgendetwas muss die Säure in deinem Magen aufsaugen, und zum Essen ist er zu verkrampft. Die Milch ist jetzt seit zwei Tagen geöffnet, und angesichts der Flocken auf der Oberfläche ist sie wohl sauer geworden. Aber das ist einer der Vorteile, wenn man nichts riechen oder schmecken kann. Du trinkst sie in einem Zug aus und starrst aus dem Fenster auf die Bäume, die sich vor dem Himmel abzeichnen. Als du das leere Glas zurück auf den Küchentisch stellst, schimmert das weiß verschmierte Innere in der zunehmenden Dunkelheit gespenstisch.

Der Gedanke gefällt dir: ein Geisterglas.

Doch die Freude verblasst schnell. Jetzt kommt der Teil, den du am meisten hasst: das Warten. Aber lange wird es nicht mehr dauern. Du schaust hinüber zu der Uniform, die an der Tür hängt und in der Finsternis kaum zu erkennen ist. Eine genaue Prüfung würde sie nicht bestehen, doch die meisten Menschen schauen nicht genau hin. In den ersten paar Minuten sehen sie nur eine Uniform.

Und das reicht dir.

Du schenkst dir noch ein Glas Milch ein und starrst dann wieder aus dem Fenster, während das letzte Licht vom Himmel verschwindet.

KAPITEL 13

Mit einer Unbeweglichkeit, die den Toten vorbehalten ist, lag der Zahnarzt noch immer genauso ausgestreckt auf dem Rücken wie beim letzten Mal, als ich ihn gesehen hatte. Aber ansonsten hatte er sich auffällig verändert. Das Fleisch war in der Sonne vertrocknet, Haut und Haar waren von ihm gerutscht wie ein ungewollter Mantel. Nach ein paar weiteren Tagen würden vom Gewebe lediglich spröde Sehnen übrig geblieben sein, und über kurz oder lang würde an dieser Stelle nur noch das nackte Skelett liegen.

Ich war mit bohrenden Kopfschmerzen aufgewacht und hatte sofort das letzte Glas Wein des vergangenen Abends bereut. Die Erinnerung daran, was am Tag zuvor geschehen war, hatte meine Stimmung auch nicht gerade aufgeheitert. Beim Duschen hatte ich mich gefragt, was ich mit mir anfangen sollte, bis ich von Tom hörte. Aber eigentlich stand meine Entscheidung fest.

Ich hatte genug davon, Tourist zu sein.

Der Parkplatz war beinahe leer gewesen, als ich an der Body Farm angekommen war. Die Forschungseinrichtung lag noch im Schatten, und ich zitterte, als ich in der kühlen Luft des frühen Morgens einen Overall anzog. Ich holte mein Telefon hervor und überlegte, ob ich es anlassen sollte oder nicht. Normalerweise schaltete ich es aus, bevor ich durch das Tor ging, weil es mir respektlos erschien, die Stille auf dem Gelände mit Telefonklingeln zu stören, doch jetzt wollte ich Toms Anruf nicht verpassen. Eine Weile erwog ich, das Handy im Vibrationsmodus zu belassen, doch dann hätte ich nur den ganzen Morgen auf das charakteristische Summen gewartet. Außerdem wusste ich im Grunde, dass Tom Gardner sowieso erst später anrufen würde.

Kurz entschlossen schaltete ich das Telefon aus und steckte es weg.

Ich hängte mir die Tasche über die Schulter und ging zum Tor. Obwohl es noch früh am Morgen war, war ich nicht der Erste. Drinnen kamen mir plaudernd ein junger Mann und eine junge Frau in Schutzkleidung entgegen, beide offenbar Studenten. Sie grüßten mich freundlich und gingen dann ihrer Arbeit nach.

Nachdem sie weg waren, legte sich Stille über das Waldgelände. Wenn das Vogelgezwitscher nicht gewesen wäre, hätte ich das einzige Lebewesen dort sein können. Es war kühl, die Sonne stand noch nicht hoch genug, um durch die Bäume zu scheinen. Als ich den bewaldeten Hang hinauf zu der Stelle ging, wo die Leiche des Zahnarztes lag, benetzte Tau die Hosenbeine meines Overalls. Der Schutzkäfig aus engem Maschendraht, in dem die Leiche lag, war dafür bestimmt, dass ich den Verlauf der Verwesung ohne den Einfluss von Insekten oder Aasfressern beobachten konnte. Es war zwar keine neuartige Forschungsmethode, aber ich hatte sie zuvor noch nie selbst durchgeführt. Und Testreihen aus erster Hand waren immer besser, als sich auf die Arbeit anderer verlassen zu müssen.

Da ich zum letzten Mal vor ein paar Tagen hier gewesen war, hatte ich einiges nachzuholen. Nachdem ich durch eine kleine Tür in den Käfig getreten war, nahm ich Maßband, Schieblehre, Kamera und Notizblock aus meiner Tasche und hockte mich zum Arbeiten hin. Aber es fiel mir nicht leicht; mir dröhnte noch immer der Schädel, und der Gedanke an das Handy in meiner Tasche war eine ständige Ablenkung. Als ich merkte, wie ich eine Messung zweimal machte, schüttelte ich mich verärgert. *Komm schon, Hunter, konzentrier dich. Deswegen bist du hergekommen.*

Ich verdrängte alle anderen Gedanken und klemmte mich hinter die Arbeit. Kopfschmerz und Telefon waren zeitweilig vergessen, als ich meine gesamte Aufmerksamkeit auf den Mikrokosmos der Verwesung richtete. Nüchtern betrachtet, unterscheidet sich unsere physische Zersetzung in keiner Weise von anderen natürlichen Kreisläufen. Und wie jedes andere Naturereignis muss sie gründlich erforscht werden, ehe sie vollständig verstanden werden kann.

Nach und nach machten sich körperliche Beschwerden bemerkbar. Mein Nacken war steif, und als ich Pause machte, um ihn zu dehnen, merkte ich, wie erhitzt und verkrampft ich war. Die Sonne stand jetzt hoch genug, um durch die Bäume zu strahlen, sodass ich in dem Overall zu schwitzen begann. Als ich auf die Uhr schaute, stellte ich überrascht fest, dass es schon fast Mittag war.

Ich trat aus dem Käfig, schloss die Tür hinter mir und streckte mich. Als meine Schulter knackte, zuckte ich zusammen. Dann zog ich meine Handschuhe aus und wollte eine Flasche Wasser aus meiner Tasche nehmen, hielt aber inne, als ich meine Hände sah. Durch das Latex war die Haut blass und verschrumpelt. Das war ganz normal, aber aus irgendeinem Grund rief der Anblick etwas in meinem Unterbewusstsein wach.

Es war das gleiche Déjà-vu-Gefühl wie am Tag zuvor in Steeple Hill, und genauso wie dort war es schwer fassbar. Da ich wusste, dass ich es nicht erzwingen konnte, trank ich einen

Schluck Wasser. Während ich die Flasche wegsteckte, fragte ich mich, ob Tom schon mit Gardner gesprochen hatte. Für einen Moment war ich versucht, mein Handy einzuschalten, um zu schauen, ob ich Nachrichten erhalten hatte, doch dann blieb ich hart. *Lass dich nicht ablenken. Führ erst die Arbeit hier zu Ende.*

Leichter gesagt als getan. Ich wusste, dass Tom aller Wahrscheinlichkeit nach mittlerweile angerufen hatte, und dieser Gedanke nagte an meiner Konzentration. Doch da ich jetzt auf keinen Fall klein beigeben wollte, nahm ich die letzten Messungen mit einer fast perversen Gründlichkeit vor, überprüfte sie mehrfach und notierte sie sorgfältig, ehe ich meine Sachen zusammenpackte. Dann verschloss ich den Drahtkäfig und machte mich auf den Weg zum Tor. Nachdem ich meinen Wagen erreicht hatte, zog ich Overall und Handschuhe aus und verstaute alles im Kofferraum. Erst dann erlaubte ich mir, das Telefon einzustellen.

Es piepte sofort. Ich spürte, wie sich mein Magen vor Aufregung verkrampfte. Die Nachricht war kurz nach meiner Ankunft auf der Body Farm gesendet worden, und als mir klar wurde, dass ich Toms Anruf nur um wenige Minuten verpasst hatte, ärgerte ich mich maßlos.

Doch die Nachricht war nicht von ihm. Sie war von Paul, der mir mitteilte, dass Tom einen Herzanfall gehabt hatte.

Uns ist nicht bewusst, wie abhängig wir von Zusammenhängen sind. Wir definieren Menschen durch die Umgebung, in der wir sie normalerweise sehen, aber wenn sie dort herausgerissen werden, wenn sie sich an einem anderen Ort und in einer anderen Situation befinden, spielt unser Gehirn verrückt. Alles Vertraute wird plötzlich fremd und beunruhigend.

Ich hätte Tom nicht erkannt.

Auf seiner Nase saß eine Sauerstoffmaske, und in seinem Arm steckte ein Tropf, der mit Klebebändern fixiert war. Er war durch Kabel mit einem Monitor verbunden, auf dem flackernde elektronische Linien stumm seinen Herzschlag aufzeichneten. Aus dem weiten Krankenhaushemd ragten seine Unterarme hervor, blass und dürr wie die eines alten Mannes.

Aber mit der grauen Haut und den eingefallenen Wangen war es auch der Kopf eines alten Mannes, der auf dem Kissen lag.

Der Herzanfall hatte ihn am vergangenen Abend im Leichenschauhaus ereilt. Er hatte lange gearbeitet, weil er die Zeit aufholen wollte, die er draußen in Steeple Hill verloren hatte. Summer hatte ihm geholfen, doch als es auf zehn Uhr zugegangen war, hatte er ihr gesagt, sie solle Feierabend machen. Während sie im Umkleideraum gewesen war, hatte sie aus einem der Autopsiesäle ein Krachen gehört. Und als sie hineingelaufen war, hatte sie Tom nicht bei vollen Bewusstsein auf dem Boden gefunden.

«Es war ein Glück, dass sie noch da war», sagte Paul mir. «Wenn sie ihn nicht gefunden hätte, hätte er dort stundenlang liegen können.»

Er und Sam waren gerade aus der Notaufnahme gekommen, als ich eintraf, und mussten im hellen Sonnenlicht blinzeln. Sam sah ruhig und gefasst aus, ja beinahe erhaben. Die weit fortgeschrittene Schwangerschaft ließ sie gelassen aussehen, im Gleichgewicht mit sich selbst. Im Gegensatz dazu wirkte Paul ausgezehrt und von Sorgen gequält. Er hatte erst von dem Herzanfall erfahren, als Mary ihn am Morgen aus dem Krankenhaus angerufen hatte. Tom war in der Nacht in einer Notoperation ein Bypass gelegt worden. Immer noch bewusstlos, lag er auf der Intensivstation. Angesichts der Umstände war die Operation gut verlaufen, aber es bestand stets die Gefahr eines weiteren Anfalls. Die nächsten Tage würden kritisch werden.

«Wisst ihr sonst schon etwas?», fragte ich.

Paul zuckte mit den Achseln. «Nur dass es ein schwerer Anfall war. Wenn er nicht so nah bei der Klinik gewesen wäre, hätte er es vielleicht nicht geschafft.»

Sam drückte ihrem Mann den Arm. «Aber er hat es geschafft. Sie tun für ihn, was sie können. Und wenigstens waren die Ergebnisse der Computertomographie in Ordnung, das ist doch eine gute Nachricht.»

«Sie haben eine Computertomographie gemacht?», fragte ich überrascht. Das war bei Herzanfällen nicht üblich.

«Einen Moment haben die Ärzte gedacht, er könnte einen Schlaganfall gehabt haben», erklärte Paul. «Er war völlig durcheinander, als er eingeliefert wurde. Offenbar dachte er, Mary wäre etwas passiert und nicht ihm. Er war ziemlich aufgeregt.»

«Ich bitte dich, Schatz, er war kaum bei Bewusstsein», entgegnete Sam. «Und du weißt doch, wie Tom ist, wenn es um Mary geht. Er hatte wahrscheinlich nur Angst, dass sie sich Sorgen macht.»

Paul nickte, aber ich konnte sehen, dass er dennoch besorgt war. Mir erging es nicht anders. Die Verwirrung könnte dadurch verursacht worden sein, dass Toms Gehirn nicht genügend Sauerstoff erhalten hatte oder dass aus seinem ungleichmäßig schlagenden Herzen ein Blutgerinnsel in die Arterien gelangt war. Wenn er tatsächlich einen Schlaganfall gehabt hätte, wäre dies bei der Computertomographie erkannt worden, aber es war trotzdem ein weiterer Grund zur Sorge.

«Mein Gott, ich wünschte nur, ich wäre gestern nicht weg gewesen», sagte Paul zerknirscht.

Sam strich ihm über den Arm. «Das hätte auch nichts geändert. Du hättest nichts tun können. Solche Dinge passieren.»

Aber es hätte nicht sein müssen. Ich verfluchte mich, seit ich die Nachricht bekommen hatte. Wenn ich mir auf die Zunge gebissen hätte, anstatt Hicks zu provozieren, wäre der Pathologe vielleicht nicht so versessen darauf gewesen, mich von der Ermittlung zu verbannen. Dann hätte ich Tom einen Teil der Arbeit abnehmen und vielleicht sogar die Anzeichen eines drohenden Herzanfalls bemerken und etwas dagegen unternehmen können.

Aber es war anders gekommen. Und nun lag Tom auf der Intensivstation.

«Wie geht es Mary?», fragte ich.

«Sie hält sich tapfer», sagte Sam. «Sie ist die ganze Nacht hier gewesen. Ich habe ihr angeboten, bei ihr zu bleiben, aber ich glaube, sie ist lieber allein mit ihm. Und ihr Sohn fliegt vielleicht später her.»

«Vielleicht?»

«Wenn er sich von New York losreißen kann», sagte Paul sarkastisch.

«Paul …», ermahnte Sam ihn. Sie lächelte mich schwach an. «Wenn du hallo sagen willst, würde sich Mary bestimmt freuen.»

Tom war natürlich zu krank für Besucher, aber ich hatte sowieso kommen wollen. Als ich losging, hielt mich Paul zurück. «Kannst du später in der Leichenhalle vorbeikommen? Ich muss etwas mit dir besprechen.»

Ich sagte, dass ich kommen würde. Erst in dem Moment dämmerte mir, dass im Grunde nun er der Direktor des Forensischen Forschungsinstituts war. Die Beförderung schien ihm keine Freude zu bereiten.

Kaum betrat ich die Notaufnahme, löste der klinische Geruch nach Antiseptikum Herzrasen bei mir aus. Er rief Erinnerungen an meine Zeit im Krankenhaus wach, die ich aber schnell unterdrückte. Meine Schuhe quietschten auf dem Linoleumboden, als ich durch die Korridore zur Intensivstation ging. Tom lag in einem Einzelzimmer. In der Tür befand sich ein kleines Fenster, durch das ich Mary neben seinem Bett sitzen sehen konnte. Ich klopfte leise gegen die Scheibe. Zuerst schien sie es nicht zu hören, aber dann schaute sie auf und winkte mich herein.

Sie war um mindestens zehn Jahre gealtert, seit ich vor zwei Abenden bei ihnen zum Essen gewesen war, aber ihr Lächeln war so warmherzig wie immer.

«David, du hättest nicht kommen müssen.»

«Ich habe es gerade erst erfahren. Wie geht es ihm?»

Wir flüsterten, obwohl kaum die Gefahr bestand, Tom zu stören. Mary deutete mit einer vagen Handbewegung auf ihren Mann. «Die Bypassoperation ist gut verlaufen. Aber er ist sehr schwach. Und es besteht die Gefahr, dass er einen weiteren Anfall haben könnte …» Sie verstummte, ihre Augen waren feucht geworden. Sie gab ihr Bestes, um sich zu beherrschen. «Aber du kennst ja Tom. Zäh wie Leder.»

Ich lächelte mit einer Zuversicht, die ich nicht fühlte. «Ist er schon mal zu Bewusstsein gekommen?»

«Nicht richtig. Vor ein paar Stunden ist er zu sich gekommen, aber nicht lange. Er schien immer noch nicht zu wissen, wer von uns jetzt krank ist. Ich musste ihm versichern, dass es mir gutgeht.» Als sie lächelte, bebten ihre Lippen und verrieten ihre Angst. «Aber er hat dich erwähnt.»

«Mich?»

«Er hat deinen Namen gesagt, und du bist der einzige David, den wir kennen. Ich glaube, er wollte, dass ich dir etwas sage, aber ich konnte nur ein Wort verstehen. Es klang wie ‹spanisch›.» Sie sah mich erwartungsvoll an. «Sagt dir das etwas?»

Spanisch? Damit konnte ich nichts anfangen, es schien nur ein weiterer Beweis für Toms geistige Verwirrung zu sein. Ich versuchte, mir die Bestürzung nicht ansehen zu lassen. «Nicht dass ich wüsste.»

«Vielleicht habe ich mich verhört», sagte Mary enttäuscht. Sie schaute bereits zum Bett und wollte offensichtlich zurück zu ihrem Mann.

«Ich gehe lieber», sagte ich. «Wenn ich irgendetwas tun kann …»

«Ich weiß. Danke.» Sie hielt stirnrunzelnd inne. «Das hätte ich fast vergessen. Hast du Tom gestern Abend angerufen?»

«Nein, gestern Abend nicht. Ich habe nachmittags mit ihm gesprochen, so gegen vier Uhr. Warum?»

Sie machte eine unbestimmte Handbewegung. «Ach, es ist wahrscheinlich unwichtig. Aber Summer hat gesagt, sie hätte sein Handy klingeln gehört, bevor er den Anfall hatte. Ich habe mich nur gefragt, ob du es vielleicht warst, aber egal. Es kann nichts Wichtiges gewesen sein.» Sie umarmte mich schnell. «Ich sage ihm, dass du hier gewesen bist. Das wird ihn freuen.»

Ich ging zurück nach draußen. Nach der bedrückenden Stille auf der Intensivstation war es herrlich, wieder in der Sonne zu sein. Ich legte den Kopf in den Nacken und atmete die frische Luft ein, um den Geruch nach Krankheit und Antiseptikum aus der Nase zu kriegen. Ich schämte mich, es mir einzugestehen, aber ich konnte nicht leugnen, wie schön es war, wieder draußen zu sein.

Als ich zu meinem Wagen ging, musste ich an Marys Worte denken. Was hatte Tom gesagt? *Spanisch.* Ich grübelte darüber nach, denn ich wollte irgendeinen Sinn dahinter sehen, anstatt einen weiteren Beweis für seine Verwirrtheit zu finden. Aber sosehr ich mir auch den Kopf zerbrach, mir fiel nicht ein, was es bedeuten könnte und warum er mir das hatte sagen wollen.

Die Sache beschäftigte mich so sehr, dass ich mich erst beim Wegfahren daran erinnerte, was Mary mir noch gesagt hatte.

Dann fragte ich mich, wer Tom so spät am Abend angerufen haben könnte.

Die Pfanne steht schon zu lange auf dem Feuer. Du siehst den herausziehenden Rauch und hörst, wie es unter dem Deckel zu zischen beginnt. Aber erst als der Rauch über dem Herd zu einer dichten Wolke wird, raffst du dich endlich vom Tisch auf. Das Chili ist vertrocknet und angebrannt. Der Gestank muss fürchterlich sein, aber du kannst ja nichts riechen.

Wenn du doch nur gegen alles so immun wärst.

Du hebst die Pfanne hoch, lässt sie aber sofort wieder fallen, weil der Metallgriff dir die Hand verbrennt. «Scheißteil!» Du nimmst ein altes Handtuch und trägst sie vom Herd zur Spüle. Als du kaltes Wasser hineinlaufen lässt, steigt zischend Dampf auf. Du starrst auf die Schweinerei, aber es ist dir egal.

Nichts spielt mehr eine Rolle.

Du trägst noch die Uniform, aber jetzt hat sie Schweißflecken und ist zerknittert. Eine weitere Zeitverschwendung. Ein weiterer Misserfolg, sag es doch, wie es ist. Dabei bist du so kurz davor gewesen. Das macht es umso schlimmer. Du hast in der Dunkelheit gestanden und mit Herzklopfen

227

angerufen. Du hast Angst gehabt, dass deine Nervosität dich verraten könnte, aber natürlich hast du dich am Ende im Griff gehabt. Der Trick besteht darin, sie zu erschrecken und so aus dem Gleichgewicht zu bringen, dass sie nicht mehr klar denken können. Und es ist genau so gelaufen, wie du es geplant hast. Es ist fast lächerlich einfach gewesen.

Doch die Minuten sind verstrichen, ohne dass er aufgetaucht ist. Dann ist der Krankenwagen gekommen. Du konntest nur zuschauen, wie die Sanitäter ins Gebäude gelaufen und mit der reglosen Gestalt auf der Trage zurückgekehrt sind. Und schließlich ist dir nichts anderes übriggeblieben, als hilflos hinter dem Wagen herzustarren, mit dem sie ihn weggefahren haben.

Außerhalb deiner Reichweite.

Das ist nicht fair. Gerade als du an dem Punkt warst, zu triumphieren und deine Überlegenheit zu demonstrieren, wird dir die Gelegenheit dazu entrissen. Die ganze Planung, die ganze Mühe, und wofür?

Damit Lieberman dich betrügt.

«Scheiße!»

Du schleuderst die Pfanne durch die Küche. Sie kracht gegen die Wand, Wasser spritzt umher, die Fliegenfänger schaukeln. Du stehst mit geballten Fäusten da und überlegst schnaufend, woran du deine Wut noch auslassen kannst. Denn wenn sie abklingt, bleibt nur die Angst. Angst vorm Scheitern, Angst davor, was du als Nächstes tun sollst. Angst vor der Zukunft. Denn sei ehrlich, was hast du für die ganzen geopferten Jahre vorzuweisen? Ein paar wertlose Fotos. Bilder, die nur zeigen, wie nah dran du gewesen bist, die einen Fehlschlag nach dem anderen eingefangen haben.

Dir kommen die Tränen angesichts dieser Ungerechtigkeit. Die Sache letzte Nacht hätte der Verzweiflung ent-

gegenwirken sollen, die sich mit jeder aus dem Entwicklerbad aufgetauchten Enttäuschung vergrößert hat. Lieberman zu schnappen hätte wenigstens einen kleinen Ausgleich dafür geboten. Du hättest damit zeigen können, dass du trotzdem besser bist als die falschen Propheten, die behaupten, alles zu wissen. Du hättest es verdient, doch nun ist dir selbst diese Gelegenheit genommen worden. Und was bleibt dir nun? Nichts.

Nur die Angst.

Du schließt die Augen, als dich eine Erinnerung aus der Kindheit überfällt. Noch jetzt kannst du den Schock von damals spüren. Die Kälte durchdringt dich, als du die Schwelle der riesigen Halle überschreitest. Und der Gestank. Du kannst dich noch daran erinnern, obwohl dein Geruchssinn schon lange erloschen ist, ein Nachhall wie die Phantomschmerzen eines amputiertes Beins. Gelähmt durch das, was du siehst, bleibst du stehen. Reihen blasser, regloser Körper, in denen weder Blut noch Leben ist. Du kannst den Druck der Hand des alten Mannes spüren, der dich am Nacken packt, ohne auf deine Tränen zu achten.

«Du willst etwas Totes sehen? Dann schau genau hin! Ist nichts Besonderes dran, oder? Steht uns allen bevor, ob wir wollen oder nicht. Dir auch. Schau genau hin, denn darauf läuft alles hinaus. Am Ende sind wir alle nichts weiter als totes Fleisch.»

Die Erinnerung an diesen Besuch hat dir jahrelang Albträume verursacht. Jedes Mal, wenn du dir deine Hand angeguckt und die nur von einer dünnen Hautschicht bedeckten Knochen und Sehnen gesehen hast, bist du in Schweiß ausgebrochen. Wenn du dir die Menschen in deiner Umgebung angeschaut hast, hast du wieder diese Reihen von blassen Leichen gesehen. Manchmal, wenn du dein Spiegelbild im

Badezimmerspiegel gesehen hast, hast du dir vorgestellt, du wärst eine von ihnen.

Totes Fleisch.

Während deiner ganzen Kindheit hat dich diese Erkenntnis verfolgt. Dann, als du siebzehn warst, hast du in die Augen einer sterbenden Frau gestarrt und gesehen, wie das Leben – das Licht – in ihnen erloschen ist.

Und da hast du erkannt, dass du doch mehr bist als nur Fleisch.

Damals ist es eine Offenbarung gewesen, doch im Laufe der Jahre ist es dir immer schwerer gefallen, den Glauben zu bewahren. Du hast alles getan, um ihn dir zu bestätigen, doch jede Enttäuschung hat ihn nur weiter untergraben. Und nach all der Arbeit und Planung, nach all den Risiken, ist das Scheitern der letzten Nacht kaum noch zu verkraften.

Du reibst dir die Augen und gehst zum Küchentisch, auf dem die teilweise auseinandermontierte Leica liegt. Du hattest angefangen, sie zu reinigen, doch selbst diese Freude hat sich in Luft aufgelöst. Du lässt dich auf den Stuhl fallen und betrachtest die Einzelteile. Lustlos nimmst du das Objektiv und drehst es in der Hand.

Da kommt dir wie aus dem Nichts die Idee.

Während sie Formen annimmt, wächst die Aufregung in dir. Wie konntest du etwas so Offensichtliches übersehen? Es war da und hat dich die ganze Zeit angestarrt! Du hättest niemals vergessen dürfen, dass du ein höheres Ziel verfolgst. Du hast das wirklich Wichtige aus den Augen verloren und dich ablenken lassen. Lieberman war eine Sackgasse, aber eine notwendige.

Denn wenn die Sache nicht schiefgegangen wäre, hättest du vielleicht nicht erkannt, welche seltene Gelegenheit dir geboten wurde.

Als du darüber nachdenkst, was getan werden muss, fühlst du dich wieder stärker und mächtiger. Das ist es, du kannst es spüren. Alles, wofür du gearbeitet hast, jede Enttäuschung, die du erlitten hast, hatte einen Grund. Das Schicksal hat dir bereits einmal eine sterbende Frau vor die Füße gespült, und jetzt schaltete sich das Schicksal erneut ein.

Melodielos vor dich hin pfeifend, beginnst du, die Uniform auszuziehen. Du hast sie die ganze Nacht angehabt. Jetzt ist zwar keine Zeit, um sie in die Reinigung zu bringen, aber du kannst sie mit einem feuchten Lappen säubern und bügeln.

Sie wird picobello aussehen müssen.

KAPITEL 14

An der Anmeldung des Leichenschauhauses hatte wieder der übergewichtige Mann Dienst. «Haben Sie schon gehört, was Dr. Lieberman passiert ist?», fragte er mich. Erneut fiel mir auf, wie schrecklich unpassend seine hohe, piepsige Stimme für seine massige Statur war. Er sah enttäuscht aus, als ich sagte, dass ich Bescheid wüsste, und schüttelte den Kopf, sodass sein Doppelkinn wackelte wie Pudding. «Es ist wirklich ein Jammer. Ich hoffe, es geht ihm gut.» Ich nickte nur, zog dann meine Karte durch den Schlitz an der Tür und ging hinein.

Da ich nicht wusste, ob ich bleiben würde, machte ich mir nicht die Mühe, mich umzuziehen.

Paul war in dem Autopsiesaal, in dem Tom gearbeitet hatte. Er brütete über einem aufgeschlagenen Ordner, schaute aber auf, als ich eintrat.

«Wie ging's ihm?»

«Unverändert.»

Er deutete erschöpft auf den Ordner. In dem hellen Neonlicht konnte man die dunklen Ringe unter seinen Augen sehen. «Ich bin gerade Toms Notizen durchgegangen. Ein paar Fakten des Falls sind mir bekannt, aber es wäre hilfreich, wenn du mich auf den letzten Stand bringen würdest.»

Paul hörte schweigend zu, als ich ihm erzählte, warum die auf dem Friedhof entdeckte Leiche mit ziemlicher Sicherheit die von Willis Dexter und die aus Dexters Grab exhumierten

Überreste höchstwahrscheinlich die des Kleinganoven Noah Harper waren. Ich beschrieb die rosaroten Zähne, die wir sowohl bei Harpers Leiche als auch bei der von Terry Loomis entdeckt hatten, dem in der Berghütte gefundenen Opfer, und wie diese Symptome dem Blutverlust und den Wunden des Letzteren zu widersprechen schienen. Als ich ihm sagte, dass die Zungenbeine beider Opfer unversehrt waren und dass wir bisher keine Anzeichen für Messerschnitte in den Knochen selbst entdeckt hatten, grinste er mich müde an.

«Klassische Entweder-oder-Situation. Die Todesursache ist entweder Erdrosselung oder Erstechen, beides zusammen geht nicht. Wir können nur hoffen, für die eine oder andere Möglichkeit definitive Beweise zu finden.» Für einen Moment schaute er hinab auf den Ordner, dann schien er sich einen Ruck zu geben. «Und, bist du bereit, weiterzumachen?»

Auf diese Frage hatte ich seit gestern gewartet, aufgrund der neuen Umstände erfreute sie mich jedoch nicht mehr. «Ja, aber ich möchte keine weiteren Spannungen verursachen. Wäre es nicht besser, wenn jemand anders die Arbeit übernimmt?»

Paul schlug den Ordner zu. «Ich frage dich nicht aus Höflichkeit. Da Tom im Krankenhaus ist, sind die Kapazitäten des Instituts ziemlich erschöpft. Ich werde hier tun, was ich kann, aber die nächsten Tage werden hektisch. Ehrlich gesagt, brauchen wir unbedingt Hilfe, und es wäre dumm, nicht jemanden zu fragen, der von Anfang an in die Sache involviert war.»

«Und was sagt Gardner dazu?»

«Das hier ist eine Leichenhalle und kein Tatort. Es ist nicht seine Entscheidung. Wenn er unsere Mitarbeit will, dann muss er entweder unsere Entscheidung hinnehmen oder sich jemand anders suchen. Und das wird er nicht tun, nicht nachdem Irving unter seinen Augen verschwunden ist und jetzt auch noch Tom ausfällt.»

Bei der Erinnerung kam ein schlechtes Gewissen in mir auf. Durch Toms Herzanfall hätte ich den Profiler fast vergessen.

«Und was ist mit Hicks?», fragte ich.

Pauls Miene wurde hart. «Hicks kann zur Hölle fahren.»

Es war offensichtlich, dass er nicht in der Stimmung war, Zugeständnisse zu machen. Der Pathologe und Gardner würden bald merken, dass die Zusammenarbeit mit ihm ganz anders werden würde als mit Tom, dachte ich.

«In Ordnung», sagte ich. «Soll ich mit der Rekonstruktion des Skeletts der exhumierten Leiche weitermachen?»

«Das kann vorerst warten. Gardner will eine Bestätigung, ob die Knochen aus dem Wald von Willis Dexter stammen oder nicht. Summer hat bereits damit begonnen, sie auszupacken. Das ist im Moment unsere Priorität.»

Ich drehte mich zur Tür um, doch dann fiel mir ein, was ich ihn fragen wollte. «Mary hat erzählt, dass Tom vorhin versucht hat, ihr etwas zu sagen. Sie meinte, es klang wie ‹spanisch›. Kannst du etwas damit anfangen?»

«Spanisch?» Paul sah mich verdutzt an. «Sagt mir nichts.»

Danach zog ich mich um. Paul musste ins Institut zu einer Krisensitzung, sagte aber, dass er so schnell wie möglich zurückkommen wollte. Summer war bereits in dem Autopsiesaal, in den die Überreste von Steeple Hill gebracht worden waren, und packte gerade die letzten Beweisbeutel aus den Kartons.

Irgendwie überraschte es mich nicht, dass Kyle ihr dabei half.

Vertieft in ihr Gespräch, hörten beide nicht, wie ich hereinkam. «Hi», sagte ich.

Summer schrie auf und wirbelte herum, wobei sie fast einen Beutel fallen ließ, den sie gerade ausgepackt hatte. «O mein Gott!», rief sie und schnappte nach Luft. Als sie sah, dass ich es war, atmete sie erleichtert auf.

«Tut mir leid, ich wollte Sie nicht erschrecken.»

Sie rang sich ein unsicheres Lächeln ab. Ihr Gesicht sah verheult und gerötet aus.

«Schon in Ordnung, ich habe Sie nicht gehört. Kyle hat mir geholfen.»

Der Assistent des Leichenschauhauses sah verlegen, aber zufrieden mit sich aus.

«Wie geht es Ihnen, Kyle?»

«Ach, ganz gut.» Er hob die Hand, die er sich mit der Nadel verletzt hatte. «Heilt ziemlich gut.»

Wenn die Nadel infiziert gewesen war, würde es egal sein, ob die Wunde heilte oder nicht. Aber das wusste er selbst. Wenn er den Tapferen spielen wollte, wollte ich es ihm nicht vermiesen.

«Summer hat mir von Dr. Lieberman erzählt», sagte er. «Wie geht es ihm?»

«Sein Zustand ist stabil.» Das klang besser, als zu sagen, sein Zustand habe sich nicht verändert.

Summer machte ein Gesicht, als würde sie gleich weinen. «Ich wünschte, ich hätte mehr tun können.»

«Du hast alles getan», versicherte Kyle ihr ernst. «Ich bin sicher, dass er wieder auf die Beine kommt.»

Summer schenkte ihm ein bebendes Lächeln. Er erwiderte es und erinnerte sich dann daran, dass ich auch noch da war.

«Äh, ja, ich glaube, ich gehe dann mal lieber. Bis später, Summer.»

Ihr Lächeln wurde breiter. «Tschüs, Kyle.»

Soso. Vielleicht entwickelte sich aus dieser Sache am Ende wenigstens etwas Gutes.

Nachdem er gegangen war, packten wir die restlichen Knochen aus. Summer wirkte lustlos und nicht so ausgelassen wie sonst.

«Kyle hat recht. Es war ein Glück, dass Sie gestern Abend hier waren», sagte ich zu ihr.

Die Deckenlichter funkelten auf ihren Piercings, als sie den Kopf schüttelte. «Was habe ich denn getan? Ich habe das Gefühl, ich hätte mehr machen müssen. Wiederbelebungsversuche oder so.»

«Sie haben dafür gesorgt, dass er rechtzeitig ins Krankenhaus kam. Und das ist die Hauptsache.»

«Das hoffe ich. Er wirkte gut aufgelegt, verstehen Sie? Ein bisschen müde vielleicht, aber das war alles. Er hat noch Spaß gemacht und gesagt, er würde mich auf eine Pizza einladen, weil er mich so lange arbeiten lässt.» Der Hauch eines Lächelns huschte über ihr Gesicht. «Kurz vor zehn hat er gesagt, ich soll nach Hause gehen. Er meinte, er wolle noch etwas überprüfen und dann auch Feierabend machen.»

Das erweckte meine Neugier. «Hat er gesagt, was er überprüfen wollte?»

«Nein, aber ich habe angenommen, dass es etwas mit der Leiche aus der Hütte zu tun hat. Als ich losging, um mich umzuziehen, habe ich von draußen gehört, wie sein Handy geklingelt hat. Kennen Sie seinen kitschigen Klingelton?»

Tom wären ein paar deftige Worte eingefallen, wenn er gehört hätte, dass man Dave Brubecks *Take Five* «kitschig» nannte. Aber ich nickte nur.

«Ich habe nicht weiter darauf geachtet, aber dann gab es plötzlich ein Krachen im Autopsiesaal. Ich bin reingelaufen und habe ihn am Boden liegen sehen.» Sie schniefte und rieb sich schnell die Augen. «Ich habe den Notruf gewählt und dann seine Hand gehalten und ihm gut zugeredet, bis die Sanitäter kamen. Ich hab ihm gesagt, dass alles gut wird, wissen Sie? Ich bin mir nicht sicher, ob er mich hören konnte, aber das macht man doch in so einem Fall, oder?»

«Das haben Sie richtig gemacht», versicherte ich ihr. «War er bei Bewusstsein?»

«Nicht richtig, aber er war völlig durcheinander. Er hat immer wieder den Namen seiner Frau gesagt, als hätte er Angst um sie. Ich dachte, er wollte vielleicht nicht, dass sie einen Schock kriegt, wenn sie erfährt, was geschehen ist, deshalb habe ich ihm gesagt, dass ich sie anrufe. Ich dachte, das ist besser, als wenn sie es vom Krankenhaus erfährt.»

«Ich bin mir sicher, dass Mary es zu schätzen wusste», sagte ich, obwohl mir klar war, dass man solche Nachrichten nie gern hört, egal, wer sie überbrachte.

Summer schniefte erneut und putzte sich die Nase. Ein paar Strähnen ihres gebleichten Haars hatten sich gelöst und hingen herab, wodurch sie jünger wirkte, als sie war.

«Ich habe seine Brille und sein Handy in den Schrank über der Arbeitsplatte in Ihrem Autopsiesaal gelegt. Ich hoffe, das ist in Ordnung. Sie lagen dort auf dem Boden, und ich wusste nicht, was ich sonst damit machen soll.»

Ich wollte gerade sagen, ich würde dafür sorgen, dass Mary die Sachen erhielt, doch dann machte mich etwas an ihren Worten stutzig. «Sie meinen, Brille und Handy lagen auf dem Boden meines Autopsiesaales?»

«Ja. Habe ich das nicht erzählt? Dr. Lieberman ist dort zusammengebrochen.»

«Was hat er dort gemacht?» Ich hatte angenommen, dass Tom in seinem Autopsiesaal gewesen war, als er den Herzanfall gehabt hatte.

«Keine Ahnung. Ist das wichtig?»

Ich beruhigte sie, dass es nicht so wichtig wäre. Trotzdem verwirrte es mich. Tom hatte das Skelett von Terry Loomis rekonstruiert. Warum sollte er die Arbeit unterbrochen haben, um nach den exhumierten Überresten zu sehen?

Die Frage beschäftigte mich, als wir den Schädel und die Knochen vom Friedhof zum Röntgen brachten, es verging aber noch eine weitere Stunde, ehe ich die Gelegenheit hatte, ihr nachzugehen. Ich ließ Summer allein, damit sie mit der Säuberung der Überreste beginnen konnte, und ging in den Autopsiesaal, in dem Tom zusammengebrochen war.

Der Raum sah genau so aus, wie ich ihn verlassen hatte. Nur der Schädel und die größeren Knochen lagen auf dem Untersuchungstisch, während der Rest in Plastikboxen darauf wartete, an die Reihe zu kommen. Ich stand eine Weile da und versuchte herauszufinden, ob etwas bewegt oder verändert worden war. Aber wenn das geschehen sein sollte, dann konnte ich es nicht finden.

Ich ging zu dem Schrank, in den Summer Toms Brille und Handy gelegt hatte. Die Brille sah ohne ihren Träger vertraut und zugleich traurig verlassen aus. Vielleicht übertrug ich aber nur meine Gefühle auf sie.

Ich steckte sie in meine Brusttasche und wollte gerade das Gleiche mit dem Telefon tun, als mir ein Gedanke kam. Ich hielt inne und überlegte, ob ich mit dem, was ich vorhatte, zu sehr die Privatsphäre verletzte.

Kommt darauf an, was du entdeckst.

Das Handy war über Nacht eingeschaltet gewesen, der Akku hatte aber noch genügend Kapazität. Es dauerte nicht lange, bis ich im Menü die Liste der eingehenden Anrufe gefunden hatte. Der letzte war um 22:16 Uhr am Abend zuvor eingegangen, genau wie Summer gesagt hatte.

Zur gleichen Zeit, als Tom den Herzanfall gehabt hatte.

Ich sagte mir, dass es ein Zufall sein könnte und die beiden Vorfälle nichts miteinander zu tun haben mussten. Doch es gab nur eine Möglichkeit, um das herauszufinden.

Der Anruf war von einer Festnetznummer mit der Vorwahl von Knoxville gekommen. Aus Vorsicht benutzte ich nicht Toms Telefon, sondern tippte sie in die Tastatur meines Handys. Trotzdem zögerte ich. *Versuch es einfach. Was hast du zu verlieren?*

Ich drückte die Wähltaste.

Nach einer kurzen Pause ertönte in meinem Ohr das Besetztzeichen. Enttäuscht brach ich den Anruf ab und wartete einen Augenblick, ehe ich es erneut versuchte. Dieses Mal war die Leitung frei. Mein Puls beschleunigte sich, während ich wartete, dass jemand ranging.

Aber niemand meldete sich. Es klingelte und klingelte mit monotoner Regelmäßigkeit, bis ich mich schließlich damit abfand, dass niemand den Anruf entgegennehmen würde.

Es konnte vielerlei Gründe dafür geben, warum die Leitung erst besetzt war und sich kurz darauf niemand meldete. Der Teilnehmer am anderen Ende war vielleicht aus dem Haus gegangen oder hatte beschlossen, die unbekannte Nummer zu ignorieren. Darüber zu spekulieren war sinnlos.

Doch als ich in den anderen Autopsiesaal ging, wusste ich, dass ich erst Ruhe haben würde, wenn ich es herausgefunden hatte.

Den Rest des Tages war ich zu beschäftigt, um auch nur daran zu denken, die Nummer erneut anzurufen. Die Überreste von Steeple Hill mussten gereinigt werden, aber das war eine relativ unkomplizierte Aufgabe. Aasfresser und Insekten hatten die Knochen bereits restlos vom Gewebe befreit, sodass sie nur noch in Lösungsmittel eingelegt werden mussten.

Doch ich hatte sie kaum in die Fässer gelegt, als die medizinischen Unterlagen von Noah Harper und Willis Dexter in die Leichenhalle geliefert wurden. Da ich wusste, dass Gardner so schnell wie möglich eine Bestätigung ihrer Identitäten haben wollte, überließ ich die restliche Reinigung und Trocknung der Knochen Summer und widmete mich ebendieser Aufgabe.

Die Identifikation von Dexter erwies sich als problemlos. Die Röntgenaufnahmen des im Wald gefundenen Schädels, die wir am Morgen angefertigt hatten, zeigten Frakturen auf, die sich mit jenen deckten, die auf den Röntgenbildern zu sehen waren, die bei der Obduktion des Schlossers gemacht worden waren. Was wir bereits vermutet hatten, war nun offiziell: Willis Dexter konnte nicht der Mörder sein. Er war vor sechs Monaten bei einem Autounfall gestorben.

Blieb nur die Frage, wessen Leiche in seinem Grab gelegen hatte.

Es schien wenig Zweifel zu geben, dass es diejenige von Noah Harper war, wir benötigten jedoch mehr als oberflächliche Ähnlichkeiten, um Gewissheit zu haben. Anders als bei Dexter gab es weder einen Obduktionsbericht noch zahnärztliche Unterlagen, um die Identifizierung zu erleichtern. Die abgenutzten Hüft- und Fußgelenke, die ich bei der Leiche aus dem Sarg entdeckt hatte, hätten zwar Harpers charakteristisches Hinken erklären können, aber seine Akten enthielten keine diesbezüglichen Röntgenaufnahmen. Den Luxus von Krankenversicherung und Zahnpflege hatte sich der Kleinganove offenbar nicht leisten können.

Am Ende identifizierten Harper die Brüche des Oberarmbeins und Oberschenkelknochens, die er sich in der Kindheit zugezogen hatte. Diese waren immerhin geröntgt worden, und obwohl das Skelett des erwachsenen Mannes alt und abgenutzt war, konnte man die längst verheilten Bruchstellen noch gut erkennen.

Nachdem ich die Identitäten der beiden Skelette zu meiner Zufriedenheit verifiziert hatte, war es bereits spät geworden. Summer war ein paar Stunden zuvor gegangen, und Paul hatte mir telefonisch mitgeteilt, dass seine Besprechungen länger dauerten als angenommen und er es danach nicht mehr schaffen würde, zurück in die Leichenhalle zu kommen. Anscheinend wusste er, was wirklich wichtig war, und ging lieber nach Hause zu seiner schwangeren Frau, anstatt sich die Nacht um die Ohren zu schlagen. *Kluger Mann.*

Ich hätte gern weitergearbeitet, aber es war ein sowohl emotional als auch körperlich anstrengender Tag gewesen. Zudem hatte ich seit dem Frühstück nichts mehr gegessen. Sosehr ich auch gewollt hätte, in dieser Verfassung wäre ich kaum weitergekommen.

Während ich mich umzog, rief ich Mary an, um mich nach Tom zu erkundigen, doch ihr Telefon war ausgeschaltet. Wahrscheinlich war sie noch immer bei ihm. Als ich direkt auf der Intensivstation anrief, sagte mir eine höfliche Krankenschwester, dass sein Zustand stabil wäre. Es gab also keine Veränderung. Gerade als ich mein Handy wegstecken wollte, erinnerte ich mich an die Nummer, die ich Toms Telefon entnommen hatte.

Bis zu diesem Moment hatte ich sie völlig vergessen. Während ich das Leichenschauhaus verließ und dem älteren Schwarzen, der jetzt am Empfang saß, gute Nacht wünschte, wählte ich die Nummer erneut.

Die Leitung war besetzt.

Immerhin war jemand zu Hause. Ich schob die schwere

Glastür auf und trat hinaus. Die Dämmerung legte sich auf das fast leere Klinikgelände und tauchte den Abend in einen goldenen Schimmer. Ich drückte erneut die Wähltaste. Dieses Mal ertönte das Freizeichen. Ich verlangsamte meinen Schritt und wartete darauf, dass jemand ranging. *Komm schon. Nimm ab.*

Nichts geschah. Frustriert beendete ich den Anruf. Doch als ich mein Handy senkte, hörte ich so etwas wie ein entferntes Echo.

Irgendwo klingelte ein Telefon.

Es hörte auf, ehe ich feststellen konnte, woher der Ton gekommen war. Ich wartete, hörte aber lediglich das Vogelgezwitscher und den Verkehr in der Ferne. Obwohl ich mir sagte, dass es wahrscheinlich nur ein Zufall gewesen war, wählte ich die Nummer erneut.

Ein einsames Klingeln durchbrach die abendliche Stille.

Ungefähr dreißig Meter entfernt erkannte ich einen teilweise von Büschen verdeckten Münzfernsprecher. Im Moment benutzte ihn niemand. Ich glaubte noch immer an einen Zufall, als ich den Anruf beendete. Das Klingeln hörte auf.

Ich ging hinüber und wählte erneut. Das öffentliche Telefon klingelte wieder. Es wurde lauter, während ich näher kam, und ertönte leicht verzögert zu dem leiseren Ton meines Handys. Dieses Mal wartete ich, bis ich nur wenige Schritte entfernt war, ehe ich die Verbindung unterbrach.

Stille setzte ein.

Das Münztelefon hatte lediglich ein Hartschalendach und war nach allen Seiten hin offen. Es war rundherum von den Büschen überwuchert worden, sodass es im Grün zu versinken schien. Jetzt wusste ich, warum die Leitung entweder besetzt gewesen war oder niemand abgenommen hatte, wenn ich angerufen hatte. Krankenhäuser gehörten zu den wenigen Orten, wo auch heutzutage noch Münztelefone benötigt wurden. Die Patienten konnten sich so bei ihren Angehörigen melden oder ein Taxi rufen. Doch wenn es klingelte, machte sich niemand die Mühe, ranzugehen.

Ich beugte mich in die Zelle, ohne das Telefon zu berühren. Es konnte keinen Zweifel daran geben, dass jemand am Abend zuvor von hier aus Tom angerufen hatte, der Grund dafür war mir jedoch völlig schleierhaft. Bis ich auf den Weg zurückschaute, den ich gekommen war. Durch die wuchernden Zweige der Büsche hatte ich einen perfekten Blick auf den Eingang des Leichenschauhauses.

Und konnte jeden sehen, der herauskam.

KAPITEL 15

«Sie glauben also, der Mörder hat gestern Nacht Dr. Lieberman angerufen.»

Jacobsens Stimme war so monoton, dass man unmöglich wissen konnte, was sie dachte.

«Ja, das halte ich für möglich», sagte ich.

Wir saßen im Restaurant meines Hotels, vor mir stand der Teller mit den Resten meines Abendessens. Ich hatte Gardner von der Klinik aus angerufen, nachdem ich seine Nummer im Telefonbuch von Toms Handy gefunden hatte. Da ich mit seiner Skepsis gerechnet hatte, hatte ich mir vorher meine Argumente zurechtgelegt. Womit ich nicht gerechnet hatte, war, dass er nicht rangehen würde und ich meinen Verdacht seiner Mailbox erklären musste.

Anstatt Details zu erläutern, hatte ich nur gesagt, dass ich glaubte, der Mörder könnte sich bei Tom gemeldet haben, und Gardner um Rückruf gebeten. Ich hatte angenommen, dass sich der TBI-Agent das Münztelefon selbst anschauen und es vielleicht auf Fingerabdrücke überprüfen lassen wollte, obwohl ich bezweifelte, dass man noch jetzt, nachdem der Apparat bereits vierundzwanzig Stunden lang von anderen Leuten benutzt worden war, brauchbare Spuren finden würde.

Aber es ergab keinen Sinn, in der Klinik zu warten, bis Gardner meine Nachricht erhielt und mich zurückrief. Mit einem etwas unguten Gefühl war ich zu meinem Wagen gegangen und zurück ins Hotel gefahren.

Fast eine Stunde verstrich, ehe ich etwas hörte. Ich hatte gerade das Essen bestellt, als mein Telefon klingelte, am anderen Ende war jedoch nicht Gardner, sondern Jacobsen. Sie hatte nach der Nummer gefragt, die ich Toms Handy entnommen hatte, und mich gebeten zu warten. Eine Weile war es still in der Leitung gewesen, und ich vermutete, dass sie die Information an Gardner weitergegeben hatte. Als sie sich wieder meldete, sagte sie mir, dass sie in einer halben Stunde bei mir sein würde.

So lange brauchte sie jedoch nicht. Als ich aufschaute und sie das Restaurant betreten sah, schob ich meinen Teller weg. Der Appetit war mir plötzlich vergangen. Jacobsen trug dieses Mal ein schwarzes Kostüm, dessen eng sitzender Rock bei jedem Schritt raschelte, als sie zu meinem Tisch kam. Sie hätte eine ehrgeizige junge Geschäftsfrau sein können, wenn da nicht die Waffe gewesen wäre, die ich unter ihrem Sakko sah, als sie sich hinsetzte. Sie erklärte nicht, warum Gardner mich nicht zurückgerufen hatte oder selbst gekommen war, aber ich konnte es mir denken.

Nachdem sie abgelehnt hatte, etwas zu essen oder zu trinken, hatte sie kommentarlos zugehört, wie ich etwas detaillierter von dem Anruf berichtete, den Tom erhalten hatte.

Mittlerweile wünschte ich mir bereits, ich wäre der Sache nicht nachgegangen.

«Haben Sie Dr. Liebermans Handy bei sich?», fragte sie.

Ich nahm es aus meiner Jackentasche und reichte es ihr. Als ich mein Zimmer verlassen hatte, hatte ich es in letzter Minute eingesteckt. Nur für den Fall.

«Gibt es Neuigkeiten von Irving?», fragte ich, während sie die Liste der bei Tom eingegangenen Anrufe überprüfte.

«Noch nicht.» Es war klar, dass ich nicht mehr erfahren würde. Sie kopierte die Nummer in ihr Handy und steckte es dann ohne Kommentar ein. «Warum haben Sie Dr. Liebermans Telefon überhaupt untersucht?»

«Ich war neugierig, wer ihn angerufen hatte. Ich habe mich gefragt, ob der Anruf etwas mit seinem Herzanfall zu tun hatte.»

Ihre Miene war unergründlich. «Ihnen kam nicht der Gedanke, damit in seine Privatsphäre einzudringen?»

«Doch, natürlich. Aber ich dachte, dass Tom unter diesen Umständen nichts dagegen hätte.»

«Trotzdem haben Sie sich nicht bemüht, erst jemanden zu fragen?»

«Wen denn? Sollte ich seine Frau anrufen, während sie im Krankenhaus an seinem Bett saß?»

«Ich dachte eher an Dan Gardner.»

«Genau. Weil er so viel Wert auf meine Meinung legt.»

Ihr Lächeln schien sie genauso zu überraschen wie mich. Es ließ ihr ganzes Gesicht erstrahlen und nahm ihm den herben Zug, sodass es das Titelblatt eines Magazins hätte zieren können. Dann war es verschwunden, und ich wünschte, ich hätte mich länger daran erfreuen können.

«Das ist eine reine Vermutung», fuhr sie fort, nachdem sie wieder ihre professionelle Miene aufgesetzt hatte. Auch wenn sie vielleicht nicht mehr so streng war wie zuvor. «Der Anruf hätte von jedem kommen können.»

«Von einem Münztelefon direkt vor der Leichenhalle? Um diese Zeit am Abend?»

Sie antwortete nicht. «Haben die Ärzte gesagt, wann Dr. Lieberman so weit ist, eine Aussage zu machen?»

«Nein. Aber wahrscheinlich nicht so bald.»

Wir verstummten, da die Kellnerin an unseren Tisch kam,

um meinen Teller abzuräumen und die Dessertkarte anzubieten.

«Ich werde einen Kaffee nehmen. Wollen Sie mir nicht Gesellschaft leisten?», fragte ich.

Jacobsen zögerte und warf einen Blick auf ihre Uhr. Zum ersten Mal konnte man ihr eine gewisse Erschöpfung ansehen.

«Vielleicht einen auf die Schnelle.» Sie bestellte einen Milchkaffee mit einer Extraportion Espresso.

«Wollen Sie wirklich nichts anderes?», lud ich sie ein.

«Kaffee ist in Ordnung, danke», erwiderte sie, als würde sie sich schon damit zu sehr gehenlassen. Ich vermutete, dass sich Jacobsens Blutzuckerspiegel immer ihrer Selbstdisziplin unterordnen musste.

Mit stillschweigender Übereinkunft unterbrachen wir unser Gespräch, während die Kellnerin unsere Bestellungen holte. Jacobsen klopfte mit den Fingern unruhig auf die Balustrade, an der wir saßen. Ihre Nägel waren kurz geschnitten und unlackiert.

«Stammen Sie aus Knoxville?», fragte ich, um die Stille zu durchbrechen.

«Aus einer Kleinstadt in der Nähe von Memphis. Sie haben den Namen bestimmt noch nie gehört.»

Und es war offensichtlich, dass ich ihn auch jetzt nicht hören würde. Nachdem die Kellnerin unseren Kaffee serviert hatte, versuchte ich es erneut.

«Wie kam es, dass Sie einen Abschluss in Psychologie gemacht haben?»

Sie zuckte mit den Achseln. Die Bewegung wirkte steif und gezwungen. «Das Fach hat mich interessiert. Ich wollte es studieren.»

«Aber dann sind Sie zum TBI gegangen. Weshalb?»

«Es war ein guter Karriereschritt.»

Sie trank einen Schluck Kaffee und beendete damit das Thema. *So viel dazu, sie näher kennenzulernen.* Nach einem Ehemann oder Freund zu fragen, konnte ich mir bestimmt gleich sparen, dachte ich.

«Nehmen wir mal rein hypothetisch an, Sie haben recht, was den Telefonanruf betrifft», sagte sie und senkte ihre Tasse. «Welchen Zweck hätte er haben sollen? Sie wollen doch nicht behaupten, dass jemand absichtlich Dr. Liebermans Herzanfall ausgelöst hat, oder?»

«Nein, natürlich nicht.»

«Warum sollte man ihn dann anrufen?»

Jetzt kamen wir zum springenden Punkt. «Um ihn nach draußen zu locken. Ich glaube, dass Tom das nächste Opfer sein sollte.»

Das einzige äußere Zeichen von Jacobsens Überraschung war ein kurzes Blinzeln. «Fahren Sie fort.»

«Direkt nach dem Herzanfall wirkte Tom verwirrt. Er schien davon überzeugt zu sein, dass Mary etwas zugestoßen war. Noch im Krankenhaus musste man ihm ständig versichern, dass es ihr gutgeht. Seine Verwirrung wurde auf den Anfall zurückgeführt, aber was, wenn das gar nicht der Auslöser war? Angenommen, man hat ihn angerufen und gesagt, seine Frau hätte einen Unfall gehabt?»

Zwischen Jacobsens Augen war wieder die kleine Falte zu sehen. «Dann wäre er sofort nach draußen gelaufen, um zu ihr zu fahren.»

«Richtig. Wenn man einen solchen Anruf bekommt, vergisst man alles andere. Man denkt nicht mehr daran, vorsichtig zu sein oder nicht allein zum Auto zu gehen. Man lässt alles stehen und liegen und geht los.» Ich wusste das nur zu genau. Die Erinnerung an die Stimme des Polizisten, der mir von dem Unfall meiner Frau und meiner Tochter berichtet hatte, verfolgte mich noch immer. «Um diese Zeit am Abend ist der größte Teil der Klinik ziemlich verlassen, und von dem Münztelefon, von dem der Anruf kam, hat man den Eingang des Leichenschauhauses gut im Blick. Wer den Anruf getätigt hat, hätte Tom beim Herauskommen genau sehen können.»

«Warum nicht einfach warten, bis er Feierabend macht?»

«Wenn Tom überfallen oder entführt werden sollte, konnte man nicht riskieren, dass ihn jemand beim Hinausgehen begleitet. Durch den Anruf konnte der Täter den geeigneten Zeitpunkt wählen und davon ausgehen, dass er allein und ungeschützt ist.»

Jacobsen war noch nicht überzeugt. «Irgendwoher muss der Täter Dr. Liebermans Handynummer gehabt haben.»

«Die gibt Tom ziemlich bereitwillig heraus. Jeder kann sie von seiner Sekretärin in der Universität kriegen.»

«Na schön, aber Dr. Lieberman hat nicht die Aufmerksamkeit auf sich gezogen wie Professor Irving. Warum wurde er ausgewählt?»

«Ich habe keine Ahnung», gab ich zu. «Aber Sie haben selbst gesagt, dass der Täter an Selbstüberschätzung leidet. Vielleicht hat er das Gefühl, dass ihm Schlosser und Kleinganoven nicht die Aufmerksamkeit verschaffen, die er verdient.»

Jacobsen starrte ins Leere, während sie darüber nachdachte. Ich zwang mich dazu, meinen Blick von ihren vollen Lippen abzuwenden.

«Möglich», räumte sie nach einer Weile ein. «Vielleicht wird er anspruchsvoller. Professor Irving könnte ihm Appetit auf prominente Opfer gemacht haben.»

«Wenn Tom nicht die ganze Zeit sein Hauptziel gewesen ist.»

Mir war klar, dass ich damit einen großen Sprung machte. Jacobsen runzelte die Stirn. «Es gibt keine Beweise, die diese These untermauern.»

«Ich weiß», stimmte ich ihr zu. «Aber schauen Sie sich die Taten des Mörders doch noch einmal genau an. Absichtlich beschleunigte Verwesung, Schweinezähne anstelle von menschlichen und Opfer mit einander offenbar widersprechenden Todesursachen. Alles Dinge, die einem forensischen Anthropologen Kopfzerbrechen bereiten. Jetzt sieht es so aus, als wäre Tom beinahe selbst das nächste Opfer geworden. Kommt Ihnen da nicht auch der Gedanke, dass der Mörder das von Anfang an geplant haben könnte?»

Sie blieb skeptisch. «Dr. Lieberman ist nicht der einzige forensische Anthropologe, der für das TBI arbeitet. Niemand konnte mit Sicherheit davon ausgehen, dass gerade er zu dieser Ermittlung herangezogen wird.»

«Dann wollte sich der Mörder vielleicht einfach denjenigen greifen, der herangezogen wurde, was weiß ich. Aber es ist kein Geheimnis, dass sich das TBI normalerweise immer zuerst an Tom wendet. Oder dass er vorhatte, Ende des Jahres in Ruhestand zu gehen.» *Noch eher.* Ich verdrängte schnell den Gedanken an Toms und Marys zerstörte Pläne und machte weiter. «Vielleicht hat der Mörder das als seine letzte Gelegenheit gesehen, sich mit einem der führenden forensischen Experten des Landes zu messen. Wir wissen, dass er es so arrangiert hat, dass die Leiche von Terry Loomis nach Ablauf des Mietvertrages für die Hütte gefunden wird, und Tom war erst in der Woche davor von einer einmonatigen Reise zurückgekehrt. Das bedeutet, dass der Mörder die Hütte fast genau am Tag von Toms Rückkehr gemietet haben muss. Soll das nur ein Zufall gewesen sein?»

Doch an Jacobsens Stirnrunzeln konnte ich sehen, dass

ich zu weit gegangen war. «Ist das nicht ein bisschen übertrieben?»

Ich seufzte. Ich war mir selbst nicht mehr ganz sicher. «Vielleicht. Aber andererseits haben wir es mit jemandem zu tun, der Nadeln in eine Leiche steckt, und zwar sechs Monate bevor sie durch den Verlauf der Ereignisse exhumiert wird. Es so zu planen, dass das nächste Opfer mit Sicherheit in der Stadt sein wird, ist verglichen damit ein Kinderspiel.»

Jacobsen schwieg. Ich trank einen Schluck Kaffee und ließ sie zu ihren eigenen Schlüssen kommen.

«Damit würden wir unglaublich viel in einen Telefonanruf hineinlesen», entgegnete sie schließlich.

«Ich weiß», pflichtete ich ihr bei.

«Aber ich denke, man sollte die Sache überprüfen.»

Eine Spannung, die mir bis zu diesem Moment nicht einmal bewusst gewesen war, ließ von mir ab. Ich war mir nicht sicher, ob ich erleichtert war, dass eine mögliche Spur verfolgt wurde, oder nur dankbar, dass sie mich ernst genommen hatte.

«Also werden Sie das Telefon nach Fingerabdrücken untersuchen lassen?»

«Ein Team der Spurensicherung ist bereits dort, obwohl ich bezweifle, dass man nach vierundzwanzig Stunden noch etwas finden wird.» Jacobsens Mundwinkel zuckten leicht angesichts meiner Verblüffung. «Sie dachten doch nicht, dass wir so etwas einfach ignorieren, oder?»

Das Vibrieren ihres Handys auf dem Tisch rettete mich vor einer Antwort. «Entschuldigen Sie mich», sagte sie und nahm das Telefon.

So unbeschwert wie den ganzen Tag nicht trank ich meinen Kaffee, während sie hinausging, um das Telefonat anzunehmen. Ich beobachtete durch die Glastür, wie sie mit aufmerksamer Miene zuhörte. Das Gespräch dauerte nicht lange. Nach weniger als einer Minute kehrte sie zurück. Ich rechnete damit, dass sie sich entschuldigte und aufbrach, doch stattdessen setzte sie sich wieder an den Tisch.

Sie machte keine Bemerkung zu dem Anruf, wirkte aber plötzlich distanzierter. Hatte ich vorher noch das Gefühl gehabt, sie würde sich ein wenig öffnen, war nun nichts mehr davon zu spüren.

Sie legte einen Finger an den Henkel ihrer Tasse und schob sie ein winziges Stückchen auf der Untertasse umher. «Dr. Hunter ...», begann sie.

«Sagen Sie David.»

Das schien sie aus dem Konzept zu bringen. «Hören Sie, Sie sollten wissen ...»

Ich wartete, aber sie fuhr nicht fort. «Was?»

«Es ist unwichtig.» Was auch immer sie hatte sagen wollen, sie hatte es sich anders überlegt. Ihr Blick ging zu meinem fast leeren Bierglas, das die Kellnerin noch nicht abgeräumt hatte. «Entschuldigen Sie, dass ich frage, aber dürfen Sie Alkohol trinken? In Anbetracht Ihrer Verfassung, meine ich.»

«Meiner Verfassung?»

«Ihrer Verletzung.» Sie neigte ironisch den Kopf. «Sie werden doch gewusst haben, dass wir uns über Sie informieren?»

Ich merkte, dass ich die Kaffeetasse noch immer über dem Tisch hielt. Vorsichtig stellte ich sie ab. «Darüber habe ich mir keine Gedanken gemacht. Und was den Alkohol angeht, ich wurde niedergestochen. Ich bin nicht schwanger.»

Sie musterte mich mit ihren grauen Augen. «Reden Sie nicht gern darüber?»

«Es gibt angenehmere Themen.»

«Hatten Sie nach dem Angriff psychologische Betreuung?»

«Nein. Und jetzt will ich auch keine, danke.»

Sie hob eine Augenbraue. «Ich vergaß. Sie trauen Psychologen nicht.»

«Ich misstraue ihnen nicht. Aber meiner Meinung nach ist es nicht immer der beste Weg, mit etwas klarzukommen, wenn man darüber spricht, das ist alles.»

«Ein echter Mann braucht keine Hilfe, was?»

Ich schaute sie nur an. In meinen Schläfen konnte ich das Pochen meines Pulses spüren.

«Ihre Angreiferin wurde nicht gefasst, oder?», sagte sie nach einem Moment.

«Nein.»

«Bereitet Ihnen das Angst? Dass sie es erneut versuchen könnte?»

«Ich versuche, mir deswegen keine schlaflosen Nächte zu machen.»

«Aber das funktioniert nicht, oder?»

Mir fiel auf, dass ich unter dem Tisch die Fäuste geballt hatte. Meine Hände waren feucht, als ich sie öffnete. «Läuft das Ganze auf irgendwas hinaus?»

«Ich bin nur neugierig.»

Wir starrten uns an. Doch aus irgendeinem Grund war ich jetzt vollkommen ruhig, so als hätte ich eine Schwelle übertreten. «Warum versuchen Sie, mich zu provozieren?»

Sie konnte meinem Blick nicht mehr standhalten. «Ich wollte nur …»

«Hat Gardner Sie damit beauftragt?»

Die Frage kam wie aus dem Nichts, doch ich wusste, dass ich recht hatte, als sie wegschaute. Zwar nur für eine Sekunde, aber das genügte.

«Mein Gott, was soll das? Überprüfen Sie mich? Glauben Sie, ich bin ein Sicherheitsrisiko?»

«Natürlich nicht», sagte sie ohne Überzeugung. Sie konnte mir nicht mehr in die Augen sehen. «Dan Gardner wollte nur Ihre Gemütslage einschätzen, das ist alles.»

«Meine *Gemütslage*?» Ich lachte ungläubig auf. «Ich wurde niedergestochen, meine Beziehung ist in die Brüche gegangen, einer meiner ältesten Freunde liegt im Krankenhaus, und jeder hier scheint davon überzeugt zu sein, dass ich inkompetent bin. Meine Gemütslage könnte nicht besser sein, danke.»

Jacobsens Wangen glühten rot. «Ich entschuldige mich, wenn ich Sie beleidigt haben sollte.»

«Ich bin nicht beleidigt, nur …» Ich wusste nicht, was ich war. «Wo ist Gardner überhaupt? Warum ist er nicht hier?»

«Er ist im Moment mit etwas anderem beschäftigt.»

Ich war mir nicht sicher, was mich am meisten ärgerte: die Tatsache, dass er glaubte, ich müsste taxiert werden, oder dass es ihm nicht wichtig genug war, um es selbst zu tun.

«Wozu überhaupt die ganze Mühe? Die Arbeit ist fast erledigt.»

Die Röte wich aus Jacobsens Wangen. Sie starrte nachdenklich in ihren Kaffee und fuhr geistesabwesend mit einem Finger über den Rand der Tasse.

«Die Situation in Steeple Hill hat sich verändert», sagte sie.

Ich wartete. Sie schaute mich mit ihren grauen Augen an.

«York ist verschwunden.»

KAPITEL 16

Durch die Lichter, die in jedem Fenster brannten, und die davor versammelten TBI-Fahrzeuge wirkte Yorks Haus so surreal wie eine Filmkulisse. Es lag gut versteckt hinter einer Senke im Kiefernwald auf dem Gelände von Steeple Hill. Wie das Bestattungsunternehmen war es ein niedriger, rechteckiger Block aus Beton und Glas, ein gescheiterter Versuch, den kalifornischen Modernismus der 1950er Jahre in den tiefen Süden zu verlegen. Irgendwann einmal mochte es ein eindrucksvolles Gebäude gewesen sein. Doch jetzt, umgeben von den düsteren Wipfeln der Kiefern, sah es nur verfallen und traurig aus.

Ein wild gepflasterter Weg, dessen Platten mit Unkraut überwuchert waren, führte zur Eingangstür. Das Flatterband der Polizei, das ihn absperrte, verlieh dem Haus eine seltsam festliche Stimmung, obwohl dieser Eindruck schnell durch die Beamten der Spurensicherung zerstört wurde, die es wie Gespenster in ihren weißen Overalls durchsuchten. Auf einer Seite des Hauses führte eine Auffahrt über einen ungepflegten Rasen zu einer Garage. Das Tor war hochgelassen, drinnen konnte man den ölbefleckten Boden sehen, aber kein Auto.

Das war mit seinem Besitzer verschwunden.

Jacobsen hatte mich auf der Herfahrt unterrichtet. «York war in unseren Augen kein realistischer Verdächtiger für die

Morde, sonst hätten wir ihn schon früher verhaftet.» Es hatte geklungen, als wäre sie persönlich schuld an seiner Flucht und müsste sich nun rechtfertigen. «In gewisser Hinsicht passt er ins Standardprofil eines Serienmörders – entsprechendes Alter, ledig, ein Einzelgänger –, und seine übersteigerte Wichtigtuerei ist ein typischer narzisstischer Wesenszug. Aber er hat keinerlei Vorstrafen, nicht einmal kleinere Verstöße als Jugendlicher sind bekannt. Wir konnten keine Leichen in seinem Keller finden. Abgesehen von den Indizienbeweisen gibt es nichts, was ihn mit den aktuellen Morden verbindet.»

«Die Indizienbeweise erscheinen mir ziemlich stark», sagte ich.

Es war zu dunkel im Wagen, um zu sehen, ob Jacobsen rot geworden war, aber ich war mir dessen sicher. «Nur wenn man annimmt, dass er absichtlich eine Spur zum Bestattungsunternehmen gelegt und sich damit selbst belastet hat. So etwas hat es schon gegeben, aber seine Geschichte über den Gelegenheitsarbeiter, den er angestellt hat, schien zu stimmen. Wir haben einen weiteren ehemaligen Angestellten gefunden, der behauptet, sich an Dwight Chambers zu erinnern. Es begann gerade so auszusehen, als wenn Chambers ein begründeter Verdächtiger sein könnte.»

«Warum sollte York dann überhaupt verhaftet werden?»

«Wenn man ihn wegen Vergehens gegen die Gesundheitsbestimmungen festgesetzt hätte, hätten wir mehr Zeit gehabt, ihn zu befragen.» Jacobsen wirkte verlegen. «Außerdem war man der Ansicht, dass es gewisse … Vorteile hätte, einen aktiven Schritt zu unternehmen.»

Und irgendeine Verhaftung sah besser aus als keine Verhaftung. Auf Politik und Öffentlichkeitsarbeit konnte auch die Polizei nicht verzichten.

Nur dass York seine Verhaftung nicht abgewartet hatte.

Als TBI-Agenten ihn an diesem Nachmittag abholen wollten, war er weder auf dem Friedhof noch in seinem Haus anzutreffen gewesen. Auch sein Wagen war weg, und nachdem sich das TBI Zutritt verschafft hatte, hatte man Spuren eiligen Packens gefunden.

Außerdem waren menschliche Überreste entdeckt worden.

«Wir hätten sie schon früher entdeckt, wenn es kein Durcheinander mit dem Papierkram gegeben hätte», räumte Jacobsen ein. «Der ursprüngliche Durchsuchungsbefehl hat nur die Geschäftsräume und das Gelände des Bestattungsunternehmens eingeschlossen, nicht aber Yorks privaten Wohnbereich.»

«Stammen die Leichenteile von einem jüngst Verstorbenen?»

«Unserer Meinung nach nicht. Aber Dan wäre es lieber, wenn Sie einen Blick darauf werfen.»

Der Grund dafür hatte mich noch mehr bestürzt als Yorks Verschwinden. Anscheinend hatte sich Paul die Leichenteile nicht anschauen können, weil Sam einen schlimmen Abend gehabt hatte. Zuerst hatten sie gedacht, die Wehen würden einsetzen, was sich dann aber als falscher Alarm erwiesen hatte. Doch Paul wollte sie mitten in der Nacht nicht allein lassen.

Deswegen hatte er Gardner gebeten, mich zu fragen.

Paul hatte müde und erschöpft geklungen, als ich ihn angerufen hatte. Ich zog Jacobsens Erklärung nicht in Frage, aber ich wollte nicht losfahren, ohne zuerst mit ihm gesprochen zu haben.

«Ich habe Gardner gesagt, dass ich gleich morgen früh kommen könnte; wenn er aber noch heute Nacht eine Meinung will, muss er dich fragen. Ich hoffe, du hast nichts dagegen», hatte er gesagt. Ich hatte ihm versichert, dass es in Ordnung wäre, es mich allerdings überraschen würde, dass Gardner einverstanden war. Er hatte bitter aufgelacht. «Er hat kaum eine andere Wahl.»

Er hatte Gardner offenbar nicht verziehen, dass er sich auf Hicks' Seite und gegen Tom gestellt hatte. Paul war zwar zu professionell, um während einer Ermittlung persönliche Differenzen auszutragen, ein bisschen sticheln konnte er aber dennoch.

Ich fragte mich, wie Gardner darüber dachte.

Jacobsen war nicht in Steeple Hill geblieben. Nachdem sie mich abgeliefert hatte, war sie zurückgefahren, um zu schauen, wie weit die Spurensicherung mit dem Münztelefon gekommen war. Ich war in einen Wohnwagen geführt worden, wo ich mich umziehen konnte, und machte mich dann auf den Weg zum Haus.

Gardner stand vor der Eingangstür und sprach mit einer grauhaarigen Frau in einem weißen Overall. Er trug Überschuhe und Handschuhe und warf mir nur einen kurzen Blick zu, als ich näher kam, unterbrach das Gespräch aber nicht.

Ich stand auf dem Weg und wartete.

Nach einer letzten, kurzen Anweisung an die Beamtin der Spurensicherung wandte sich Gardner schließlich an mich. Seine Abneigung war beinahe greifbar, er behielt seine Gedanken jedoch für sich und grüßte mich mit einem knappen Nicken.

«Es ist in der oberen Etage.»

Das Haus war, typisch für den Stil und die Ära, so aufgeteilt, dass die Schlafzimmer im Erdgeschoss und die Wohnbereiche im ersten Stock lagen. Die ehemals weißen Wände und Decken waren durch jahrzehntelanges Rauchen vergilbt, die gleiche ockerfarbene Patina lag wie ein Schmierfilm auf

Türen und Möbeln. Unter dem vorherrschenden Gestank nach kaltem Zigarettenqualm roch es überall muffig nach alten Teppichen und ungewaschenen Laken.

Das Chaos der Durchsuchung verschlimmerte noch den Eindruck von Verwahrlosung und Verfall. Beamte der Spurensicherung wühlten durch Kommoden und Schränke und zogen prüfend die Trümmer von Yorks Leben hervor. Als wir nach oben gingen, spürte ich ihre Blicke. Es lag eine angespannte Erwartungshaltung in der Luft, die ich bereits von Tatorten kannte, wenn eine wichtige Entdeckung gemacht worden war, aber ich spürte auch unverhohlene Neugier.

Dass ich wieder zu der Ermittlung herangezogen worden war, hatte sich offenbar bereits herumgesprochen.

Gardner führte mich eine Treppe hinauf, in deren Ecken sich Staub gesammelt hatte. Die gesamte obere Etage bestand aus einem offenen Raum, in dem Küche, Ess- und Wohnbereiche ineinander übergingen. Die meisten Bauteile schienen original zu sein, denn die raumteilenden Regalwände und Schränke mit Milchglastüren sahen aus, als stammten sie direkt aus einer Reklame für den häuslichen amerikanischen Traum der 1950er Jahre.

Das restliche Mobiliar war allerdings ein Mischmasch aus den darauffolgenden Jahrzehnten. In der Küche brummte ein verrosteter Kühlschrank laut vor sich hin, während über dem abgenutzten Tisch und den Stühlen im Essbereich ein nachgemachter Kronleuchter mit Glühbirnen in Kerzenform hing. In der Mitte des Wohnbereichs stand ein dick gepolsterter Ledersessel, dessen aufgerissene Kissen mit Klebeband geflickt waren, das sich bereits wieder ablöste. Genau davor war ein riesiger Flachbildfernseher aufgestellt worden, der der einzige neuere Gegenstand war, den ich im Haus sehen konnte.

Hier oben waren weitere Beamte der Spurensicherung beschäftigt. In dem Haus herrschte ein heilloses Durcheinander, obwohl man nur schwer sagen konnte, wie viel davon auf die Durchsuchung zurückzuführen und was das Resultat von Yorks Lebensstil war. Überall lagen Kleidungsstücke herum, und aus den Schränken waren Kisten voller Krimskrams und alten Magazinen gezogen worden. Die Spüle und die Frühstücksbar versanken unter schmutzigem Geschirr, und der Boden war mit verkrusteten Kartons von Fastfoodketten übersät, als hätte York sie nach dem Essen einfach fallen gelassen.

Ein paar Beamte der Spurensicherung hielten in ihrer Arbeit inne und schauten zu mir und Gardner herüber, der mich durch den Raum führte. Ich erkannte den massigen Jerry, der auf dem Boden hockte und die Schubladen eines demolierten Schrankes durchwühlte. Er hob grüßend eine Hand.

«Hi, Doc.» Er kaute energisch Kaugummi, wobei seine Hängebacken gegen die Schutzmaske schwabbelten. «Hübsches Häuschen, was? Sie müssen sich mal die Filmsammlung ansehen. Ein Pornoparadies, alles alphabetisch geordnet. Der Typ sollte echt öfter ausgehen.»

Gardner war zu einer Nische neben der Spüle gegangen. «Hauptsache, es fehlt nichts, wenn ihr hier fertig seid.» Die Männer lachten, aber ich war mir nicht sicher, ob er es als Spaß gemeint hatte. «Hier durch.»

In die Nische war ein begehbarer Schrank eingebaut, dessen Tür mit einem Keil offen gehalten wurde. Die Inhalte waren herausgezogen worden und lagen verstreut herum: Kisten voller Geschirrscherben, ein Plastikeimer mit einem Riss in der Seite, ein kaputter Staubsauger. Ein Beamter kniete vor einem Pappkarton mit altem Fotoequipment: eine abgenutzte Spiegelreflexkamera, die offensichtlich schon bessere Tage gesehen hatte, ein altmodisches Blitzgerät mit Belichtungsmesser sowie vergilbte Fotomagazine mit Eselsohren.

Ein oder zwei Meter vom übrigen Plunder entfernt, auf einer freigeräumten Stelle, stand ein zerbeulter Koffer auf dem verstaubten Linoleum.

Der Deckel war heruntergeklappt, klaffte aber auf, als wäre der Inhalt zu groß. Gardner schaute auf den Koffer hinab, ohne näher zu treten.

«Wir haben ihn im Schrank gefunden. Als wir gesehen haben, was drin ist, haben wir ihn so gelassen, bis sich ein Experte die Sache anschauen kann.»

Der Koffer sah zu klein aus, um ein menschliches Wesen zu enthalten. Auf jeden Fall keinen Erwachsenen, obwohl ich wusste, dass das nichts zu bedeuten hatte. Vor Jahren war ich zu der Leiche eines Mannes gerufen worden, die man in eine Reisetasche gezwängt hatte, die noch kleiner gewesen war als dieser Koffer. Die Knochen waren gebrochen und die Gliedmaßen derartig zusammengefaltet und gepresst worden, wie es sich kein lebender Schlangenmensch wünschen würde.

Ich hockte mich neben den Koffer. Das braune Leder war abgewetzt und zerschlissen, ich konnte jedoch weder Schimmel noch andere Flecken sehen, die ich erwartet hätte, wenn im Inneren Leichenteile verwest wären. Aber Jacobsen hatte ja auch gesagt, dass die Überreste schon älter waren.

«Darf ich hineinschauen?», fragte ich Gardner.

«Deswegen sind Sie hier.»

Ich ignorierte seinen bissigen Ton und spürte, dass mich jeder beobachtete, als ich den Deckel aufklappte.

Der Koffer war voller Knochen. Schon auf den ersten Blick konnte ich bestätigen, dass es menschliche waren. Es schien

ein vollständiger Brustkorb zu sein, in den ein Schädel einge-
klemmt war. Da der Unterkieferknochen noch mit ihm verbunden war, hatte er das typische Grinsen. Während ich die
Knochen betrachtete, fragte ich mich, ob Jacobsen ihre Worte
auf der Herfahrt absichtlich gewählt hatte: *Wir konnten keine Leichen in seinem Keller finden.*

Jetzt hatten sie immerhin ein Skelett gefunden.

Die Knochen waren genauso vergilbt wie die Wände, obwohl
ich nicht glaubte, dass der Zigarettenqualm dafür verantwortlich war. Sie waren völlig frei von Geweberesten. Ich beugte
mich näher heran und schnüffelte, konnte aber, abgesehen
von dem muffigen Gestank des Koffers, nichts riechen.

Ich nahm eine Rippe, die oben lag. Der Knochen sah aus
wie ein Miniaturbogen. An ein paar Stellen war, winzigen
Fischschuppen gleich, eine durchsichtige Schicht von der
Oberfläche abgeblättert.

«Gibt es schon Neuigkeiten über York?», fragte ich, während ich die Rippe untersuchte.

«Wir suchen ihn noch.»

«Glauben Sie, dass er aus eigenem Antrieb verschwunden
ist?»

«Wenn Sie meinen, ob er wie Irving entführt wurde, dann
lautet die Antwort nein. Irving hat nicht seinen Wagen genommen oder erst einen Koffer gepackt», erwiderte Gardner
kühl. «Und was können Sie mir über die Knochen sagen?»

Ich legte die Rippe zurück und nahm den Schädel heraus.
Wenn sich die einzelnen Knochen bewegten, klang es beinahe melodisch.

«Sie stammen von einer Frau», sagte ich und drehte den
Schädel um. «Die Knochenstruktur ist zu fein für einen
Mann. Und sie ist nicht erst kürzlich gestorben.»

«Erzählen Sie mir etwas Neues.»

«Na schön», willigte ich ein. «Fangen wir damit an, dass sie nicht ermordet wurde.»

Er reagierte, als hätte ich behauptet, die Erde wäre eine Scheibe. «Was?»

«Das hier ist kein Mordopfer», wiederholte ich. «Schauen Sie, wie vergilbt die Knochen sind. Sie sind alt. Mindestens vierzig oder fünfzig Jahre. Vielleicht mehr. Man kann sehen, dass sie mit einer Art Stabilisator überzogen worden sind, der bereits abblättert. Ich bin mir ziemlich sicher, dass es Schellack ist, der seit Jahren nicht mehr benutzt wird. Und schauen Sie sich das an …»

Ich zeigte ihm ein kleines Loch, das in die Schädeldecke gebohrt worden war.

«Hier konnte man einen Haken befestigen, um das Skelett aufzuhängen. Wahrscheinlich stammt es aus einem Labor oder hat einem Mediziner gehört. Heutzutage werden statt wirklicher Skelette Plastikmodelle benutzt, aber manchmal findet man noch echte.»

«Das ist ein Anatomieskelett?» Gardner starrte es mit finsterem Blick an. «Was zum Teufel hat es hier zu suchen?»

Ich legte den Schädel zurück in den Koffer. «York sagte, sein Vater hätte Steeple Hill in den fünfziger Jahren gegründet. Vielleicht gehörte es ihm. Es ist auf jeden Fall alt genug.»

«Gottverdammt.» Er blähte seine Wangen auf. «Mir wäre es trotzdem lieber, wenn Paul Avery einen Blick darauf wirft.»

«Wie Sie wollen.»

Ich glaube, Gardner war seine versteckte Kränkung nicht einmal bewusst. Mit einem letzten angewiderten Blick auf den Koffer ging er zur Treppe. Ich klappte den Deckel zu und folgte ihm.

«Tschüs, Doc», sagte Jerry kauend. «Schon wieder umsonst gekommen, was?»

Als ich an der Anrichte vorbeikam, blieb ich stehen, um mir die gerahmten Fotos anzuschauen, die Yorks Lebensgeschichte bildlich darstellten. Es war eine Mischung aus gestellten Porträts und Ferienschnappschüssen, deren einst helle Sommerfarben längst verblichen waren. York war auf den meisten zu sehen; mal als grinsender Junge in Shorts auf einem Boot, mal als betreten dreinschauender Jugendlicher. Auf vielen stand neben ihm eine ältere, freundlich wirkende Frau, die bestimmt seine Mutter war. Manchmal hatte sich ein großer, sonnengebräunter Mann mit dem Lächeln eines Geschäftsmannes zu ihnen gesellt, der wohl Yorks Vater war. Da er nur auf wenigen Fotos zu sehen war, nahm ich an, dass er die meisten selbst gemacht hatte.

Die späteren Aufnahmen zeigten ausschließlich Yorks Mutter, die zunehmend gebeugter und ausgezehrter wirkte. Auf dem jüngsten Foto stand sie mit einer jüngeren Version ihres Sohnes neben einem See, gebrechlich und grau, aber noch immer lächelnd.

Damit hörte die Bildersammlung auf.

Ich holte Gardner am Fuß der Treppe ein. Bisher hatte er den Anruf, den Tom in der Nacht zuvor erhalten hatte, noch nicht erwähnt. Ich war mir nicht sicher, ob es daran lag, dass er ihn für unwichtig hielt, oder ob er nur nicht anerkennen wollte, dass ich vielleicht etwas Nützliches getan hatte. Ich wollte jedoch nicht gehen, ohne die Sache anzusprechen.

«Hat Jacobsen Ihnen von dem Münztelefon erzählt?», fragte ich, als wir durch den Flur gingen.

«Hat sie. Wir überprüfen es.»

«Was ist mit Tom? Wenn er mit dem Anruf nach draußen gelockt werden sollte, könnte er noch immer in Gefahr sein.»

«Danke, dass Sie mich darauf hinweisen», sagte er mit kaltem Sarkasmus. «Ich werde es mir merken.»

Mir reichte es. Es war spät, und ich war müde. Ich blieb im Flur stehen. «Hören Sie, ich weiß nicht, was Ihr Problem ist, aber Sie haben mich gebeten, hierherzukommen. Ist es zu viel verlangt, wenigstens höflich zu sein?»

Gardner drehte sich um und sah mich finster an. «Ich habe Sie hergebeten, weil ich keine andere Wahl hatte, verdammt. Tom hat Sie in diese Ermittlung hineingezogen, nicht ich. Und entschuldigen Sie, wenn Ihnen mein Benehmen nicht gefällt, aber ich versuche, einen Serienmörder zu fassen, falls Sie es noch nicht bemerkt haben!»

«Ja, aber ich bin es nicht!», blaffte ich zurück.

Wir starrten uns an. Wir standen direkt von der geöffneten Eingangstür, durch die ich sehen konnte, dass sich die Beamten draußen zu uns umgedreht hatten.

Nach einem Moment holte Gardner tief Luft und schaute zu Boden. Er schien sich zu beruhigen, aber es fiel ihm sichtlich schwer.

«Zu Ihrer Information, ich habe sofort dafür gesorgt, dass Tom bewacht wird», sagte er mit mühsam kontrollierter Stimme. «Es ist eine reine Vorsichtsmaßnahme. Selbst wenn Sie recht haben mit dem Anruf, bezweifle ich, dass der Anrufer irgendetwas unternehmen wird, solange Tom in einem Krankenhausbett liegt. Trotzdem werde ich keine Risiken eingehen.»

Es war zwar nicht gerade eine Entschuldigung, aber ich konnte damit leben. Hauptsache, Tom war geschützt.

«Danke», sagte ich.

«Bitte schön.» Ich konnte nicht sagen, ob er witzig sein wollte oder nicht. «Wenn das alles ist, Dr. Hunter, lasse ich Sie jetzt zurück ins Hotel bringen.»

Ich wollte hinausgehen, doch ich hatte noch nicht einmal die erste Stufe erreicht, als jemand im Haus Gardner rief.

«Sir? Sie sollten sich das anschauen.»

Ein Beamter der Spurensicherung in einem verschmutzten Overall war aus einer Tür am Ende des Flurs gekommen. Gardner warf mir einen Blick zu, und ich wusste, was ihm durch den Kopf ging.

«Warten Sie noch.»

Er ging den Flur entlang und verschwand durch die Tür. Erst zögerte ich, dann folgte ich ihm. Ich wollte dort nicht wie ein Schuljunge vor dem Büro des Rektors stehen, bis Gardner entschied, ob er mich brauchte oder nicht.

Die Tür führte in die Garage. Die Luft roch nach Öl und Feuchtigkeit. An der Decke brannte eine nackte Birne, deren schwaches Glühen von dem grellen Licht einiger Scheinwerfer überstrahlt wurde. Die Garage war genauso vollgestellt wie der Rest des Hauses. Am Rand der leeren Betonfläche, auf der Yorks Wagen gestanden hatte, stapelten sich durchhängende Pappkartons, eine schimmelige Campingausrüstung und rostige Gartengeräte.

Gardner und der Beamte der Spurensicherung standen vor einem alten Aktenschrank aus Stahl. Eine der Schubladen war herausgezogen.

«… am Boden unter alten Magazinen», sagte der Mann gerade. «Zuerst dachte ich, es wären einfach Fotos, bis ich sie mir genauer angeschaut habe.»

Gardner starrte auf sie hinab. «Mein Gott.»

Er klang schockiert. Der Beamte der Spurensicherung sagte etwas, aber ich achtete nicht mehr darauf. Mittlerweile konnte ich bereits selbst sehen, was er gefunden hatte.

Es war eine flache, ungefähr DIN-A3-große Schachtel, wie sie für Fotopapier benutzt wird. Sie war geöffnet, und der

Beamte hatte die Handvoll Fotografien aufgefächert, die darin gewesen waren. Es waren schwarzweiße Porträts, Nahaufnahmen von den Gesichtern von Männern oder Frauen. Sie waren beinahe auf Lebensgröße vergrößert worden und so gestochen scharf, dass man jede einzelne Pore und jeden Makel genau erkennen konnte. Jedes Gesicht war verzerrt und düster, und auf den ersten Blick wirkten die Mienen beinahe komisch, so als wären die Personen jeweils einen Sekundenbruchteil vor einem Niesanfall aufgenommen worden. Aber nur, bis man ihre Augen sah.

Dann merkte man, dass die Fotografien alles andere als komisch waren.

Wir hatten immer vermutet, dass es mehr Opfer gab als diejenigen, von denen wir wussten. Diese Entdeckung bestätigte das. Es hatte York nicht gereicht, sie zu Tode zu foltern.

Er hatte sie auch beim Sterben fotografiert.

Gardner schien mich erst jetzt zu bemerken. Er warf mir einen durchdringenden Blick zu, doch die Rüge, die ich schon erwartete, erfolgte nicht. Ich glaube, er war selbst noch zu betroffen.

«Sie können jetzt gehen, Dr. Hunter.»

Ein wortkarger TBI-Agent brachte mich zurück zum Hotel, nachdem ich mich umgezogen hatte, doch diese schmerzverzerrten Gesichter verfolgten mich noch, als wir durch die dunklen Straßen fuhren. Sie waren auf eine Art verstörend, die schwer zu erklären war. Nicht nur durch das, was sie zeigten. Ich hatte den Tod schon in vielen Ausformungen gesehen. Ich hatte an Fällen gearbeitet, wo die Mörder Trophäen wie eine Haarlocke oder irgendeinen Kleidungsfetzen von ihren Opfern genommen hatten, perverse Erinnerungsstücke an die Leben, die sie zerstört hatten.

Aber dieser Fall war anders. York war kein durchgedrehter Mörder, der sich im Ausleben irgendwelcher abartiger Neigungen verlor. Er hatte uns die ganze Zeit an der Nase herumgeführt und die Ermittlung von Anfang an manipuliert. Selbst für seinen Abgang hatte er den perfekten Zeitpunkt gewählt. Und die Fotografien waren keine üblichen Trophäen. Sie waren mit einem Maß an Bedacht und Können aufgenommen worden, das von einer bewussten, klinischen Kälte zeugte. Von *Kontrolle*.

Und das machte sie umso erschreckender.

Eigentlich hätte ich nicht schon wieder duschen müssen, doch als ich zurück in mein Zimmer kam, tat ich es trotzdem. Nach dem Aufenthalt in Yorks Haus fühlte ich mich auf eine Weise schmutzig, die bis unter die Haut ging. Egal, ob es ein symbolischer Akt war oder nicht, das heiße Wasser half. So sehr, dass ich fast sofort einschlief, als ich das Licht ausschaltete.

Kurz vor sechs weckte mich ein penetrantes Klingeln. Noch halb im Schlaf tastete ich nach dem Wecker, bis mir klar wurde, dass das Geräusch vom Telefon kam.

«Hallo?», brummte ich benommen.

Die letzten Reste des Schlafes fielen von mir, als ich Pauls Stimme hörte.

«Schlechte Nachrichten, David», sagte er. «Tom ist in der Nacht gestorben.»

Das war haarscharf. Du wusstest, dass es nicht lange dauern würde, bis das TBI zum Haus kommt, aber du hast es erst in letzter Minute verlassen. Wenn du zu früh gegangen wärst, wäre ein großer Teil der Wirkung verloren gegangen. Zu spät, und … Tja, dann wäre alles in die Hose gegangen.

Schade, dass du nicht mehr Zeit gehabt hast. Du hasst es, wenn du gedrängt wirst und dich beeilen musst, aber es ging nicht anders. Du hast immer gewusst, dass es so weit kommen wird. Das Bestattungsunternehmen hatte seinen Zweck erfüllt. Du hast alles im Voraus geplant, du wusstest genau, was du mitnehmen musstest und was zurückbleiben sollte. Die Aufgabe hatte ein gutes Urteilsvermögen erfordert und eine gehörige Portion Disziplin. Aber das war in Ordnung.

Manchmal müssen Opfer gebracht werden.

Jetzt bist du fast bereit für die nächste Phase. Du musst nur Geduld haben. Es wird nicht mehr lange dauern. Dir steht nur noch eine schwierige Aktion bevor, um das letzte Puzzleteil einzufügen, dann ist das Warten vorbei.

Zugegeben, dir flattern ein wenig die Nerven, aber das ist auch gut so. Du darfst nicht selbstzufrieden werden. Wenn sich die Gelegenheit ergibt, musst du bereit sein, sie zu ergreifen. Du kannst es dir nicht erlauben, dir solche Chancen entgehen zu lassen. Das weißt du besser als jeder andere.

Dafür ist das Leben zu kurz.

KAPITEL 17

Am Ende hatten sich alle Vorkehrungen für Toms Sicherheit als zwecklos erwiesen. Ohne einen Grund zu nennen, hatte man die Ärzte und das Pflegepersonal der Uniklinik darauf hingewiesen, besonders wachsam zu sein, außerdem war ein TBI-Agent im Flur vor seinem Zimmer postiert worden. Niemand hätte ohne sein Wissen zu Tom gelangen können, und selbst wenn es jemand geschafft hätte, wäre noch Mary da gewesen, die während der ganzen Nacht nicht von seiner Seite gewichen war.

Keine dieser Maßnahmen hatte verhindern können, dass er um kurz nach vier Uhr am Morgen einen Herzstillstand erlitten hatte.

Die Ärzte hatten versucht, ihn wiederzubeleben, aber sein Herz hatte sich entschieden geweigert, wieder zu schlagen. *Stur bis zum Ende.* Der Gedanke geisterte mir ziellos durch den Kopf und wollte nicht verschwinden.

Ich fühlte mich betäubt und konnte noch nicht begreifen, was geschehen war. Nachdem ich mit Paul gesprochen hatte, hatte ich Mary angerufen und die üblichen, sinnlosen Worte von mir gegeben. Dann hatte ich auf dem Bett gesessen und nicht mehr gewusst, was ich tun sollte. Ich versuchte mir zu sagen, dass Tom wenigstens friedlich an der Seite seiner Frau gestorben war und dass ihm die Torturen erspart geblieben waren, die Irving höchstwahrscheinlich erlitten hatte. Aber das war ein schwacher Trost. Auch wenn York ihn nicht mit eigener Hand getötet hatte, war Tom sein Opfer. Krank oder nicht, er hatte ein Recht darauf gehabt, den Rest seines Lebens in Frieden zu verbringen, ganz gleich, wie lang das noch gewesen wäre.

Diese Möglichkeit hatte York ihm genommen.

Ich sah Yorks Gesicht vor mir, das vor falscher Unterwürfigkeit strahlte, als er an jenem Morgen in Steeple Hill überschwänglich Toms Hand geschüttelt hatte. *Dr. Lieberman, es ist mir eine Ehre, Sir … Ich habe viel über Ihre Arbeit gehört. Und natürlich von Ihrem Institut. Es ist eine Ehre für Tennessee.* Er musste schon damals über uns gelacht haben. Mit seinen grausigen Plänen im Kopf hatte er seine größere Schuld hinter den Missständen seines Unternehmens versteckt.

Ich kann mich nicht erinnern, jemals einen Menschen so gehasst zu haben wie York in diesem Augenblick.

Doch in meinem Hotelzimmer Trübsal zu blasen hätte weder Tom wieder lebendig gemacht noch geholfen, den Mann zu fassen, der ihn getötet hatte. Ich duschte, zog mich an und fuhr dann ins Leichenschauhaus. Es war noch früh am Morgen, als ich ankam. Meine Schritte hallten durch den leeren Gang. Die kalten, gefliesten Böden und Wände des Gebäudes wirkten noch abweisender als sonst. Ich hätte mich gefreut, ein vertrautes Gesicht zu sehen, doch Paul hatte mir erzählt, dass er zuerst weitere Besprechungen abhalten musste, und ich bezweifelte, dass Summer in der Verfassung sein würde, uns bei der Arbeit zu helfen, nachdem sie die Todesnachricht gehört hatte.

Immerhin war Kyle da. Er schob gerade einen Rollwagen durch den Gang, als ich aus dem Umkleideraum kam, und begrüßte mich so gut gelaunt wie immer.

«Hi, Dr. Hunter. Ich muss heute Morgen bei einer Autopsie helfen, aber wenn Sie danach Hilfe brauchen, sagen Sie einfach Bescheid.»

«Danke, das werde ich.»

Er blieb zögernd stehen. «Äh, kommt Summer auch noch?»

«Das weiß ich nicht, Kyle.»

«Ach so. Gut.» Er versuchte, seine Enttäuschung zu verbergen. «Wie geht es Dr. Lieberman?»

Obwohl ich vermutet hatte, dass sich die Nachricht noch nicht herumgesprochen hatte, hatte ich gehofft, dass er nicht fragen würde. Ich wollte nicht derjenige sein, der sie überbringen musste.

«Er ist letzte Nacht gestorben.»

Kyle machte ein langes Gesicht. «Er ist tot? Das tut mir leid, ich wusste nicht …»

«Woher sollten Sie auch.»

Ich konnte ihm ansehen, wie er nach Worten suchte. «Er war ein guter Mann.»

«Ja, das war er», stimmte ich zu. Es gab schlimmere Grabinschriften.

Als ich zum Autopsiesaal ging, versuchte ich, einen freien Kopf zu bekommen, um mich auf das konzentrieren zu können, was ich zu tun hatte. Aber in einer Umgebung, die ich vor allem mit Tom verband, war das unmöglich. Als ich an dem Saal vorbeikam, in dem Tom gearbeitet hatte, hielt ich inne und ging dann hinein.

Alles sah genau so aus wie am Tag zuvor. Das Skelett von Terry Loomis lag noch immer auf dem Aluminiumtisch, mittlerweile fast vollständig rekonstruiert. Es war ein Autopsiesaal wie jeder andere, nichts erinnerte mehr an Toms Anwesenheit. Doch als ich hinausgehen wollte, sah ich den

CD-Player auf dem Regal und den Stapel Jazz-CDs daneben. In dem Augenblick wurde es mir erst richtig klar.

Tom war tot.

Ich stand eine Weile da, während die unabänderliche Tatsache in mein Bewusstsein drang. Dann gab ich mir einen Ruck, ließ die schwere Tür hinter mir zufallen und ging in den Autopsiesaal, in dem die Knochen des Kleinganoven warteten.

Die Rekonstruktion und Untersuchung des Skeletts von Noah Harper hätte schon längst beendet sein sollen. Für die Verzögerung konnte niemand etwas, doch da die Aufgabe mir übergeben worden war, fühlte ich mich dafür verantwortlich. Jetzt war ich entschlossen, sie zu Ende zu bringen, auch wenn es bedeutete, die ganze Nacht durchzuarbeiten.

Außerdem kam mir die Ablenkung gerade recht.

Der Schädel und die größeren Knochen der Arme und Beine waren in ihrer ungefahren anatomischen Position auf dem Tisch angeordnet worden, der Rest war jedoch nur grob sortiert. Ich beabsichtigte, als Nächstes die Wirbelsäule zusammenzustellen, was vielleicht der komplizierteste Teil der Arbeit war. Das Rückgrat ist im Grunde eine Gelenkhülle, die die Nervenstränge in ihrer Mitte schützt. Es ist ein perfektes Beispiel für die Genialität der Natur, ein Wunder der biologischen Technik.

Doch in diesem Moment war ich nicht in der Stimmung, mich daran zu erfreuen. Beginnend mit dem Halswirbel, machte ich mich daran, vorsichtig die unregelmäßigen Knochengelenke wieder zusammenzufügen.

Ich kam nicht weit.

Die Halswirbel, die den Nacken bilden, sind kleiner als die Thorax- und Lendenwirbel des Rückens. Es sind insgesamt sieben Stück, die vom Schädel abwärts gezählt werden und jeweils genau in den oberen und unteren passen. Die ersten fünf setzte ich problemlos zusammen, doch als ich nach dem sechsten suchte, konnte ich ihn nicht finden.

Na los, Hunter, konzentrier dich. Verärgert ging ich erneut die restlichen Wirbel durch. Aber der einzige Halswirbel, den ich finden konnte, hatte die falsche Größe und Form. Es war eindeutig der siebte und nicht der sechste.

Einer fehlte.

Das war unmöglich. Noah Harpers Leiche war zwar stark verwest gewesen, als wir sie exhumiert hatten, aber vollständig erhalten. Wenn einer der Halswirbel gefehlt hätte, wäre es uns mit Sicherheit aufgefallen.

Wo war er also?

Mit einem seltsamen Gefühl der Gewissheit ging ich zu der Arbeitsplatte, auf der ein Mikroskop stand. Als ich ein kleines weißes Ding auf dem Objektträger sah, war ich nicht überrascht. Eigentlich hätte ich gleich draufkommen müssen. Die ganze Zeit hatte ich mich gefragt, was Tom hier getan hatte, als ihn der Herzanfall ereilt hatte.

Jetzt wusste ich es.

Das Bild war verschwommen, als ich durch das Okular schaute. Ich justierte die Brennweite, bis der Wirbel gestochen scharf zu sehen war. Er war so zart gerieffelt und gezackt wie eine Koralle, seine poröse Oberfläche wirkte in der Vergrößerung wie durchlöchert.

Und die Haarrisse sahen so tief wie Felsspalten aus.

Ich richtete mich auf und nahm den kleinen Knochen vom Objektträger. Für das normale Auge waren die Frakturen fast unsichtbar. Es waren zwei Risse, einer auf jeder Lamina, der dünnen Knochenbrücke, die den eigentlichen Wirbel mit seinem noch zarteren Nervengang verbindet.

Ich legte den Wirbel auf die Arbeitsplatte und ging zurück

in den Autopsiesaal, in dem Tom gearbeitet hatte. Plötzlich war ich merkwürdig klar im Kopf. Ich ging geradewegs zum Skelett von Terry Loomis, nahm den sechsten Halswirbel vom Untersuchungstisch und hielt ihn ins Licht. Die Frakturen auf den Laminae waren noch schlechter zu erkennen als bei dem Wirbel, den ich mir gerade angeschaut hatte. Doch auch in diesem Fall waren sie vorhanden.

Das war es also. Anstatt zufrieden zu sein, kam Traurigkeit in mir auf. Es war Toms Entdeckung, nicht meine. Ich zog mein Telefon hervor und rief Paul an.

«Ich weiß jetzt, wie sie ermordet wurden.»

«Also definitiv Erdrosselung.»

Paul betrachtete leidenschaftslos den Wirbel, den er in der Hand hielt. Wir waren in Toms Autopsiesaal. Ich hatte ihm bereits die Frakturen im sechsten Halswirbel von Noah Harper gezeigt, bevor ich ihn hierhergebracht hatte, damit er sich die übereinstimmenden Haarrisse im Wirbel von Terry Loomis anschauen konnte.

«Ich wüsste nicht, was diese präzisen Brüche sonst verursacht haben könnte», sagte ich. Auch ein Schlag auf den Nacken hätte den Wirbel brechen können, das Ausmaß der Beschädigung wäre aber viel größer gewesen. Und die Chancen, dass eine stumpfe Gewalteinwirkung bei zwei Opfern beinahe identische Verletzungen verursacht hatte, waren äußerst gering. Nein, die Frakturen waren das Resultat einer wesentlich konzentrierteren und vor allem kontrollierten Einwirkung.

Eine Beschreibung, die auch auf York zuzutreffen schien.

«Wenigstens wissen wir jetzt mit Sicherheit, wie die Zahnverfärbung bei Loomis und Harper zustande gekommen ist», sagte Paul zustimmend. «Und es erklärt, was Tom in dem anderen Autopsiesaal getan hat. Er hat die Risse in Loomis'

Halswirbel entdeckt und wollte nachschauen, ob sie auch bei Harper zu finden waren. Siehst du das auch so?»

«Mehr oder weniger.» Und als er den Wirbel unter dem Mikroskop untersucht hatte, hat ihn York angerufen. Was für eine tragische Ironie.

Paul legte den Knochen behutsam ab. «Gott, es ist zum Heulen.»

Er klang so erschöpft, wie er aussah. Toms Tod hatte ihn schwer getroffen, und der falsche Alarm mit Sams Wehen hatte ihm auch zugesetzt. Auf meinen Anruf hin hatte er ein Institutstreffen abgebrochen, und als er hereingekommen war, hatte ich ihm die Anstrengungen der letzten Tage angesehen. Er hatte tiefe Falten um die Augen und sich offenbar so hastig rasiert, dass an manchen Stellen seines blassen Kinns schon wieder dunkle Stoppeln wuchsen.

Er versuchte, ein Gähnen zu unterdrücken. «Entschuldige.»

«Willst du einen Kaffee?», fragte ich.

«Später.» Er bemühte sich, sich zusammenzureißen. «Was ist mit den Halswirbeln der Überreste aus dem Wald? Hast du die auch schon überprüft?»

«Ja, als ich auf dich gewartet habe. Zwei Wirbel fehlen, aber der Rest ist unbeschädigt. Einschließlich des sechsten», berichtete ich ihm. Das war keine Überraschung. Willis Dexter war bei einem Autounfall gestorben und nicht ermordet worden wie Noah Harper und Terry Loomis.

«Bei beiden Opfern wurde also ein gleichmäßiger Druck auf den Hals ausgeübt, der kräftig genug war, um feine Haarrisse auf den Laminae des sechsten Wirbels zu verursachen, ohne das Zungenbein zu brechen.» Paul hob seine Hände und betrachtete sie. «Kannst du dich erinnern, wie groß Yorks Hände waren?»

«Nicht groß genug dafür.» Das Einzige, was mir von Yorks

Händen wirklich in Erinnerung geblieben war, waren die Nikotinflecken auf den Fingern. Aber sowohl Loomis als auch Harper waren erwachsene Männer gewesen. Man hätte eine riesige Handspanne gebraucht, um die Finger so weit um den Hals zu legen, dass beim Zudrücken Frakturen im Halswirbel entstanden. Und dabei wäre bestimmt auch das Zungenbein gebrochen.

«Höchstwahrscheinlich hat er sie nicht mit den Händen erwürgt, sondern eine Schnur oder eine Garrotte benutzt», sagte Paul. «Jedenfalls muss er etwas bei beiden Opfern an exakt der gleichen Stelle um den Hals gebunden haben, sonst wäre nicht jedes Mal der gleiche Wirbel auf identische Art beschädigt worden. Allerdings wird man schwer feststellen können, was genau er benutzt hat», meinte Paul nachdenklich.

«Tom hat es herausgefunden.»

Er schaute mich überrascht an. «Tatsächlich?»

«Erinnerst du dich, was er zu Mary gesagt hat, als er ins Krankenhaus eingeliefert wurde? *Spanisch.* Damals wussten wir nicht, was er damit meinte.»

Es war ein weiteres Zeichen für Pauls Müdigkeit, dass er eine Weile brauchte, bis er die Verbindung hergestellt hatte. «Spanische *Schlinge.* Mein Gott, da hätte ich gleich draufkommen müssen.»

Ich auch. Bei einer bedrohlichen Blutung oder Abtrennung eines Beines knotet man als Erste-Hilfe-Maßnahme eine Bandage oder ein Stück Stoff um den Oberschenkel, schiebt einen Stab dazwischen und dreht ihn herum. Das ist die sogenannte Spanische Schlinge. Im Grunde handelt es sich um eine improvisierte Aderpresse, die je nach Bedarf enger gezogen oder gelockert werden kann. Eine einfache Vorrichtung, die unzählige Leben gerettet hat.

Aber nicht auf die Weise, wie York sie benutzt hatte.

Ich musste an die Fotografien denken, die das TBI in Yorks Garage gefunden hatte. An die gequälten Mienen seiner Opfer, an ihre dunklen und angeschwollenen Gesichter, in denen das Blut stockte, während York die Schlinge immer mehr zuzog und sie langsam, aber sicher erwürgte.

Und sie dabei fotografierte.

Ich verdrängte die Bilder schnell wieder. «York ist vielleicht nicht einmal klar gewesen, dass er irgendeinen sichtbaren Beweis zurücklässt. Er konnte unmöglich wissen, dass die Laminae beschädigt worden sind. Und selbst wenn ihm die rosa verfärbten Zähne aufgefallen sind, war ihm die Bedeutung wahrscheinlich gar nicht bewusst. Das ist ein ziemlich seltenes Phänomen.»

«Das alles führt uns zurück zu dem Blut in der Hütte», sagte Paul. «Loomis wurde erdrosselt, es kann also unmöglich nur von ihm stammen. Woher kommt es dann?»

«Vielleicht auch so ein Spiel von York?», überlegte ich laut. Irgendwann würde uns die DNA-Analyse Gewissheit verschaffen, ich hatte aber bereits eine Vermutung zur Herkunft des Blutes.

Wenn ich recht hatte, mussten wir vielleicht nicht warten, bis die Testergebnisse endlich vorlagen.

Paul zuckte müde mit den Achseln. «Ich habe vorhin mit Gardner gesprochen. Er hat es zwar nicht richtig zugegeben, aber er nimmt deine Theorie über Tom anscheinend ziemlich ernst. Auf jeden Fall kann das TBI nicht ausschließen, dass York es jetzt, wo Tom tot ist, auf ein anderes Mitglied aus dem Ermittlungsteam abgesehen hat.»

Darauf hätte ich wohl auch kommen müssen, aber irgendwie war ich zu sehr damit beschäftigt gewesen, was mit Tom geschehen war, um den Gedanken bis zu seinem logischen Schluss zu verfolgen.

«Und was hat Gardner nun vor?»

«Abgesehen davon, die Leute zur Vorsicht zu ermahnen, kann er nicht viel tun», sagte Paul. «Er kann nicht jeden unter Polizeischutz stellen, und selbst wenn er es wollte, würde ihm das Personal dazu fehlen.»

«Ich betrachte mich als gewarnt.»

Er lächelte, aber es wirkte humorlos. «Es wird immer besser, was? Von so einer Forschungsreise kann man nur träumen.»

In der Tat, aber ich war trotzdem froh, dass ich gekommen war. Ich hätte die Gelegenheit nicht missen wollen, mit Tom zusammenzuarbeiten, unabhängig davon, wie sich die Situation entwickelt hatte.

«Bist du beunruhigt?», fragte ich.

Paul strich sich mit einer Hand über seine Bartstoppeln. «Eigentlich nicht. Bisher hatte York das Überraschungsmoment auf seiner Seite, das ist nun vorbei. Ich bin natürlich vorsichtig, aber ich werde jetzt nicht ständig auf der Hut davor sein, dass irgendein Irrer hinter mir her ist.»

«Mit der Zeit gewöhnt man sich daran», sagte ich.

Er starrte mich erschrocken an, dann brach er in Lachen aus. «Ja, wahrscheinlich.» Er wurde wieder ernst. «Hör zu, David, wenn du dich verabschieden willst, wird es dir niemand verübeln. Diese Sache ist nicht dein Problem.»

Ich wusste, dass er es gut meinte, die Erinnerung fühlte sich dennoch wie eine Ohrfeige an. «Das war vielleicht am Anfang so. Aber jetzt ist es auch meins geworden.»

Paul nickte, schaute dann auf seine Uhr und verzog das Gesicht. «Tut mir leid, aber ich muss los. Die nächste verfluchte Institutsbesprechung. In ein paar Tagen kehrt bestimmt ein wenig Ruhe ein, aber im Moment müsste ich ständig an zwei Orten gleichzeitig sein.»

Nachdem die Tür hinter ihm zufiel, schien mich die Stille im Autopsiesaal zu erdrücken. Ich schaute auf das teilweise rekonstruierte Skelett, das auf dem Untersuchungstisch wartete, und dachte an Tom.

Dann machte ich mich wieder an die Arbeit.

Ich arbeitete noch länger, als ich vorgehabt hatte. Teilweise, weil ich die verlorene Zeit aufholen wollte, aber auch, weil der Gedanke, den Abend allein im Hotel zu verbringen, nicht gerade reizvoll war. Solange ich beschäftigt war, konnte ich mich von der Tatsache ablenken, dass Tom tot war.

Aber das war nicht alles, was mir zu schaffen machte. Das Gefühl der Beklemmung, das nach Pauls Besuch in mir aufgekommen war, wollte nicht verschwinden. Ich war seltsam empfindlich geworden. Der typische chemische Gestank der Leichenhalle war mit einem undefinierbaren biologischen Geruch unterlegt, der an ein Schlachthaus erinnerte. Die weißen Fliesen und die Metallflächen schimmerten kalt im grellen Licht. Aber am meisten bedrückte mich die Stille. In der Ferne brummte ein Generator, was ich aber eher spürte als hörte, und irgendwo tropfte ein Wasserhahn. Doch abgesehen davon war kein Geräusch zu hören. Normalerweise bemerkte ich die Stille nicht einmal.

Jetzt spürte ich sie überall um mich herum.

Natürlich wusste ich ganz genau, was der Grund dafür war. Bis Paul es ausgesprochen hatte, hatte ich keine Sekunde die Möglichkeit in Erwägung gezogen, dass York es auf ein anderes Mitglied des Ermittlungsteams abgesehen haben könnte. Meine Sorge hatte allein Tom gegolten, und selbst nach dem, was mit Irving geschehen war, hatte ich blindlings angenommen, dass nur er bedroht war. Aber es war naiv, zu glauben, dass York mit Toms Tod aufhören würde.

Er würde einfach seine Prioritäten verlagern und weitermachen.

Paul war bisher kaum an der Ermittlung beteiligt gewesen, es gab jedoch eine Menge anderer Leute, die Yorks augenscheinlichen Appetit auf öffentlichkeitswirksame Opfer befriedigen könnten. Ich war nicht so arrogant, dass ich mich dazuzählte. Trotzdem ertappte ich mich zum ersten Mal seit Tagen dabei, wie ich mit einer Hand unter den OP-Kittel fuhr und das Narbengewebe auf meinem Bauch abtastete.

Es war nach zehn Uhr, als ich aufhörte zu arbeiten. Bei der Untersuchung der Knochen von Noah Harper hatte ich keine weiteren wichtigen Erkenntnisse gewonnen, aber damit hatte ich auch nicht gerechnet. Die Frakturen im Halswirbel hatten genug erzählt. Ich zog mich um und ging hinaus in den Hauptgang des Leichenschauhauses. Ich schien das Gebäude für mich allein zu haben. Kyle war nicht zu sehen, er hatte seine Schicht wahrscheinlich längst beendet. An einer Stelle war der Gang düster, weil eine Leuchtstoffröhre ausgefallen war. Unter der Tür eines der Büros sickerte ein schmaler Lichtstrahl hervor. Als ich daran vorbeiging, ertönte drinnen eine Stimme.

«Wer ist da?»

Ich erkannte das schlechtgelaunte Geblaffe sofort und wusste, dass es am klügsten wäre, einfach weiterzugehen. Nichts, was ich sagen könnte, würde etwas verändern. Es würde Tom nicht wieder lebendig machen. *Lass es sein. Es lohnt sich nicht.*

Ich öffnete die Tür und ging hinein.

Hicks saß hinter dem Schreibtisch und wollte gerade eine Schublade schließen, hielt aber inne, als er mich sah. Seit der Auseinandersetzung auf dem Friedhof waren wir einander nicht mehr begegnet. Für einen Augenblick sprach keiner von uns. Die Lampe warf einen schwachen Lichtschein auf den Schreibtisch, der Rest des kleinen Büros war finster. Der Pathologe starrte mich mürrisch aus dem Halbdunkel an.

«Ich dachte, Sie wären einer der Sektionsgehilfen», brummte er. Vor ihm stand ein Glas, das halb voll mit einer dunklen Flüssigkeit war. Vermutlich hatte ich ihn dabei gestört, die Flasche wegzustellen.

Ich war mit der Absicht in das Büro gegangen, Hicks die Meinung zu sagen. Doch als ich ihn sah, wie er da zusammengesackt hinter seinem Schreibtisch saß, verging mir die Lust auf eine Konfrontation. Ich drehte mich um und wollte gehen.

«Warten Sie.»

Die Lippen des Pathologen bewegten sich, als würde er ihm fremde Worte ausprobieren, bevor er sie aussprach.

«Es tut mir leid. Die Sache mit Lieberman.» Er musterte die Schreibtischunterlage und malte mit einem dicken Zeigefinger ein abstraktes Muster darauf. Als ich bemerkte, wie schmuddelig und zerknittert sein cremefarbener Anzug war, wurde mir klar, dass er ihn jedes Mal getragen hatte, wenn ich ihn gesehen hatte. «Er war ein guter Mann. Wir kamen nicht immer miteinander aus, aber er war ein guter Mann.»

Ich sagte nichts. Wenn er versuchte, sein schlechtes Gewissen zu erleichtern, wollte ich ihm nicht dabei helfen.

Aber das schien er auch nicht von mir zu erwarten. Er nahm das Glas und starrte trübsinnig hinein.

«Ich mache diesen Job jetzt seit dreißig Jahren, und wissen Sie, was das Schlimmste daran ist? Jedes Mal, wenn jemand an der Reihe ist, den man kennt, macht es einen wieder fassungslos.»

Er schob seine Lippen vor, als würde er sich diese Feststellung durch den Kopf gehen lassen. Dann erhob er das Glas und leerte es. Leise stöhnend beugte er sich hinab, öffnete die Schublade und brachte eine fast volle Flasche Bourbon zum Vorschein. Einen schrecklichen Moment lang dachte ich, er wollte mir einen Drink anbieten und einen rührseligen Toast auf Tom ausbringen. Doch er füllte nur sein Glas nach und legte die Flasche zurück in die Schublade.

Ich stand da und war gespannt, was er noch zu sagen hatte, aber er starrte nur ins Leere, als hätte er vergessen, dass ich da war, oder als wünschte er, ich wäre nicht da. Welches Bedürfnis auch immer ihn dazu veranlasst hatte, etwas zu sagen, schien sich erschöpft zu haben.

Ich ließ ihn allein.

Die Begegnung verwirrte mich. Die bequemen Schwarz-weißkategorien, nach denen ich Hicks beurteilt hatte, waren brüchig geworden. Ich fragte mich, wie viele Nächte er schon allein in seinem Büro gesessen hatte, ein einsamer Mann, dessen Leben, abgesehen von seiner Arbeit, leer war.

Ein unangenehmer Gedanke.

Als ich das Leichenschauhaus verließ und zu meinem Wagen ging, konnte ich den Verlust Toms wie einen handfesten Schmerz in meiner Brust spüren. Die Nacht war kälter als üblich, und die feuchte Luft erinnerte daran, dass der Winter noch nicht lange her war. Meine Schritte hallten von den dunklen Gebäuden wider. Krankenhäuser sind nie vollständig verlassen, aber wenn die Besuchszeiten vorbei sind, können sie sehr einsame Orte sein. Und Leichenschauhäuser liegen stets abseits der öffentlichen Blicke.

Bis zum Parkplatz war es nicht weit, und ich hatte meinen Wagen an einer offenen, gut beleuchteten Zone in der Mitte abgestellt. Aber auf dem Weg dorthin geisterte mir Gardners Warnung durch den Kopf. Was bei Tageslicht sicher erschienen war, wirkte jetzt völlig anders. Hauseingänge sahen aus wie dunkle Löcher, die Grünflächen, die ich bei Sonnenschein schätzte, waren nun undurchdringliche schwarze Flecken.

Ich achtete darauf, gleichmäßig und ruhig zu gehen, und weigerte mich, dem Urbedürfnis nachzugeben und loszulaufen, doch ich war froh, als ich meinen Wagen erreichte. Schon ein paar Schritte davor holte ich meine Schlüssel hervor und entriegelte ihn. Als ich die Tür öffnete, fiel mir etwas auf der Windschutzscheibe auf.

Unter einen der Scheibenwischer war ein Lederhandschuh geklemmt worden, dessen Finger sich auf dem Glas spreizten. Wahrscheinlich hatte ihn jemand am Boden gefunden und dorthin gesteckt, damit sein Besitzer ihn sehen konnte, dachte ich, als ich um die Tür herumging, um ihn wegzunehmen. Eine innere Stimme versuchte mich zu warnen, dass es die falsche Jahreszeit für Handschuhe war, aber da hatte ich ihn bereits berührt.

Er fühlte sich kalt und schmierig an und war viel zu dünn für Leder.

Ich zog hastig meine Hand zurück und wirbelte herum. Vor mir lag nur der finstere und leere Parkplatz. Kein Geräusch war zu hören. Mit rasendem Herzen wandte ich mich wieder dem Gegenstand auf der Windschutzscheibe zu. Es war kein Handschuh, das wusste ich jetzt. Und es war auch kein Leder.

Es war menschliche Haut.

KAPITEL 18

Gardner beobachtete, wie der Beamte der Spurensicherung den Scheibenwischer anhob und den Hautfetzen vorsichtig mit einer Pinzette entfernte. Er und Jacobsen waren vor zwanzig Minuten gekommen, begleitet von einem großen Kastenwagen, in dem sich das mobile Labor der Spurensicherung des TBI befand. Die Beamten hatten vor meinem Wagen Scheinwerfer aufgestellt und den gesamten Platz abgesperrt.

«Sie hätten das nicht anfassen dürfen», sagte Gardner nicht zum ersten Mal.

«Wenn ich gewusst hätte, was es ist, hätte ich es auch nicht angefasst.»

Anscheinend hatte man mir meine Verärgerung anmerken können. Jacobsen, die neben Gardner stand, wandte ihren Blick vom Team der Spurensicherung, das den Wagen nach Fingerabdrücken untersuchte, und sah mich leicht besorgt an. Zwischen ihren Augenbrauen war wieder die kleine Falte zu sehen, sie sagte aber nichts.

Auch Gardner schwieg. Er hatte einen großen Umschlag mitgebracht, bisher aber noch nicht verraten, was darin war. Ausdruckslos schaute er zu, wie ein Beamter die Haut vorsichtig in einen Beweisbeutel steckte. Es war nicht das Team, mit dem ich bisher zu tun gehabt hatte. Ich fragte mich, ob Jerry und seine Kollegen an anderer Stelle gebraucht wurden oder diese Nacht einfach freihatten. Im Grunde spielte es keine Rolle, aber es war bequemer, darüber nachzudenken, als sich zu fragen, was diese Entwicklung bedeuten könnte.

Der Beamte kam mit dem Beutel zu uns und hielt ihn hoch, damit Gardner den Inhalt besser sehen konnte.

«Tatsächlich menschliche Haut.»

Das hätte er mir nicht sagen müssen. Die Haut war dunkelbraun und beinahe durchsichtig. Jetzt war klar, dass das Stück für einen Handschuh zu ungleichmäßig war, aber der Irrtum war verständlich. Ich hatte so etwas schon oft genug gesehen.

Nur nicht an der Windschutzscheibe meines Wagens.

«Bedeutet das, York hat seine Opfer gehäutet?», fragte Jacobsen. Sie bemühte sich, ungerührt zu erscheinen, doch selbst sie hatte ihre Gelassenheit verloren.

«Das glaube ich nicht», entgegnete ich. «Darf ich?»

Ich streckte meine Hand nach dem Beweisbeutel aus. Der Beamte der Spurensicherung wartete, bis Gardner zustimmend nickte, ehe er ihn mir gab.

Ich hielt ihn ins Licht. Die Haut war an einigen Stellen gesprungen und gerissen, vor allem auf der Rückseite, hatte aber eine handähnliche Form behalten. Sie war weich und geschmeidig und hatte die Innenseite des Beutels mit einem fettigen Rückstand verschmiert.

«Sie ist nicht abgezogen worden», erklärte ich. «Dann wäre sie nämlich glatt wie Leder. Diese Haut ist zwar an manchen Stellen eingerissen, aber noch mehr oder weniger ganz. Ich glaube, sie hat sich in einem Stück von der Hand abgelöst.»

Weder Gardner noch der Beamte der Spurensicherung sahen überrascht aus, doch Jacobsen schien nicht zu verstehen.

«Abgelöst?»

«Die Haut rutscht nach ein paar Tagen von allein von einer

Leiche. Besonders an den Extremitäten wie dem Kopf und den Füßen. Und den Händen.» Ich hielt den Beweisbeutel hoch. «Ich bin mir ziemlich sicher, dass wir es mit einer solchen abgeworfenen Haut zu tun haben.»

Als sie auf den Beutel starrte, war von ihrer üblichen Reserviertheit nichts mehr zu spüren. «Sie meinen, sie ist von einer Leiche gefallen?»

«Mehr oder weniger.» Ich wandte mich an den Beamten der Spurensicherung, der mit mürrischer Miene zugeschaut hatte. «Würden Sie zustimmen?»

Er nickte. «Und zum Glück ist sie schön weich. Das erspart uns das Einweichen, bevor wir die Fingerabdrücke nehmen.»

«Davon kann man Fingerabdrücke nehmen?»

«Klar. Eigentlich ist abgeworfene Haut ausgetrocknet und spröde und muss erst in Wasser eingeweicht werden. Dann zieht man sie wie einen Handschuh über und macht ganz normal Abdrücke.»

Er hob seine Hand und bewegte die Finger, um es zu veranschaulichen.

«Lass dich nicht aufhalten, Deke», sagte Gardner. Der Beamte senkte leicht beschämt seine Hand und ging zurück zum Wagen. Gardner klopfte sich mit dem Umschlag gegen das Bein. Er schaute mich beinahe wütend an. «Und? Wollen Sie es sagen oder soll ich?»

«Was sagen?», fragte Jacobsen.

Gardner presste seine Lippen zusammen. «Sagen Sie es ihr.»

«Wir haben uns die ganze Zeit gefragt, wie es York geschafft hat, Fingerabdrücke seiner Opfer an den Tatorten zu hinterlassen, nachdem sie schon Monate tot waren», sagte ich, als sie sich an mich wandte. Ich deutete zum Wagen. «Jetzt wissen wir es.»

Jacobsens Stirnfalte verschwand. «Sie meinen, er hat die Haut ihrer Hände benutzt? Und sie wie Handschuhe angezogen?»

«Bisher habe ich noch nie gehört, dass diese Methode benutzt wurde, um Fingerabdrücke *vorsätzlich* zu hinterlassen, aber in diesem Fall sieht es danach aus. Das ist wahrscheinlich auch der Grund dafür, dass Noah Harpers Leiche so stark verwest war. York wollte die Haut seiner Hände, bevor er sie mit der Leiche von Willis Dexter vertauscht hat.»

Und dann hatte er ein paar weitere Tage gewartet, ehe er zurück in den Wald gegangen war, um auch die abgeworfene Haut von Dexters Händen einzusammeln. Da sich die Aasfresser an der gesamten Leiche laben konnten, hatten sie sich nicht um einen Fetzen trockener Haut gekümmert. Und wenn sie die Haut gefressen hätten …

Dann hätte er einfach die von jemand anderem benutzt.

Es ärgerte mich, dass ich nicht früher darauf gekommen war. Dabei hatte mir mein Unterbewusstsein immer wieder einen Hinweis geben wollen. Jedes Mal, wenn ich die Latexhandschuhe ausgezogen und meine verschrumpelten Hände gesehen hatte, hatte sich dieses Déjà-vu-Gefühl eingestellt, doch ich hatte es ignoriert. Tom hatte recht gehabt. Er hatte mir gesagt, ich sollte mehr auf meine Instinkte hören.

Ich hätte auch auf ihn hören sollen.

Jacobsen nahm den Beweisbeutel in die Hand. Sie betrachtete den Inhalt mit einer Mischung aus Ekel und Faszination.

«Deke sagte, die Haut wäre nicht ausgetrocknet. Bedeutet das, dass sie von einem erst kürzlich Verstorbenen stammt?»

Ich vermutete, dass sie an Irving dachte. Obwohl es noch niemand ausgesprochen hatte, war uns allen klar, dass der Profiler mittlerweile tot sein musste. Doch selbst wenn er sofort getötet worden wäre, hätte sich die Haut von seiner Leiche bis zu diesem Zeitpunkt noch nicht abgelöst. Dieser Vorgang dauerte wesentlich länger.

«Das bezweifle ich», sagte ich. «Es sieht so aus, als wäre sie eingefettet worden, um sie haltbar und geschmeidig zu machen.»

Das brachte mich auf einen Gedanken. Ich schaute hinüber zum Wagen. Dort, wo die Haut auf der Windschutzscheibe gelegen hatte, waren jetzt Fettflecken zu sehen.

«Babyöl.»

Gardner und Jacobsen starrten mich an.

«Bei dem Fingerabdruck auf dem Filmbehälter in der Hütte sind Rückstände von Babyöl festgestellt worden», sagte ich. «Irving hielt das für einen Beweis, dass die Morde sexuell motiviert sind, aber das stimmt nicht. York hat Babyöl benutzt, um die abgeworfene Haut geschmeidig zu halten. Die natürlichen Fette trocknen aus, und er wollte, dass die Fingerabdrücke schön deutlich sind. Deshalb hat er die Haut wie altes Leder eingefettet.»

Ich musste an Irvings spöttische Bemerkung denken. *Wenn der Mörder keine Vorliebe für Feuchtigkeitscremes hat …?* Er war der Wahrheit näher gekommen, als er wusste.

«Wenn York die Fingerabdrücke seiner Opfer sammelt, warum hat er dann nicht auch die Haut von Terry Loomis' Händen mitgenommen?», wollte Jacobsen wissen. «Bei der Leiche in der Hütte war die Haut noch da.»

«Wenn sie nicht da gewesen wäre, hätten wir gleich vermutet, was vor sich geht», sagte Gardner schroff, als würde er sich Vorwürfe machen. «York wollte selbst bestimmen, wann er uns wissen lässt, was er getan hat.»

Ich beobachtete, wie die Beamten der Spurensicherung auf der Suche nach Fingerabdrücken einen weiteren Abschnitt des Wagens pinselten. Sie arbeiteten äußerst gründlich. Hoffentlich lohnte es sich auch.

«Und warum jetzt?», fragte ich.

Gardner schaute Jacobsen an. Sie zuckte mit den Achseln. «Er prahlt wieder und lässt uns wissen, dass er keine Angst davor hat, gefasst zu werden. Offenbar glaubt er, dass uns unsere Erkenntnisse nicht weiterbringen werden. Früher oder später hätten wir sowieso herausgefunden, wie er vorgegangen ist. Auf diese Weise behält er die Kontrolle.»

Die andere Frage blieb unausgesprochen. *Warum ich?* Doch ich befürchtete, dass ich die Antwort darauf bereits kannte.

Gardner schaute hinab auf den Umschlag in seiner Hand. Er schien eine Entscheidung getroffen zu haben. «Diane wird Sie ins Hotel fahren. Bleiben Sie dort, bis ich anrufe. Lassen Sie niemanden in Ihr Zimmer. Wenn jemand Zimmerservice sagt, vergewissern Sie sich, dass es ein Hotelangestellter ist, bevor Sie die Tür öffnen.»

«Was ist mit meinem Wagen?»

«Wir geben Ihnen Bescheid, wenn wir damit fertig sind.» Er wandte sich an Jacobsen. «Diane, ich muss Sie kurz sprechen.»

Die beiden gingen außer Hörweite. Nur Gardner sprach. Ich sah, wie Jacobsen nickte, als er ihr den Umschlag gab. Mittlerweile war ich kaum noch neugierig auf den Inhalt.

Ich schaute zurück zu den weißgekleideten Gestalten, die an meinem Wagen arbeiteten. Das feine Puder, das sie benutzten, um Fingerabdrücke sichtbar zu machen, hatte dem Lack seinen Glanz genommen, sodass der Wagen selbst wie tot aussah.

Ich hatte einen bitteren Geschmack im Mund, als ich ihnen zuschaute. Mit dem Daumen fuhr ich über die Narbe in meiner Hand. *Gib es zu. Du hast Angst.*

Ich war schon einmal verfolgt und beinahe ermordet worden. Nach Knoxville war ich in der Hoffnung gekommen, das alles hinter mir zu lassen.

Und jetzt geschah es erneut.

Als Jacobsen mich ins Hotel fuhr, begann es zu regnen. Dicke Tropfen platschten in unregelmäßigen Güssen gegen die Windschutzscheibe, sodass die Scheibenwischer kaum dagegen ankamen. Im Zentrum waren die Straßen und Bars noch belebt. Die Lichter und vielen Leute stellten eine Erleichterung dar, aber ich fühlte mich von dieser Normalität ausgeschlossen. Ich hatte den Eindruck, dass mich nicht nur die Fenster des Wagens von der Außenwelt trennten. Und die Sicherheit im Inneren des Wagens war auch nur eine Illusion.

Anders als sonst nahm ich Jacobsens Verschlossenheit kaum wahr. Erst als sie schließlich zu sprechen begann, wurde ich wieder ins Hier und Jetzt gezogen.

«Dan meint, dass Loomis und Harper mit einer Art Binde erdrosselt worden sind», sagte sie.

Diese Gesprächseinleitung überraschte mich. «Wahrscheinlich mit einer sogenannten Spanischen Schlinge. Eine Art Aderpresse», erklärte ich.

«Das passt zu dem, was wir über York wissen. Ihm gefällt die Macht, die er damit ausüben kann. Buchstäblich die Macht über Leben und Tod. Und es befriedigt ihn wesentlich mehr, als jemanden sofort zu töten. Mit einer solchen Schlinge kann er den Prozess kontrollieren und genau bestimmen, wann er genug Druck ausübt, um seine Opfer zu töten.»

Sie warf mir einen Blick zu.

«Tut mir leid, das war nicht sehr taktvoll.»

Ich zuckte mit den Achseln. «Schon in Ordnung. Ich habe

gesehen, was York anrichtet. Ich werde mich von seinen Spielchen nicht verrückt machen lassen.»

«Glauben Sie, dass es ihm heute Abend darum ging?»

«Wenn er ernsthaft hinter mir her wäre, warum warnt er mich dann vorher?» Doch schon, als ich das sagte, wurde mir klar, dass ich bereits einmal einer Mörderin begegnet war, die genau das getan hatte.

Jacobsen war auch nicht überzeugt. «York will wieder die Oberhand gewinnen. Für einen Narzissten wie ihn war die Sache mit Dr. Lieberman bestimmt ein gewaltiger Gesichtsverlust. Als Ausgleich dafür fordert seine Selbstachtung ein noch spektakuläreres Vorgehen. Sein nächstes Opfer vorher zu warnen könnte so etwas sein.»

«Ich verstehe trotzdem nicht, warum es York auf mich abgesehen haben soll. Tom und Irving waren bekannte Leute. Warum sollte er plötzlich hinter einem Fremden her sein, von dem hier noch niemand gehört hat? Das ergibt keinen Sinn.»

«Für ihn vielleicht doch.» Ihre Miene war todernst geworden. «Er hat Sie gemeinsam mit Dr. Lieberman erlebt, vergessen Sie das nicht. Und Sie sind Brite, ein Gast des Instituts. York glaubt vielleicht, dass er mit Ihnen größeres Aufsehen erregen könnte als mit einem Einheimischen.»

Daran hatte ich noch nicht gedacht. «Wahrscheinlich sollte ich mich geschmeichelt fühlen», entgegnete ich. Ich hatte versucht, es wie einen Witz klingen zu lassen.

Dieses Mal wurde ich aber nicht mit einem Lächeln belohnt. «Meiner Meinung nach sollten Sie es nicht auf die leichte Schulter nehmen.»

Das tue ich auch nicht, glaube mir. «Darf ich Sie etwas fragen?» Ich wollte das Thema wechseln. «Wissen Sie vom Labor schon Neues über die Blutproben aus der Hütte?»

Es verging ein Augenblick, ehe sie antwortete. «Eine vollständige DNA-Analyse braucht Wochen.»

Danach hatte ich nicht gefragt, aber ihr Ausweichen sagte mir, dass ich auf der richtigen Spur war. «Ja, aber mittlerweile müsste man schon herausgefunden haben, ob es menschliches Blut war oder nicht.»

Zu jeder anderen Zeit hätte ich ihre Überraschung genossen. «Woher wissen Sie das?»

«Sagen wir mal, ich habe nicht nur geraten. Dann war es also Tierblut, ja?»

Sie nickte, ohne mich anzusehen. «Wir haben die Ergebnisse erst heute Nachmittag erhalten, wir wussten aber schon vorher, dass mit dem Blut etwas nicht stimmte. Die Art, wie es verspritzt war, hat die Techniker stutzig gemacht, obwohl York sich bemüht hat, es echt aussehen zu lassen. Deshalb wurde im Labor ein vorläufiger Test gemacht, bei dem herauskam, dass das Blut nicht von einem Menschen stammte. Wir müssen aber auf die DNA-Analyse warten, um Gewissheit zu haben.»

«Was war es? Schweineblut?»

Ich konnte ihre weißen Zähne in der Dunkelheit sehen. Sie lächelte also wieder. «Jetzt bluffen Sie aber.»

Na ja, vielleicht ein bisschen. «Es ist gar nicht so clever, wie es klingt», räumte ich ein. «Sobald wir bestätigt hatten, dass Terry Loomis erdrosselt wurde, war klar, dass das Blut nicht von ihm stammen konnte. Die Wunden an seinem Körper mussten nach dem Tod zugefügt worden sein, also musste das Blut in der Hütte einen anderen Ursprung haben.»

«Ich verstehe trotzdem nicht, wie Sie wissen konnten, dass es Schweineblut war …», begann sie, gab dann aber selbst die Antwort. «Ach so, jetzt weiß ich. Wegen der Zähne, die wir bei Willis Dexters Leiche gefunden haben.»

«Ich habe mich schon vorher gefragt, ob das Blut von einem Tier stammen könnte. Aber als ich die Zähne gesehen habe, habe ich vermutet, dass es wahrscheinlich auch von einem Schwein stammt», erklärte ich ihr. «Solche Spielchen scheinen York zu gefallen.»

Jacobsen schwieg. Ihr Gesicht wurde von dem Regen, der die Fenster runterlief, marmoriert. In dem gelben Licht der Straßenlaternen sah ihr Profil wie das einer griechischen Skulptur aus.

«Eigentlich dürfte ich Ihnen das nicht sagen», begann sie langsam. «Aber wir haben nicht nur die vorläufigen Ergebnisse zu den Blutproben aus der Hütte bekommen. Die Leiche von Noah Harper ist positiv auf Hepatitis C getestet worden.»

Mein Gott. Armer Kyle. Im Gegensatz zu Hepatitis A und B gibt es keine Schutzimpfung für Hepatitis C. Das Virus ist nicht unbedingt tödlich, aber die Behandlung ist zeitintensiv und unangenehm. Und selbst dann gibt es keine Garantien.

«Weiß Kyle schon Bescheid?», fragte ich und musste wieder daran denken, dass es genauso gut mich hätte treffen können.

«Noch nicht. Es dauert noch eine Weile, bis er seine Untersuchungsergebnisse vom Krankenhaus erhält, und Dan meint, dass man ihn jetzt nicht beunruhigen sollte.» Sie warf mir einen kurzen Blick zu. «Ihnen ist klar, dass diese Information streng vertraulich ist?»

«Selbstverständlich.» Dieses Mal war ich mit Gardner einer Meinung. Es bestand immer noch die Chance, dass Kyle sich nicht angesteckt hatte. Ich hätte allerdings mein eigenes Leben nicht gern einer Wette mit einer solch mageren Quote unterworfen.

Fast hättest du es getan.

Wir hatten mein Hotel erreicht. Jacobsen fand einen Parkplatz nahe dem Eingang. Als sie einparkte, sah ich, wie sie im Rückspiegel die Fahrzeuge hinter uns überprüfte.

«Ich bringe Sie in Ihr Zimmer», sagte sie und nahm den Umschlag vom Rücksitz, den Gardner ihr gegeben hatte.

«Das ist nicht …»

Doch sie stieg bereits aus dem Wagen. Als wir hineingingen, nahm ich eine zuvor nie bemerkte Wachsamkeit an ihr wahr. Ihre Augen waren ständig in Bewegung, sie taxierte mit ihren Blicken die Gesichter um uns herum und erforschte die Umgebung nach potenziellen Bedrohungen. Außerdem fiel mir auf, dass sie beim Gehen ihre rechte Hand dicht an ihrer Waffe hielt, die unter dem Sakko versteckt war. Irgendwie fiel es mir schwer, das alles ernst zu nehmen.

Dann erinnerte ich mich daran, was an meine Windschutzscheibe geklemmt worden war.

Eine ältere Frau zwinkerte uns lächelnd zu, als sie aus dem Fahrstuhl trat, und ich konnte mir denken, was ihr durch den Kopf ging. *Noch so ein junges Paar, das nach einem Tag in der Stadt auf dem Weg ins Bett ist.* Das hatte so wenig mit der Realität zu tun, dass es beinahe komisch war.

Jacobsen und ich standen Seite an Seite im Fahrstuhl. Wir waren allein, und die Spannung zwischen uns schien mit jeder Etage zu wachsen. Einmal stießen wir leicht mit den Schultern aneinander, wobei die Stoffe leise knisterten. Sie neigte sich zurück, gerade weit genug, um der Berührung zu entgehen. Als sich die Tür öffnete, trat sie zuerst hinaus. Sie hatte die Hand unter das Sakko geschoben und auf die Waffe gelegt, als sie nachschaute, ob der Gang leer war. Mein Zimmer lag am anderen Ende. Ich zog die Schlüsselkarte durch den Schlitz und machte die Tür auf.

«Danke für den Geleitschutz.»

Ich hatte es mit einem Lächeln gesagt, aber sie war jetzt durch und durch rational. Die Barrieren, die im Wagen kurz unten gewesen waren, waren wieder hochgegangen.

«Darf ich einen Blick in Ihr Zimmer werfen?»

Ich wollte ihr sagen, dass dafür keine Notwendigkeit bestand, doch ich konnte ihr ansehen, dass es umsonst gewesen wäre. Ich trat zur Seite, um sie hereinzulassen.

«Bitte schön.»

Ich stand neben dem Bett, während sie das Zimmer durchsuchte. Es war nicht groß, deshalb dauerte es nicht lange, bis sie sich vergewissert hatte, dass sich York nicht darin versteckte. Sie hatte noch immer den Umschlag von Gardner in der Hand, und als sie fertig war, kam sie damit zu mir. Sie blieb in einigem Abstand stehen und sah mich mit unergründlicher Miene an.

«Noch eine Sache. Dan wollte, dass ich Ihnen das hier zeige.» Sie öffnete den Umschlag. «Auf der Straße gegenüber vom Krankenhaus ist eine Überwachungskamera. Wir haben uns das Filmmaterial von der Zeit besorgt, als Dr. Lieberman angerufen wurde.»

Sie reichte mir einen schmalen Stapel Fotos. Es handelte sich um grobkörnige, unscharfe Standfotos einer städtischen Überwachungskamera, auf denen unten das Datum und die Zeit aufgedruckt waren. Ich erkannte den Straßenabschnitt, an dem das Münztelefon stand. Im Vordergrund waren verschwommen ein paar Autos und der klobige weiße Umriss eines Krankenwagens zu sehen.

Interessanter war allerdings die dunkle Gestalt, die sich gerade von dem Münztelefon abwandte. Die Bildqualität war so schlecht, dass man unmöglich Einzelheiten erkennen konnte. Der Kopf war nach vorn geneigt, und das Gesicht sah aus wie ein weißer Halbmond, der fast vollständig von einer dunklen Schirmmütze verdeckt war.

Die anderen Fotos waren ähnlich. Die Gestalt lief mit hochgezogenen Schultern und gesenktem Kopf über die Straße. Man konnte fast noch weniger erkennen als auf dem ersten.

«Im Labor wird versucht, die Bilder zu bearbeiten», sagte Jacobsen. «Wir können nicht mit Sicherheit sagen, dass es York ist, aber Größe und Statur scheinen zu stimmen.»

«Sie zeigen mir die Fotos doch nicht nur aus Höflichkeit, oder?»

«Nein.» Sie sah mich ungerührt an. «Wenn Sie tatsächlich Yorks nächstes Ziel sind, dann sollten Sie wissen, zu welchen Tricks er greifen könnte, um in Ihre Nähe zu kommen, meint Dan. Die dunkle Kleidung und die Schirmmütze könnten eine Art Uniform sein. Und wenn Sie sich seine Hüfte anschauen, können Sie etwas erkennen, das wie eine Taschenlampe aussieht. Es ist möglich, dass er sich als Polizeibeamter oder irgendein anderer Behördenvertreter ausgibt, der ... Dr. Hunter? Was ist?»

Ich starrte auf das Foto, als mich die Erinnerung überfiel. *Taschenlampe ...*

«Ein Wachmann», sagte ich.

«Entschuldigen Sie?»

Ich erzählte ihr, wie ich vor ein paar Nächten auf dem Parkplatz angehalten worden war. «Wahrscheinlich hat es nichts damit zu tun. Er wollte nur wissen, was ich dort tat.»

Jacobsen runzelte die Stirn. «Wann war das genau?»

Ich musste überlegen. «In der Nacht, bevor Irving verschwand.»

«Konnten Sie ihn erkennen?»

«Er hat mir die ganze Zeit mit der Taschenlampe ins Gesicht geleuchtet. Ich konnte gar nichts sehen.»

«Und sonst? Ist Ihnen an seinem Verhalten oder an seiner Stimme etwas aufgefallen?»

Ich schüttelte den Kopf und versuchte, mich zu erinnern. «Eigentlich nicht. Obwohl … Ja, seine Stimme klang … irgendwie merkwürdig. Belegt.»

«Als würde er sie verstellen?»

«Das ist möglich.»

«Und das haben Sie bisher niemandem erzählt?»

«Ich habe mir zu dem Zeitpunkt nicht viel dabei gedacht. Hören Sie, es war wahrscheinlich wirklich nur ein Wachmann. Wenn es York gewesen wäre, warum hat er mich dann gehen lassen?»

«Sie haben selbst gesagt, dass es in der Nacht war, bevor Professor Irving verschwand. Vielleicht hatte er andere Pläne.»

Das ließ mich verstummen. Jacobsen steckte die Fotos zurück in den Umschlag.

«Wir werden den Sicherheitsdienst des Krankenhauses überprüfen und schauen, ob es jemand vom Personal war. Auf jeden Fall lassen Sie besser Ihre Tür verschlossen, wenn ich weg bin. Morgen früh wird sich jemand bei Ihnen melden.»

«Ich muss also hier warten, bis ich von Ihnen höre?»

Sie war wieder völlig steif. «Es ist in Ihrem eigenen Interesse. Bis wir wissen, wie wir mit der Situation umgehen.»

Ich fragte mich, was sie damit meinte, beließ es aber dabei. Jede Entscheidung würde von Gardner oder ganz oben kommen, nicht von ihr. «Wollen Sie vielleicht einen Kaffee trinken, bevor Sie gehen? Ich weiß nicht, wie gut die Minibar bestückt ist, aber ich könnte einen Kaffee bestellen oder …»

«Nein.» Ihre Heftigkeit überraschte uns beide. «Danke,

aber ich muss zurück zu Dan», fuhr sie etwas ruhiger fort. Doch die Röte, die sich in ihrem Gesicht ausbreitete, erzählte eine andere Geschichte.

Sie war bereits auf dem Weg zur Tür. Nach einer letzten Ermahnung, sie zu verriegeln, war sie verschwunden. *Was war das denn?* Ich fragte mich, ob sie meine Einladung zum Kaffee in den falschen Hals gekriegt hatte, aber ich war zu müde, um mir lange den Kopf darüber zu zerbrechen.

Ich sank auf die Bettkante. Ich konnte nicht glauben, dass ich erst an diesem Morgen von Toms Tod erfahren hatte. Eigentlich hatte ich Mary noch einmal anrufen wollen, aber jetzt war es zu spät. Ich legte den Kopf in die Hände. *Mein Gott, was für ein Trauerspiel.* Manchmal beschlich mich das Gefühl, dass ich von Pech und Katastrophen verfolgt wurde. Ich fragte mich, ob sich alles genauso entwickelt hätte, wenn ich zu Hause geblieben wäre. Aber ich konnte beinahe hören, was Tom dazu gesagt hätte: *Hör auf, dich ständig zu geißeln, David. Das alles wäre in jedem Fall so passiert. Wenn du jemandem die Schuld geben willst, dann nimm York. Er ist dafür verantwortlich.*

Doch Tom war tot. Und York lief frei herum.

Ich stand auf und ging zum Fenster. Sofort beschlug die Scheibe durch meinen Atem, sodass ich in der Dunkelheit nur verschwommene gelbe Flecken sehen konnte. Als ich sie abwischte, quietschte meine Hand über das Glas. Die Straße unten war ein greller Neonstreifen, über den in einem stummen Ballett die Scheinwerfer der Autos krochen. Eine Weile beobachtete ich die Menschen, die geschäftig ihren eigenen Interessen nachgingen, jeder nur auf sich selbst bedacht und völlig gleichgültig den anderen gegenüber. Wieder wurde mir bewusst, wie weit weg von zu Hause ich war und wie wenig ich hierher gehörte.

Aber nun bist du hier. Finde dich damit ab.

Mir fiel ein, dass ich immer noch nichts gegessen hatte. Ich wandte mich vom Fenster ab und nahm die Karte des Zimmerservice. Schon nach einem kurzen Blick auf die übertriebenen Beschreibungen der Fastfoodgerichte ließ ich sie wieder fallen. Mit einem Mal hielt ich es in dem Zimmer nicht länger aus. York hin oder her, ich konnte mich nicht verstecken, bis Gardner entschieden hatte, was er mit mir machen wollte. Ich schnappte mir meine Jacke und fuhr mit dem Lift hinunter in die Hotellobby. Eigentlich hatte ich nur in die Bar gehen wollen, um zu schauen, ob man dort noch etwas zu essen bekam, aber ehe ich mich's versah, war ich daran vorbeigegangen. Ich hatte keine Ahnung, wohin ich wollte, ich wusste nur, dass ich rausmusste.

Es hatte aufgehört zu regnen, doch die Luft war noch feucht und frisch. Als ich über den schimmernden und rutschigen Bürgersteig ging, spritzte Wasser von meinen Schuhen auf. Obwohl mir die Angst im Nacken saß, widerstand ich dem Impuls, mich umzuschauen. *Komm doch, York. Wenn du mich willst, hier bin ich!*

Doch schon bald hatte mich der Mut verlassen. Als ich an einem Imbiss vorbeikam, der noch geöffnet hatte, ging ich hinein. Es gab nur Burger und Grillhähnchen, aber das war mir jetzt egal. Ich bestellte blindlings und gab der Kellnerin die Karte zurück.

«Wollen Sie was zu trinken?»

«Nur ein Bier, bitte. Nein, warten Sie. Haben Sie Bourbon? Blanton's?»

«Wir haben Bourbon, aber nur Jim oder Jack.»

Ich bestellte einen Jim Beam auf Eis. Nachdem er serviert worden war, trank ich langsam einen Schluck. Der Bourbon brannte mir angenehm in der Kehle und löste den Klumpen auf, der sich dort gebildet hatte. *Auf dich, Tom. Wir werden den Scheißkerl bald schnappen, versprochen.*

Einen Augenblick lang glaubte ich mir fast.

Die Riemen und Zahnräder schimmern im Licht der Lampe. Du reinigst sie nach jedem Mal; wachst das Leder, bis es weich und geschmeidig ist, und polierst die Stahlteile, bis sie glänzen. Eigentlich ist es nicht nötig. Es ist eine Angewohnheit, das weißt du genau. Aber du genießt dieses Ritual. Manchmal glaubst du tatsächlich, du könntest den Bienenwachsduft der Sattelpolitur riechen. Wahrscheinlich ist es nur eine vage Erinnerung, aber es beruhigt dich trotzdem. Außerdem haben diese Vorbereitungen etwas Zeremonielles. Sie erinnern dich daran, dass du ein höheres Ziel verfolgst, dem du mit jedem Mal näherkommst. Und beim nächsten Mal wirst du es erreichen.

Das kannst du spüren.

Während du das Leder liebevoll blank reibst, sagst du dir zwar, dass du dir nicht zu große Hoffnungen machen darfst, aber die Vorfreude kannst du nicht verleugnen. Du spürst sie vorher jedes Mal, wenn alles möglich ist und die Enttäuschung noch in der Zukunft liegt. Aber dieses Mal fühlt es sich anders an. Intensiver.

Besonders.

Die Haut an die Windschutzscheibe zu klemmen war ein riskanter Schachzug gewesen, aber er hat sich gelohnt. Da sie irgendwann sowieso kapiert hätten, was du vorhast, war es besser, den Zeitpunkt selbst so zu bestimmen, dass du dir ihre Reaktion zunutze machen kannst. Du hast noch immer die Kontrolle, das ist die Hauptsache. Wenn sie erkennen, was wirklich vor sich geht, wird es zu spät sein, und dann …

Und dann …

Das wagst du dir noch nicht auszumalen. So weit kannst du nicht vorausschauen. Du konzentrierst dich lieber auf die nächste Aufgabe, auf das nächste Ziel.

Es wird nicht mehr lange dauern.

Du drehst behutsam an der Winde und beobachtest, wie die Zahnräder einem Uhrwerk gleich ineinandergreifen und den Lederriemen zusammenziehen. Zufrieden hauchst du auf das Metall, um es noch ein letztes Mal zu polieren. Verzerrt und verschwommen schaut dich dein Spiegelbild an. Als du darauf starrst, kommen komischerweise verstörende Gedanken in dir auf, die du aber nicht ganz greifen kannst. Dann wischst du das Spiegelbild mit dem Lappen weg.

Nicht mehr lange, sagst du dir. Alles ist vorbereitet. Die Kamera ist geladen und in Position und wartet nur auf ihr nächstes Objekt. Die Uniform ist gebürstet und gereinigt. Okay, nicht gereinigt, aber sauber genug, um auf den ersten Blick zu bestehen. Und das genügt dir.

Es ist alles eine Frage des Timings.

KAPITEL 19

Am nächsten Morgen saß ich gerade bei meinem zweiten Kaffee im Restaurant des Hotels, als Gardner anrief.

«Ich muss mit Ihnen reden.»

Da er mir gesagt hatte, dass ich auf meinem Zimmer bleiben sollte, warf ich einen schuldbewussten Blick auf die vollbesetzten Tische. Tatsächlich hatte ich kurz überlegt, mir das Frühstück hochbringen zu lassen, zu dieser Tageszeit war es mir aber unnötig erschienen. Wenn York mich am helllichten Tag aus dem Hotel verschwinden lassen könnte, würde mich sowieso nichts mehr retten.

«Ich bin im Restaurant», sagte ich.

Ich konnte Gardners Missbilligung durch die Telefonleitung spüren. «Bleiben Sie dort. Ich bin gleich da», sagte er und legte auf.

Ich nippte an meinem kalt gewordenen Kaffee und fragte mich, ob dieses das letzte Frühstück war, das ich in Tennessee essen würde. Ich hatte mich den ganzen Morgen unwohl gefühlt. Ich hatte schlecht geschlafen und war mit einer Schwermut aufgewacht, die ich zuerst nicht einordnen konnte. Dann erinnerte ich mich daran, dass Tom tot war, und einen Augenblick später fiel mir der Hautfetzen auf meiner Windschutzscheibe ein.

Ich hatte schon bessere Tagesanfänge erlebt.

Gardner konnte nicht weit entfernt gewesen sein, als er

angerufen hatte, denn zwanzig Minuten später war er gemeinsam mit Jacobsen da. Sie wirkte so ungerührt und unnahbar wie üblich. Die Arbeit bis spät in die Nacht hatte keine Spuren bei ihr hinterlassen, ganz im Gegenteil zu Gardner. Der Agent sah völlig erschöpft aus, seine Gesichtshaut war ein Netz aus Falten und Furchen. Ich erinnerte mich daran, dass nicht nur der Druck der Suche nach York auf ihm lastete. Auch er war mit Tom befreundet gewesen.

Doch als er zu meinem Tisch kam, hielt er sich so gerade wie immer. Jacobsen war nur einen Schritt hinter ihm.

«Kann ich Sie auf einen Kaffee einladen?», fragte ich, als sie Platz nahmen.

Beide lehnten ab. Gardner warf einen Blick durch den Saal, um sich zu vergewissern, dass uns niemand hören konnte.

«Um zwanzig Uhr fünfundvierzig haben die Überwachungskameras jemanden an Ihrem Wagen aufgezeichnet», sagte er ohne Vorrede. «Die Entfernung war zu groß, um Einzelheiten erkennen zu können, aber die Person trug wie die an dem Münztelefon dunkle Kleidung und eine Schirmmütze. Außerdem haben wir den Sicherheitsdienst der Klinik überprüft. Der Mann, den Sie auf dem Parkplatz gesehen haben, gehört nicht zum Personal.»

«York.» Ich hatte einen bitteren Geschmack im Mund, der nichts mit dem Kaffee zu tun hatte.

«Vor Gericht können wir das nicht beweisen, aber wir glauben das auch. Wir versuchen noch, die Fingerabdrücke auf Ihrem Mietwagen zu identifizieren, aber es sind so viele, dass es dauert. Und wahrscheinlich trug York sowieso Handschuhe.» Gardner zuckte mit den Achseln. «Mit der abgeworfenen Haut hatten wir auch kein Glück. Die Fingerabdrücke stimmen weder mit denen von Willis Dexter noch mit denen von Noah Harper überein. Der kleinen

Handgröße nach zu urteilen, könnte sie von einer Frau oder einem Jugendlichen stammen, aber mehr können wir nicht sagen.»

Ein Jugendlicher. Mein Gott. Auf meinem Kaffee schwamm flockig gewordene Milch. Ich schob die Tasse weg. «Was ist mit den Fotografien, die Sie in Yorks Haus gefunden haben? Wissen Sie schon, wer die Leute darauf sind?»

Gardner schaute hinab auf seine Hände. «Wir vergleichen sie mit den Vermisstenfällen und ungelösten Morden, aber das ist eine langwierige Arbeit. Außerdem wird es sowieso schwer werden, anhand der Fotos eine Übereinstimmung zu finden.»

Wenn ich an die verzerrten Gesichter dachte, konnte ich es mir vorstellen. «Gibt es Hinweise, wo York sein könnte?»

«Seitdem wir eine Pressemeldung rausgegeben haben, wollen ihn ein paar Leute gesehen haben, aber eine eindeutige Spur gibt es nicht», antwortete Gardner. «Offenbar hat er irgendwo ein Versteck. Es sieht nicht so aus, als hätte er seine Opfer in seinem Haus oder in Steeple Hill getötet, er muss sie also an einen anderen Ort verschleppt haben. Irgendwo, wo er die Leichen bequem loswerden kann, sonst hätten wir außer Loomis und Harper noch weitere gefunden.»

Mit den Smoky Mountains vor seiner Tür fiel es ihm bestimmt nicht schwer, die Leichen seiner Opfer verschwinden zu lassen. «Laut Josh Talbot kann die Sumpflibellennymphe nur auf Harpers Leiche gelangt sein, wenn sie in der Nähe eines Teiches oder eines langsam fließenden Gewässers gelegen hat.»

«Also müssen wir fast den gesamten Osten Tennessees absuchen.» Gardner machte eine gereizte Handbewegung. «Wir haben bereits einige Orte überprüft, an denen Sumpflibellen nachgewiesen worden sind, aber um eine richtige Suche zu starten, brauchen wir mehr. Diane, erzählen Sie doch Dr. Hunter, was Sie herausgefunden haben.»

Jacobsen versuchte, es zu verbergen, aber sie wirkte jetzt deutlich angespannt. Ich konnte den Puls an ihrem Hals pochen sehen, der im Takt ihrer Aufregung schlug. Als sie zu sprechen begann, wandte ich meinen Blick davon ab.

«Ich habe mir noch einmal die Fotografien angesehen, die wir in Yorks Haus gefunden haben», begann sie. «Sie wurden anscheinend aufgenommen, als die Opfer dem Tod sehr nahe waren, vielleicht sogar genau im Augenblick des Todes. Bisher hatte ich sie nur für Yorks Trophäen gehalten. Aber wenn er zeigen wollte, wie er sie erdrosselt hat, hätte auch einmal der Hals eines Opfers im Bildausschnitt sein müssen. Das ist auf keinem Bild zu sehen. Und wenn York seine Morde noch einmal nacherleben wollte, warum hat er die Taten dann nicht einfach auf Video aufgenommen? Warum hat er solche extremen Nahaufnahmen der Gesichter seiner Opfer gemacht, und dann auch noch in Schwarzweiß?»

«Vielleicht ist er ein Fotografie-Fan», sagte ich.

«Genau!» Jacobsen beugte sich vor. «Willis Dexters Fingerabdrücke auf dem Filmbehälter zu hinterlassen, hat er bestimmt für einen cleveren Schritt gehalten, aber damit hat er mehr von sich preisgegeben, als er wollte. Diese Fotos sind keine schnellen Schnappschüsse, die er nebenbei gemacht hat. Laut Labor wurden sie bei schwachem Licht ohne Blitz aufgenommen, mit einem hochempfindlichen Film. Um unter diesen Umständen einen Abzug von einer solchen Qualität zu erhalten, benötigt man große fotografische Kenntnisse und eine sehr gute Kamera.»

Ich erinnerte mich an die Kiste mit der alten Fotoausrüstung. «In seinem Haus wurde doch eine Kleinbildkamera gefunden, oder?», fragte ich.

«Damit wurden die Fotos nicht gemacht», sagte Gardner. «Die Geräte sind seit Jahren nicht mehr benutzt worden, sie gehörten wahrscheinlich seinem Vater. Den Bildern im Haus nach zu urteilen, war York senior auch ein Amateurfotograf.»

Ich musste an die ausgeblichenen Fotos auf der Anrichte denken. Irgendetwas hatte mich an ihnen gestört, aber ich wusste nicht was.

«Ich verstehe trotzdem nicht, warum das so wichtig sein soll», räumte ich ein.

«Weil die Fotografien für York mehr als nur Andenken sind. Ich glaube, sie könnten für das, was er tut, von zentraler Bedeutung sein», sagte Jacobsen. «Alles, was wir über ihn wissen, lässt darauf schließen, dass er vom Tod besessen ist. Sein Hintergrund, die Art, wie er die Leichen seiner Opfer behandelt, seine Fixierung auf einen forensischen Anthropologen wie Dr. Lieberman. Nimmt man diese Fotografien von seinen Opfern im Moment des Todes hinzu, deutet alles in eine Richtung: York ist nekrophil.»

Diese Feststellung entsetzte mich. «Hatten Sie nicht gesagt, es würde keine sexuelle Motivation geben?»

«Die gibt es auch nicht. Die meisten Nekrophilen sind Männer mit einem geringen Selbstwertgefühl. Sie wollen einen Partner, der sich nicht wehrt, weil sie Angst vor Ablehnung haben. Das trifft auf York nicht zu. Er hat eher das Gefühl, dass die Gesellschaft ihn nicht genügend schätzt. Und ich bezweifle sehr, dass er sich von seinen Opfern sexuell angezogen fühlt, egal ob sie tot oder lebendig sind. Nein, ich glaube, er trägt Züge von Thanatophilie. Einer krankhaften Faszination vom Tod.»

Die Sache wurde immer unangenehmer. Ich spürte die ersten Anzeichen von Kopfschmerzen hinter meinen Schläfen.

«Wenn das der Fall ist, warum fotografiert er seine Opfer dann, während er sie tötet, und nicht, wenn sie tot sind?»

«Weil das nicht genügen würde. Abgesehen von der Nekrophilie ist York krankhaft narzisstisch, vergessen Sie das nicht. Er ist von sich selbst besessen. Die meisten Menschen haben Angst vor dem Tod, für jemanden wie ihn aber muss allein der Gedanke an sein Ende unerträglich sein. Er ist sein gesamtes Leben vom Tod umgeben gewesen. Jetzt wird er angetrieben von dem Bedürfnis, ihn zu *verstehen*.»

Jacobsen lehnte sich mit ernster Miene zurück.

«Meiner Meinung nach ist das der Grund dafür, dass er tötet und seine Opfer fotografiert. Sein Ego kann den Gedanken nicht ertragen, dass er eines Tag selbst sterben wird. Also sucht er nach Antworten. Er versucht, auf seine Weise das Geheimnis von Leben und Tod zu finden, wenn Sie so wollen. Und er ist davon überzeugt, dass ihm alles klar werden wird, wenn ihm das definitive Foto gelingt und er den exakten Todesmoment auf Film gebannt hat.»

«Das ist Wahnsinn», entfuhr es mir.

«Ich glaube, geistige Gesundheit ist bei einem Serienmörder selten anzutreffen», bemerkte Gardner.

Er hatte natürlich recht, aber das hatte ich nicht gemeint. Noch heute kann niemand genau sagen, wann genau das Leben endet. Ein Herz kann nach einem Stillstand wiederbelebt werden, und selbst ein Hirntod ist nicht immer endgültig. Offensichtlich glaubte York, dass er den tatsächlichen Todesmoment seiner Opfer auf Film bannen und etwas daraus lernen könnte. Dieser Gedanke verstörte mich auf eine Weise, die ich nicht beschreiben konnte.

«Selbst wenn es ihm gelingen würde, was glaubt er damit zu erreichen?», fragte ich. «Eine Fotografie wird ihm gar nichts erklären.»

Jacobsen zuckte mit den Achseln. «Das spielt keine Rolle. Solange York daran glaubt, wird er es weiter versuchen. In seinen Augen verfolgt er ein höheres Ziel, und es ist ihm egal, wie viele Menschen er tötet, bis er es erreicht hat. Für ihn sind das nur Laborratten.»

Als sie ihren Fauxpas bemerkte, errötete sie.

«Entschuldigen Sie, ich wollte nicht ...»

«Vergessen Sie es.» Es gefiel mir zwar nicht, aber ich war nicht schlechter dran, wenn ich wusste, wie die Situation aussah. «Was Sie sagen, klingt so, als würde York schon einige Zeit sein Ziel verfolgen. Vielleicht seit Jahren. Wer weiß, wie viele Menschen er bereits getötet hat, ohne dass jemand eine Ahnung davon hatte. Er hätte ewig so weitermachen können. Warum ändert er jetzt seine Taktik? Was hat ihn dazu gebracht, plötzlich die Aufmerksamkeit auf sich und seine Taten zu lenken?»

Jacobsen spreizte ihre Hände. «Schwer zu sagen. Aber ich glaube, es liegt genau daran, *dass* er schon so lange dabei ist. Sie sagten ja, dass das, was er sucht, unmöglich zu finden ist, und vielleicht ist ihm das irgendwann selbst klar geworden. Deshalb kompensiert er sein Scheitern und versucht, sein Ego auf andere Weise zu befriedigen. Aus diesem Grund hatte er es auch auf Dr. Lieberman abgesehen, einen anerkannten Experten auf einem Gebiet, das York wahrscheinlich als seine Domäne betrachtet. In gewisser Hinsicht handelt es sich um klassische Verdrängung: Er versucht, sich nicht mit seinem Scheitern auseinandersetzen zu müssen, indem er sich versichert, dass er im Grunde ein Genie ist.»

Meine Kopfschmerzen waren schlimmer geworden. Als ich meine Schläfen massierte, wünschte ich, ich hätte die Packung Aspirin aus meinem Zimmer mitgenommen.

«Warum erzählen Sie mir das alles? Nicht dass ich es nicht

zu schätzen weiß, aber bisher haben Sie sich nicht gerade darum bemüht, Ihre Informationen mit mir zu teilen. Woher der plötzliche Sinneswandel?»

Jacobsen warf Gardner einen Blick zu. Bislang hatte er ihr die Gesprächsführung überlassen, doch nun straffte er fast unmerklich die Schultern.

«Unter diesen Umständen war man der Ansicht, dass Sie ein Recht haben, in Kenntnis gesetzt zu werden.» Er betrachtete mich kühl, als würde er mir immer noch nicht über den Weg trauen. «Sie haben uns ein Problem beschert, Dr. Hunter. York hat uns eine Nachricht geschickt, indem er die Haut auf Ihren Wagen gelegt hat. Das können wir nicht ignorieren. Er hat bereits Alex Irving verschleppt und aller Wahrscheinlichkeit nach ermordet, und wenn Tom keinen Herzanfall gehabt hätte, wäre er wohl auch sein Opfer geworden. Ich werde nicht zulassen, dass noch jemand aus dem Kreis der Ermittlung dazukommt.»

Ich blickte in meinen kalten Kaffee und versuchte, meine Stimme ruhig zu halten. «Sie können mich von der Ermittlung ausschließen, wenn Sie wollen.» *Wieder.* «Aber ich werde nicht zurück nach England fliegen, wenn Sie darauf hinauswollen.»

Ich hatte es nicht aus Übermut gesagt. Ich wollte wenigstens bis zu Toms Beerdigung bleiben. Was auch immer passierte, ich würde nicht abreisen, ohne mich von meinem Freund verabschiedet zu haben.

Gardners Kinn zuckte. «So läuft es nicht. Wenn wir sagen, dass Sie fliegen, dann fliegen Sie. Selbst wenn es bedeutet, dass wir Sie ins Flugzeug eskortieren müssen.»

«Das werden Sie dann wohl tun müssen», entgegnete ich mit glühenden Wangen.

An seinem Blick konnte ich ablesen, dass er nichts lieber

getan hätte, als mich eigenhändig zum Flughafen zu schlei-
fen. Aber dann seufzte er auf.

«Ehrlich gesagt, wäre es wahrscheinlich für jeden besser,
wenn Sie nach Hause fliegen würden», sagte er mürrisch.
«Aber darauf wollte ich nicht hinaus. Es könnte gewisse …
Vorteile haben, wenn Sie bleiben. Dann wüssten wir wenigstens, worauf wir unsere Aufmerksamkeit konzentrieren können.»

Es dauerte einen Moment, bis mir klar wurde, was er damit meinte. Ich war zu überrascht, um etwas zu sagen.

«Sie werden ständig unter Beobachtung stehen», fuhr
Gardner ganz sachlich fort. «Sie werden keinem Risiko ausgesetzt. Wir werden nichts von Ihnen verlangen, womit Sie
nicht einverstanden sind.»

«Und wenn ich mit der ganzen Sache nicht einverstanden
bin?»

«Dann bedanken wir uns für Ihre Hilfe und setzen Sie in
Ihr Flugzeug.»

Ich hätte fast laut gelacht. «Das ist also meine Wahl? Ich
kann bleiben, aber nur, wenn ich den Lockvogel für York
spiele?»

«Das ist Ihre Wahl», sagte er mit Entschiedenheit. «Wenn
Sie bleiben, müssen Sie rund um die Uhr bewacht werden.
Wir können einen solchen Aufwand nicht rechtfertigen,
wenn wir Sie einfach aus der Gefahrenzone bringen könnten, indem wir Sie nach Hause schicken. Nicht ohne einen
guten Grund. Aber es ist Ihre Entscheidung. Niemand wird
Sie unter Druck setzen.»

Die Erleichterung, die ich kurz gespürt hatte, war verflogen. Gardner irrte sich: Ich hatte keine Wahl. Wenn ich
abreisen würde, würde York sich einfach ein anderes Opfer
suchen.

Das durfte ich nicht zulassen.

«Was muss ich tun?»

Mit einem Mal schien sich die Anspannung aufzulösen. Gardner schien zufrieden mit sich zu sein, aber Jacobsens Miene war schwerer zu lesen. Für einen Augenblick meinte ich, einen Anflug von schlechtem Gewissen in ihrem Blick erkannt zu haben, es war jedoch so schnell vorbei, dass ich mich getäuscht haben konnte.

«Im Moment nichts. Machen Sie einfach so weiter wie bisher», sagte Gardner. «Wenn York Sie beobachtet, soll er nicht das Gefühl haben, dass etwas nicht stimmt. Da er natürlich von uns erwarten wird, dass wir ein paar Vorsichtsmaßnahmen treffen, werden wir ihn nicht enttäuschen. Wir werden ein Team vor dem Leichenschauhaus und eines vor Ihrem Hotel postieren, beide wird er bemerken. Es wird aber auch eine verdeckte Überwachung geben, die er nicht bemerken wird. Sie auch nicht.»

Ich nickte, als wäre das alles völlig normal. «Was ist mit meinem Wagen?»

«Damit sind wir fertig. Es wird ihn jemand hierher zum Hotel fahren. Er hinterlegt den Schlüssel an der Rezeption. Wir arbeiten noch an den Einzelheiten, aber ab morgen werden wir Sie allein durch die Gegend fahren lassen. Sie werden ein Tourist sein und am Fluss oder auf Wanderwegen spazieren gehen, wo Sie ein verlockendes Ziel abgeben. Wir wollen York eine Gelegenheit bieten, die er nicht außer Acht lassen kann.»

«Wird er nicht ahnen, dass es eine Falle ist, wenn ich plötzlich allein durch die Gegend laufe?»

Er schaute mich müde an. «Meinen Sie, so wie gestern Nacht?»

Es dauerte einen Augenblick, ehe ich verstand. Mir war

nicht aufgefallen, dass ich beobachtet worden war, als ich entgegen seinen Anweisungen das Hotel verlassen hatte, aber ich hätte wohl damit rechnen müssen. *So viel zu deinem gestrigen Bravourstück.*

«Am Anfang schöpft York vielleicht Verdacht, aber wir haben Geduld», fuhr Gardner ungerührt fort. «Er muss nur aus seinem Versteck kommen und sich zeigen, dann werden wir zugreifen.»

So wie er es sagte, klang es wie ein Kinderspiel. Ich hatte unbewusst mit dem Daumen über die Narbe an meiner Hand gerieben. Als ich merkte, dass Jacobsen mich beobachtete, hörte ich damit auf und legte meine Hände flach auf den Tisch.

«Sie werden dabei mit uns zusammenarbeiten müssen, Dr. Hunter», sagte Gardner. «Aber wenn es Ihnen lieber ist, können Sie auch heute Nachmittag einen Flug zurück nach Hause nehmen. Noch können Sie Ihre Meinung ändern.»

Nein, kann ich nicht. Ich spürte Jacobsens Blick, als ich meinen Stuhl zurückschob und aufstand.

«Wenn das alles ist, dann würde ich jetzt gerne ins Leichenschauhaus fahren.»

Für den Rest des Tages war ich in einer seltsamen, unruhigen Stimmung. Die Ereignisse überrannten mich. Toms Tod, die Erkenntnis, dass ich der Nächste auf Yorks Liste war, und die Aussicht, wie ein Opferlamm vorgeführt zu werden, all das war nur schwer zu verkraften. Jedes Mal, wenn ich glaubte, mich an eine Sache gewöhnt zu haben, erinnerte ich mich an eine andere und wurde wieder emotional überwältigt.

Dazu kam, dass ich im Leichenschauhaus eigentlich nichts Wichtiges zu tun hatte. Da die anspruchsvolleren Arbeiten bereits erledigt waren, konnte ich mich nur damit beschäftigen, die aus dem Wald geborgenen Skelettteile von Willis Dexter zu sortieren und zusammenzustellen. Aber das war reine Routine und dauerte nicht lange. Die meisten Knochen waren von Aasfressern weggeschleppt worden, und die paar, die man gefunden hatte, waren so stark angeknabbert, dass die schwerste Aufgabe darin bestand, herauszufinden, um welche Knochen es sich im Einzelnen handelte.

Das reichte jedoch nicht, um mich abzulenken und aus meinen verstörenden Gedanken zu reißen. Außerdem war niemand dort, mit dem ich sprechen konnte. Summer war an diesem Morgen nicht gekommen, aber damit hatte ich nach Toms Tod auch nicht gerechnet. Es hätte sowieso kaum etwas für sie zu tun gegeben. Obwohl ich mich über Gesellschaft gefreut hätte, war ich auf eine etwas feige Art erleichtert, als mir einer der anderen Assistenten des Leichenschauhauses sagte, dass Kyle an diesem Morgen freihatte. Noch hatte er nicht von Noah Harpers positivem Hepatitis-C-Befund erfahren, und ich war froh, ihm nicht gegenübertreten zu müssen.

Paul war fast den gesamten Vormittag mit den üblichen Besprechungen beschäftigt und tauchte erst kurz vor Mittag auf. Er wirkte noch immer erschöpft, aber nicht mehr so sehr wie am Tag zuvor.

«Wie geht's Sam?», fragte ich, als er in den Autopsiesaal kam.

«Gut. Auf jeden Fall hat es keinen falschen Alarm mehr gegeben. Sie wollte heute Morgen Mary besuchen. Ach ja, wenn du heute Abend noch nichts vorhast, bist du zum Essen eingeladen.»

Unter anderen Umständen hätte ich die Einladung gern angenommen. Mein Terminkalender war nicht gerade voll, und die Aussicht auf einen weiteren, allein im Hotel verbrachten Abend war deprimierend. Aber wenn York mich beobachtete, wollte ich unter keinen Umständen Paul und Sam in Gefahr bringen.

«Danke, aber heute Abend passt es nicht so gut.»

«Aha.» Er nahm einen stark angeknabberten Rückenwirbel vom Tisch und drehte ihn in seiner Hand. «Ich habe mit Dan Gardner gesprochen. Er hat mir von der Haut erzählt, die gestern Abend auf deinem Wagen lag. Und dass du freiwillig deine Hilfe angeboten hast, um York zu fassen.»

Ich hätte es nicht *freiwillig* genannt, aber ich war froh, dass Paul Bescheid wusste. Ich hatte mich schon gefragt, inwieweit ich ihn einweihen durfte.

«Mir blieb keine andere Wahl. Sonst hätte ich mit der nächsten Maschine nach Hause fliegen müssen.»

Ich versuchte, es unbeschwert klingen zu lassen, aber das misslang mir. Er legte den Wirbel zurück auf den Untersuchungstisch.

«Weißt du wirklich, worauf du dich da einlässt? Du musst das nicht machen.»

Doch, ich muss. «Das ist schon in Ordnung. Aber jetzt verstehst du bestimmt, warum ich lieber nicht zum Abendessen zu euch komme.»

«Ich finde, du solltest nicht allein sein. Und ich weiß, dass Sam dich gern sehen würde.» Er lächelte mich schief an. «Wenn ich der Meinung wäre, sie könnte dadurch einer Gefahr ausgesetzt werden, würde ich dich nicht fragen, das kannst du mir glauben. Klar, York ist gefährlich, aber ich kann mir nicht vorstellen, dass er so verrückt ist, jetzt zuzuschlagen. Die Haut auf deinem Wagen war wahrscheinlich nur eine leere Drohung. Er hatte seine große Chance mit Tom, und die hat er vermasselt.»

«Ich hoffe, du hast recht. Aber wir sollten es trotzdem auf ein anderes Mal verschieben.»

Er seufzte. «Na gut, wie du meinst.»

Nachdem er wieder gegangen war, fühlte ich mich bedrückt. Ich hätte fast angerufen und gesagt, dass ich es mir anders überlegt hätte. Aber nur fast. Paul und Sam hatten im Moment genug um die Ohren. Und ich wollte sie auf keinen Fall auch noch in Schwierigkeiten bringen.

Ich hätte ahnen müssen, dass Sam die Absage nicht so einfach hinnehmen würde.

Ich stocherte gerade in der Cafeteria der Klinik lustlos in einem faden Thunfischsalat und grübelte darüber nach, was ich mit dem Rest des Tages anfangen sollte, als sie anrief. Sie kam gleich zum Thema.

«Was hast du gegen meine Kochkünste?»

Ich musste lächeln. «Du kochst bestimmt vorzüglich.»

«Ach so, dann liegt es also an der Gesellschaft?»

«Nein, das ist es auch nicht. Ich habe mich über die Einladung gefreut, wirklich. Aber heute Abend schaffe ich es nicht.» Ich hasste diese Ausreden, aber ich war mir nicht sicher, wie viel Sam wusste. Die Zurückhaltung hätte ich mir sparen können.

«Schon gut, David, Paul hat mir erzählt, was geschehen ist. Wir würden dich trotzdem gerne sehen. Es ist sehr rücksichtsvoll von dir, dass du dir um uns Sorgen machst, aber du kannst dich doch nicht in Quarantäne begeben, bis dieser Irre geschnappt wird.»

Ich schaute aus dem Fenster. Vor der Cafeteria gingen Leute vorbei, gefangen in ihren eigenen Leben und Problemen. Ich fragte mich, ob York irgendwo dort draußen war. Und mich beobachtete.

«Es ist ja nur für ein paar Tage», sagte ich.

«Und wenn es andersherum wäre? Würdest du uns im Stich lassen?»

Ich wusste nicht, was ich dazu sagen sollte.

«Wir sind deine Freunde, David», fuhr Sam fort. «Du solltest in dieser furchtbaren Zeit nicht allein sein.»

Ich musste mich räuspern, ehe ich antworten konnte. «Danke. Aber ich glaube, es ist keine gute Idee. Auf jeden Fall im Moment nicht.»

«Dann treffen wir ein Abkommen. Warum lässt du das nicht diesen TBI-Typen entscheiden? Wenn er deiner Meinung ist, bleibst du in deinem Hotelzimmer und siehst fern. Wenn nicht, kommst du heute Abend zum Essen. Okay?»

Ich zögerte. «Okay. Ich werde ihn anrufen. Mal sehen, was er sagt.»

Ich konnte sie beinahe durch die Telefonleitung lächeln hören. «Die Mühe kann ich dir ersparen. Paul hat bereits mit ihm gesprochen. Er sagt, er hat keine Einwände.»

Sie hielt einen Moment inne, damit mir klar werden konnte, dass ich in die Falle getappt war.

«Ach, und sag doch Paul bitte, dass er noch Orangensaft besorgen soll, ja? Wir haben keinen mehr», fügte sie munter hinzu.

Ich musste noch immer lächeln, als ich das Telefon wegsteckte.

Stadtauswärts herrschte starker Verkehr, doch er wurde weniger, je weiter wir uns von Knoxville entfernten. Ich folgte Paul und versuchte, seinen Wagen nicht aus den Augen zu verlieren. Ich hatte das Radio eingeschaltet und ließ mich von der Dudelmusik berieseln. Aber ich war immer noch so nervös, dass ich mich alle paar Minuten umdrehte, um zu schauen, ob ich verfolgt wurde.

Bevor wir losgefahren waren, hatte ich Gardner angerufen. Obwohl ich Sam vertraute, wollte ich persönlich mit ihm sprechen.

«Vorausgesetzt, Sie nehmen Ihren Wagen und laufen dort draußen nicht allein umher, habe ich kein Problem damit», hatte er gesagt.

«Sie glauben also nicht, dass ich die beiden in Gefahr bringe?»

Er seufzte. Seine Stimme klang gereizt. «Dr. Hunter, wir wollen York im Glauben lassen, dass Sie sich normal verhalten. Das heißt nicht, dass Sie sich jeden Abend im Hotelzimmer einschließen.»

«Es wird mir aber trotzdem jemand folgen, oder?»

«Lassen Sie das unsere Sorge sein. Wie gesagt, im Moment müssen Sie nur ganz normal weitermachen.»

Normal. Die Situation war alles andere als normal. Trotz Gardners Beruhigung hatte ich das Leichenschauhaus lieber durch die Hintertür als durch den Haupteingang verlassen. Dann war ich um das Klinikgelände herumgefahren und hatte Paul an einer anderen Ausfahrt getroffen als derjenigen, die ich sonst benutzte. Das Gefühl, dass etwas nicht stimmte, konnte ich aber auch auf diese Weise nicht abschütteln. Als wir vom Krankenhaus wegfuhren, schaute ich wiederholt in den Spiegel. Niemand bog hinter mir in die Straße ein. Jedenfalls konnte ich weder das TBI noch irgendeinen anderen verdächtigen Wagen sehen.

Doch erst als ich mich in den Feierabendverkehr eingefädelt hatte und ein Teil der Blechlawine wurde, begann ich zu akzeptieren, dass ich nicht verfolgt wurde.

Am Stadtrand von Knoxville hielt Paul an einem Supermarkt an, um den Orangensaft für Sam zu kaufen. Er schlug vor, dass ich in meinem Wagen warten sollte, aber damit war ich nicht einverstanden. Also ging ich mit ihm hinein und kaufte eine Flasche Napa Valley Syrah, der, wie ich hoffte, zu Sams Essen passen würde. Die Luft roch nach Benzin und Abgasen, als wir zurück zu unseren Wagen gingen, doch es war ein herrlicher Abend. Die Sonne begann gerade unterzugehen und tauchte die Skyline in ein goldenes Licht, während sich die dichtbewaldeten Hänge der Smoky Mountains in der Dämmerung violett verfärbt hatten.

Als Paul plötzlich fluchte und sich auf den Nacken schlug, zuckte ich zusammen.

«Verfluchte Käfer», brummte er.

Er und Sam wohnten in einer neuen Siedlung zwischen Knoxville und Rockford, die südlich der Stadt an einem See lag. Da sie teilweise noch im Bau war, wichen die Erdhaufen und Holzstapel erst allmählich gepflegten Rasen und neugepflanzten Blumenbeeten. Ihr Haus befand sich an einer Nebenstraße, die sich am See entlangschlängelte und an großzügigen Grundstücken vorbeiführte. Obwohl die Siedlung noch einen unfertigen Eindruck machte, konnte man sehen, dass sie mit einer Menge Bäumen, Grünflächen und Wasser geplant worden war. Ein schöner Ort, um eine Familie zu gründen.

Paul bog auf eine Auffahrt und hielt hinter Sams verbeultem Toyota an. Ich parkte am Straßenrand, stieg aus und ging zu ihm.

«Wir richten noch das Kinderzimmer ein, also achte nicht auf das Chaos», sagte er, als wir auf das Haus zugingen.

Zum ersten Mal war ich froh, dass ich gekommen war, und fühlte mich so beschwingt wie seit Tagen nicht. Das Haus der beiden lag etwas zurückgesetzt und hatte deshalb einen größeren Vorgarten. In einem seltenen Zusammenspiel von gesundem Menschenverstand und Naturschutz hatten ihn die

Arbeiter um einen wunderschönen alten Ahornbaum herum angelegt, der so zum Zentrum des Grundstückes geworden war. Als wir daran vorbeigingen, dachte ich, dass der Baum ideal für eine Kinderschaukel wäre.

Merkwürdig, dass ich noch immer auf solche Dinge achtete.

«Paul? Warte mal!»

Der Ruf war vom Nachbarhaus gekommen. Eine Frau eilte über den Rasen auf uns zu. Gebräunt und adrett und mit etwas zu blondem Haar, das zu einem komplizierten Knoten gebunden war, hätte ich sie auf den ersten Blick für Ende fünfzig gehalten. Doch je näher sie kam, desto mehr revidierte ich meine Schätzung nach oben; erst auf Ende sechzig, dann auf Ende siebzig, so als würde sie mit jedem Schritt altern.

«Na, großartig», brummte Paul leise. Er setzte ein pflichtbewusstes Lächeln auf. «Hi, Candy.»

Der Name klang zu niedlich und nicht altersgemäß, aber irgendwie passte er zu ihr. Als sie dicht neben ihm stehen blieb, erinnerte ihr Auftreten an ein gealtertes Mannequin, das nicht gemerkt hatte, dass seine Zeit vorbei war.

«Ich bin ja *so* froh, dass ich dich sehe.» Durch ihr strahlend weißes Gebiss lispelte sie leicht beim Sprechen. Sie legte Paul eine mit Altersflecken übersäte Hand auf den Arm, deren von Adern durchzogene Haut braun wie alte Mokassins war. «Ich hätte dich nicht so bald zurückerwartet. Wie geht's Sam?»

«Gut, danke. Es war nur falscher Alarm.» Paul wollte mich vorstellen. «Candy, das ist …»

«Falscher Alarm?» Sie machte ein bestürztes Gesicht. «O Gott, nicht schon wieder! Als ich den Krankenwagen sah, war ich mir sicher, dass es dieses Mal wirklich losgeht!»

Für einen Augenblick schien die Zeit stehenzubleiben. Ich konnte die Frische des neuen Grases und der jungen Triebe riechen und die erste Abendkühle unter der Frühlingswärme spüren. Die Weinflasche in meiner Hand versprach immer noch Normalität.

Dann zerplatzte dieser Moment.

«Welcher Krankenwagen?» Paul wirkte eher verwirrt als besorgt.

«Na der, der vorhin gekommen ist. So gegen halb fünf, glaube ich ...» Das eingemeißelte Lächeln der Frau brach zusammen. Sie fasste sich mit einer Hand an den Hals. «Man hat dich doch benachrichtigt, oder? Ich dachte ...»

Doch Paul lief bereits ins Haus. «Sam? *Sam!*»

Ich wandte mich schnell an die Nachbarin. «In welches Krankenhaus ist sie gebracht worden?»

Candy schaute mit bebenden Lippen vom Haus, in dem Paul verschwunden war, zu mir. «Ich ... ich habe nicht gefragt. Der Sanitäter hat sie in einem Rollstuhl rausgebracht, und sie hatte so eine Sauerstoffmaske auf dem Gesicht. Ich wollte nicht stören ...»

Ich ließ sie auf dem Weg stehen und folgte Paul. Im Haus roch es nach frischer Farbe und Putz, nach neuen Teppichen und Möbeln. Ich fand ihn in der Küche, umgeben von funkelnden, neuen Geräten.

«Sie ist nicht hier.» Er sah betäubt aus. «Mein Gott, warum hat mich niemand angerufen?»

«Hast du nachgeschaut, ob du Nachrichten auf deiner Mailbox hast?»

Ich wartete, während er es tat. Mit zitternder Hand tippte er die Nummer ein. Er lauschte und schüttelte dann den Kopf. «Nichts.»

«Versuch es im Krankenhaus. In welchem sollte die Geburt stattfinden?»

«In der Uniklinik, aber ...»

«Ruf dort an.»

Er starrte auf sein Telefon und blinzelte, als versuchte er, wach zu werden. «Ich habe die Nummer nicht. Gott, die müsste ich doch im Kopf haben.»

«Ruf die Auskunft an.»

Er tippte die Nummer ein. Langsam kam er wieder zu sich und erholte sich vom ersten Schock. Ich stand wie angewurzelt da, als er die Nummer des Krankenhauses wählte. Während der quälenden Momente, in denen er weiterverbunden wurde, lief er hin und her. Als er zum dritten oder vierten Mal Sams Namen buchstabierte, spürte ich, wie die böse Vorahnung, die mich den ganzen Tag verfolgt hatte, immer größer wurde, bis sie den ganzen Raum erfüllte.

Paul beendete das Gespräch. «Sie wissen von nichts.» Seine Stimme klang ruhig, aber unterschwellig bahnte sich bereits die Panik an. «Ich habe es auch in der Notaufnahme versucht. Es gibt keine Unterlagen darüber, dass sie eingeliefert wurde.»

Er tippte wieder hektisch auf die Tastatur ein. «Paul …», sagte ich.

«Da muss irgendwas durcheinandergekommen sein», brummte er, als hätte er mich nicht gehört. «Sie muss in ein anderes Krankenhaus gebracht worden sein …»

«*Paul.*»

Er hielt inne. Als sich unsere Blicke trafen, sah ich die Angst in seinen Augen, sah die Einsicht, die er verzweifelt zu verleugnen versuchte. Aber das konnten wir uns beide nicht mehr leisten.

Ich war nicht Yorks Ziel. Ich war es nie gewesen.

Ich war nur der Köder.

KAPITEL 20

Die folgende Nacht war eine der längsten meines Lebens. Während ich Gardner anrief, erkundigte sich Paul bei den restlichen Krankenhäusern der Gegend. Er muss gewusst haben, dass Sam in keinem von ihnen sein würde, aber die Alternative war zu schrecklich, um sich damit abzufinden. Solange es noch eine Möglichkeit gab, egal wie schwach, konnte er sich an die Hoffnung klammern, dass alles nur ein Irrtum war und seine Welt wieder zur Normalität zurückkehren würde.

Aber das sollte nicht geschehen.

Gardner traf in weniger als fünfundvierzig Minuten ein. Bis dahin waren bereits zwei TBI-Agenten da. Sie waren innerhalb von Minuten beim Haus erschienen, beide in schmuddliger Arbeiterkluft, als wären sie direkt von einer Baustelle gekommen. Da sie so schnell vor Ort waren, mussten sie sehr nahe gewesen sein, bestimmt als Mitglieder der verdeckten Überwachung, die mir versprochen worden war. Leider hatte sie wenig gebracht.

Gardner und Jacobsen kamen ohne anzuklopfen ins Haus. Ihre Miene war mühsam beherrscht, seine angespannt und mürrisch. Er sprach kurz abseits und leise mit einem der Agenten und wandte sich dann an Paul.

«Erzählen Sie mir, was geschehen ist.»

Pauls Stimme bebte, als er es noch einmal berichtete.

«Gibt es Hinweise darauf, dass sich jemand gewaltsam Zutritt verschafft hat? Oder Spuren eines Kampfes?», fragte Gardner.

Paul schüttelte nur den Kopf.

Gardner schaute zu den Kaffeetassen auf dem Tisch. «Hat einer von Ihnen etwas angefasst?»

«Ich habe Kaffee gemacht», sagte ich.

Ich sah den Tadel in seinem Blick, dass ich nichts hätte anfassen dürfen, aber er bekam nicht die Gelegenheit, ihn auszusprechen.

«Zur Hölle mit dem verfluchten Kaffee!», platzte es aus Paul hervor. «Was werden Sie jetzt tun? Dieser Scheißkerl hat meine Frau, und wir sitzen hier nur rum und reden.»

«Wir werden alles tun, was wir können», sagte Gardner mit überraschender Geduld. «Wir haben jedes Polizeirevier und Sheriffbüro in East Tennessee beauftragt, nach dem Krankenwagen Ausschau zu halten.»

«*Ausschau* halten? Was ist mit Straßensperren, um Himmels willen?»

«Wir können nicht auf gut Glück jeden Krankenwagen anhalten. Und da er mehrere Stunden Vorsprung hat, ergeben Straßensperren keinen Sinn mehr. Er könnte mittlerweile schon über die Staatsgrenze nach North Carolina gelangt sein.»

Pauls Wut versiegte. Er ließ sich mit aschfahlem Gesicht auf seinem Stuhl zurückfallen.

«Vielleicht ist es unwichtig, aber der Krankenwagen hat mich auf einen Gedanken gebracht», sagte ich und wählte meine Worte vorsichtig. «Konnte man nicht auch auf dem Material von der Überwachungskamera einen sehen? Neben dem Münztelefon, von dem York Tom angerufen hat?»

Er war nur als weißer Umriss im Vordergrund zu sehen

gewesen. Normalerweise hätte ich mir nicht viel dabei gedacht, und ich war mir selbst jetzt nicht sicher, ob es eine Bedeutung hatte. Aber ich wollte lieber eine unpassende Bemerkung machen, als den Mund zu halten und es später zu bereuen.

Gardner schien meine Beobachtung nicht weiter zu interessieren. «Es ist ein Krankenhaus, da gibt es eben Krankenwagen.»

«Vor der Notaufnahme vielleicht, aber nicht vor der Leichenhalle. Erst recht nicht vor dem Haupteingang. Leichen werden nicht mit einem Krankenwagen transportiert.»

Er schwieg einen Augenblick, dann wandte er sich an Jacobsen. «Sagen Sie Megson, er soll sich darum kümmern. Und lassen Sie die Standfotos herschicken.» Als sie hinauseilte, wandte er sich wieder an Paul. «Okay, ich muss mit der Nachbarin sprechen.»

«Ich komme mit.» Paul richtete sich auf.

«Das ist nicht nötig.»

«Ich will aber.»

Ich konnte sehen, dass es Gardner nicht gefiel, aber er nickte. Dafür stieg er in meiner Wertschätzung.

Ich blieb allein im Haus zurück. Die Erkenntnis, wie sehr wir an der Nase herumgeführt worden waren, lag mir wie Asche im Mund. Die noble Zustimmung, die ich Gardner gegeben hatte, mich als Lockvogel anzubieten, erschien mir jetzt nur noch wie Selbstüberschätzung. *Mein Gott, hältst du dich für so wichtig?* Mir hätte klar sein müssen, dass York sich nicht mit mir abgeben würde, wenn es wesentlich verlockendere Ziele gab.

Wie Sam.

Draußen war es dunkel geworden und in der Küche schummerig. Ich schaltete das Licht an. Die neuen Möbel und die frischgestrichenen Wände strahlten einen beinahe spöttischen Optimismus aus. Ich war selbst einmal in Pauls Situation gewesen, allerdings mit einem entscheidenden Unterschied. Als Jenny verschleppt worden war, hatten wir gewusst, dass ihr Entführer seine Opfer bis zu drei Tage am Leben ließ. Jetzt deutete nichts darauf hin, dass York seine Opfer länger am Leben ließ, als er musste.

Sam könnte bereits tot sein.

Voller Unruhe verließ ich die Küche. Ein Team der Spurensicherung war auf dem Weg, aber niemand erwartete ernsthaft, dass die Beamten wichtige Spuren im Haus finden würden. Trotzdem achtete ich darauf, nichts anzufassen, als ich ins Wohnzimmer ging. Es war ein gemütlicher, heiterer Raum mit einem weichen Sofa und Sesseln und einem Couchtisch, auf dem ein paar Magazine lagen. Er war viel mehr von Sams Persönlichkeit geprägt als von Pauls. Ein mit Bedacht eingerichtetes Zimmer, in dem man sich aber wohl fühlen sollte und das nicht nur zur Bewunderung da war.

Als ich hinausgehen wollte, fiel mein Blick auf einen kleinen Fotorahmen, der auf einer Kommode mit Rauchglastüren stand. Das Bild war ein fast abstraktes schwarzweißes Muster, doch der Anblick traf mich wie ein Schlag in den Magen.

Es war ein Ultraschallbild von Sams Baby.

Ich schloss die Wohnzimmertür hinter mir und ging in die Diele. Vor der Eingangstür blieb ich stehen und versuchte mir vorzustellen, was geschehen war. *An der Tür klopft es. Sam macht auf und sieht einen Sanitäter vor sich stehen. Sie wird verwirrt sein und denkt, dass es nur eine Verwechslung sein kann. Wahrscheinlich lächelt sie, als sie den Irrtum aufklären will. Und dann …?* Vor der Haustür standen Büsche, der große Ahornbaum im Garten verdeckte den Blick noch mehr. Aber York hatte bestimmt jedes Risiko vermieden, gesehen zu werden. Also hatte er sich den Zutritt ins Haus entweder erschlichen und erzwungen, sie dann schnell überwältigt und in den Rollstuhl verfrachtet.

Schließlich hatte er sie ungeniert über den Weg zu seinem wartenden Krankenwagen geschoben.

Auf dem Boden neben der Fußleiste fielen mir weiße Flecken auf dem beigefarbenen Teppich auf. Als ich mich hinunterbeugte, um genauer nachzuschauen, zuckte ich zusammen, denn in dem Moment ging die Haustür auf.

Jacobsen blieb stehen, als sie mich auf dem Boden der Diele knien sah. Ich stand auf und deutete auf die weißen Flecken.

«Sieht aus, als hätte es York eilig gehabt. Und nein, ich habe nichts angefasst.»

Sie untersuchte den Teppich, dann die Leiste daneben. Auf dem Holz waren Kratzspuren zu sehen.

«Farbe. Er muss mit dem Rollstuhl gegen die Randleiste gestoßen sein», sagte sie. «Wir haben uns gefragt, wie York Professor Irving aus dem Wald gebracht hat. Bis zum nächsten Parkplatz ist es gut eine halbe Meile. Das ist ein langer Weg, um einen erwachsenen Mann zu tragen, besonders wenn er bewusstlos ist.»

«Glauben Sie, dabei hat er auch einen Rollstuhl benutzt?»

«Das würde einiges erklären.» Sie schüttelte den Kopf, anscheinend verärgert, dass sie erst jetzt darauf gekommen war. «In der Nähe der Stelle, wo Irving verschwunden ist, haben wir Spuren auf dem Waldweg entdeckt, die von Fahrradreifen zu stammen schienen. Die Gegend ist bei Fahrradfahrern beliebt, deswegen sind wir der Sache damals nicht weiter nachgegangen. Aber Rollstühle können ähnliche Reifen haben.»

Und selbst wenn York gesehen worden wäre, wie er den bewusstlosen Irving über den Weg geschoben hatte, wer hätte sich etwas dabei gedacht? Er hätte wie ein Pfleger gewirkt, der einen Kranken in der frischen Luft spazieren führte.

Wir gingen zurück in die Küche. Ich sah, dass Jacobsen zur Kaffeemaschine schaute. Ohne zu fragen, schenkte ich ihr eine Tasse ein und füllte meine nach.

«Und wie schätzen Sie die Lage ein?», fragte ich leise, als ich ihr die Tasse reichte.

«Es ist noch zu früh, um etwas sagen zu können ...», begann sie und hielt dann inne. «Wollen Sie, dass ich ehrlich bin?»

Nein. Ich nickte.

«Ich glaube, York ist uns die ganze Zeit zwei Schritte voraus gewesen. Er hat uns glauben lassen, dass Sie sein Ziel sind, und ist dann hier hereinspaziert, während wir ihn woanders gesucht haben. Jetzt muss Samantha Avery für unsere Fehler büßen.»

«Glauben Sie, dass sie noch rechtzeitig gefunden werden kann?»

Sie schaute in ihren Kaffee, als könnte sie darin die Antwort lesen. «York wird sich nicht lange mit dieser Sache aufhalten wollen. Er weiß, dass wir nach ihm suchen, und er wird nervös und ungeduldig sein. Wenn er sie nicht bereits umgebracht hat, wird sie vor Ende der Nacht tot sein.»

Ich stellte die Tasse ab, denn mir war übel geworden. «Warum Sam?», fragte ich, obwohl ich es ahnte.

«Nachdem er bei Dr. Lieberman gescheitert war, musste York sein Ego wieder aufbauen. Mit dieser Einschätzung lagen wir immerhin richtig.» Jacobsen klang verbittert. «Als Frau von Dr. Liebermans Nachfolger, noch dazu im neunten Monat schwanger, hat Samantha Avery ihn wahrscheinlich in zweifacher Hinsicht gereizt. Ihr Verschwinden garantiert Schlagzeilen und befriedigt außerdem, wenn wir recht haben, was die Fotos angeht, Yorks Psychose. Er ist davon besessen, den Moment des Todes auf Film zu bannen, weil er glaubt, dadurch die Antworten auf seine Fragen zu erhalten. Wer könnte in seinen Augen also ein besseres Opfer sein als eine schwangere Frau, ein Mensch, der buchstäblich voller Leben ist?»

Mein Gott. Es war der reine Wahnsinn, doch das Schlimmste war, dass dahinter eine verdrehte Logik steckte. Auch wenn sie sinnlos und widerlich war.

«Und dann? Er wird die Antworten nicht finden, indem er Sam tötet.»

Jacobsens Gesicht sah so düster aus, wie ich es noch nie zuvor gesehen hatte. «Dann wird er sich sagen, dass sie doch nicht die Richtige war, und weitermachen. Er wird wissen, dass die Zeit gegen ihn arbeitet, ganz gleich, wie sehr ihn sein Stolz vom Gegenteil überzeugen will, und das wird ihn zur Verzweiflung treiben. Vielleicht wird er sich beim nächsten Mal eine andere Schwangere aussuchen oder sogar ein Kind. Auf jeden Fall wird er nicht aufhören.»

Ich musste an die gequälten Gesichter auf den Fotos denken und sah plötzlich Sam vor mir, wie sie die gleiche Tortur durchmachte. Ich rieb mir die Augen, um das Bild loszuwerden.

«Und was geschieht jetzt?»

Jacobsen starrte aus dem Fenster in die fortschreitende Nacht. «Wir hoffen, sie vor morgen früh zu finden.»

Noch vor Ablauf der nächsten Stunde war es mit der abendlichen Stille vorbei. TBI-Agenten fielen in der ruhigen Gegend ein und klopften in der Hoffnung, weitere Zeugen zu finden, an jeder Tür. Eine Menge Leute konnten sich daran erinnern, am Nachmittag einen Krankenwagen gesehen zu haben, aber niemandem war etwas Ungewöhnliches an ihm aufgefallen. Krankenwagen sprechen für sich. Ihr Anblick erregt vielleicht eine morbide Neugier, aber nur wenige Menschen wundern sich, wenn sie einen sehen.

Und Sams und Pauls Nachbarn erst recht nicht.

Gardner war es nicht gelungen, mehr von Candy zu erfahren. Alles, was sie mit Sicherheit sagen konnte, war, dass ein Mann unbestimmten Alters in einer Sanitäteruniform dort gewesen war. Jedenfalls hatte es ihrer Meinung nach wie eine Uniform *ausgesehen*: Dunkle Hose und blaues Hemd mit Abzeichen. Dazu eine Schirmmütze, die den größten Teil des Gesichtes verdeckt hatte. Ein großer Mann, hatte sie zögerlich hinzugefügt. Ein Weißer. Oder vielleicht ein Latino. Bestimmt kein Schwarzer. Wenigstens glaubte sie das …

Es war ihr nicht einmal merkwürdig vorgekommen, dass der Sanitäter allein gewesen war. Und über den Krankenwagen hatte sie noch weniger sagen können. Nein, *natürlich* hatte sie sich die Nummer nicht gemerkt. Warum auch? Es war doch ein Krankenwagen.

«Offensichtlich ist Samantha Avery nicht gefesselt oder geknebelt worden, sie muss also betäubt oder bewusstlos gewesen sein», sagte Gardner, während Paul mit Sams Mutter telefonierte. «Möglicherweise hat er irgendein Gas verwendet, aber ich glaube, die Sauerstoffmaske hatte nur den Zweck, die Nachbarn fernzuhalten. Gas ist zu riskant, besonders wenn sich jemand wehrt, und York wollte bestimmt, dass sie so schnell wie möglich wieder zu sich kommt.»

«Brutale Gewalt wird er auch nicht angewendet haben», sagte Jacobsen. «Wenn man jemanden bewusstlos schlägt, besteht die Gefahr von Gehirnerschütterung oder Hirnschäden, und das wollte York mit Sicherheit vermeiden. Seine Opfer müssen bei vollem Bewusstsein sein, wenn er sie tötet. Er kann es nicht riskieren, sie auf den Kopf zu schlagen.»

«Das hat er bei Irvings Hund aber getan», erinnerte Gardner sie.

«Der Hund war nebensächlich. Er hatte es auf seinen Besitzer abgesehen.»

Gardner knetete sich den Nasenrücken. Er sah müde aus. «Wie auch immer. Tatsache ist, dass er Samantha Avery irgendwie ausgeschaltet hat. Und wenn er warten muss, bis sie wieder zu sich kommt, könnte das uns immerhin etwas mehr Zeit verschaffen.»

Ich hasste es, auch diese schwache Hoffnung zu zerstören. «Nicht unbedingt. Seine Opfer müssen nur so lange bewusstlos sein, bis er sie in den Krankenwagen geschafft hat. Was danach passiert, spielt keine Rolle. Egal, welche Mittel er anwendet – wenn sie nur wenige Minuten bewusstlos sind, wird es wahrscheinlich nicht lange dauern, bis sie sich erholt haben.»

«Ich wusste nicht, dass Sie ein Experte dafür sind», entgegnete Gardner scharf.

Ich hätte darauf hinweisen können, dass ich früher als Arzt gearbeitet hatte und selbst einmal mit Drogen betäubt worden war. Aber das tat nichts zur Sache. Jeder stand unter Anspannung und Gardner mehr als die meisten anderen. Niemand hatte sich bei dieser Ermittlung besonders ausgezeichnet, und er hatte letztendlich die Verantwortung. Ich wollte zu dieser Last nicht noch beitragen.

Erst recht nicht, da Sams Leben auf dem Spiel stand.

Paul schien bereits jenseits von Angst und Panik in einem Zustand der Isolation zu sein. Als er nach dem Telefonat mit Sams Eltern zurückkehrte, setzte er sich ohne ein Wort hin und starrte auf den unfassbaren Albtraum, der sein Leben verschlungen hatte. Ihre Eltern wollten am nächsten Tag von Memphis herfliegen, sonst hatte er niemanden benachrichtigt. Der einzige Mensch, den er jetzt an seiner Seite wollte, war Sam. Jeder andere war unwichtig.

Ich war hin und her gerissen, was ich tun sollte. Ich wurde nicht mehr gebraucht, aber ich konnte Paul nicht einfach allein lassen und zurück in mein Hotel fahren. Also setzte ich mich mit ihm ins Wohnzimmer, während die TBI-Beamten ihrer Arbeit nachgingen und die letzten Stunden und Minuten des Tages unerbittlich verstrichen.

Kurz nach elf Uhr kam Jacobsen herein. Paul schaute sofort auf, doch die Hoffnung in seinem Blick erstarb, als sie kurz den Kopf schüttelte.

«Keine Neuigkeiten. Ich wollte Dr. Hunter nur ein paar Fragen zu seiner Aussage stellen.»

Er versank wieder in Lethargie, als ich mit ihr hinausging. Sie hatte einen Hefter in der Hand, den sie aber erst öffnete, als wir in der Küche waren.

«Ich wollte Dr. Avery im Moment nicht damit belasten, aber ich dachte, Sie sollten es wissen. Wir haben noch einmal das Material der Überwachungskameras vom Krankenhaus für die Zeit überprüft, als York Dr. Lieberman angerufen hat. Sie hatten recht mit dem Krankenwagen.»

Sie reichte mir eine Schwarzweißfotografie aus dem Hefter. Es war das Standbild der Überwachungskamera, das ich bereits gesehen hatte und das die dunklen Umrisse von York beim Überqueren der Straße zeigte. Auf der linken Seite konnte man die Rückseite eines geparkten Krankenwagens sehen. Es war schwer zu beurteilen, aber es konnte sein, dass York vom Münztelefon darauf zugegangen war.

«Zehn Minuten bevor York das Telefon benutzt hat, traf der Krankenwagen ein und fuhr ungefähr sieben Minuten später wieder weg», sagte Jacobsen. «Wir können den Fahrer nicht erkennen, aber vom Zeitablauf passt es.»

«Warum sollte er zehn Minuten gewartet haben, bevor er angerufen hat?»

«Vielleicht musste er warten, bis niemand mehr in der Nähe war, vielleicht wollte er aber auch den Moment auskosten. Oder er musste erst Mut fassen. Wie auch immer, um 22.15 Uhr ging er los, um den Anruf zu tätigen, kam dann zurück und wartete. Er rechnete natürlich damit, dass Dr. Lieberman nach wenigen Minuten herauskommen würde. Als er nicht erschien, wird York noch eine Weile gewartet haben, ehe ihm klar wurde, dass etwas nicht stimmte und er verschwinden musste.»

Ich spielte es im Geiste durch. *York schaut nervös auf die Uhr und verliert die Zuversicht, als sein Opfer nicht auftaucht. Nur noch eine Minute, nur noch eine ... Und dann fährt er wütend davon, um seinen nächsten Schritt zu planen.*

Jacobsen zog ein weiteres Foto aus dem Hefter. Es war auf einem Teil des Klinikgeländes aufgenommen worden, den ich nicht erkannte. Ein Krankenwagen fuhr durchs Bild, der durch die Bewegung verschwommen war.

«Dieses Bild ist wenige Minuten bevor der Krankenwagen vor dem Leichenschauhaus anhielt, an einem anderen Straßenabschnitt aufgenommen worden», sagte sie. «Wir haben seine Route über verschiedene Überwachungskameras zurückverfolgt. Es ist definitiv dasselbe Fahrzeug. Das ist die beste Aufnahme, die wir finden konnten.»

Das hatte nicht viel zu bedeuten. Das Foto war bis an die Grenzen des technisch Machbaren vergrößert worden und hatte die typische Unschärfe von Standfotos, die man Videomaterial entnommen hatte. Der Blickwinkel machte es unmöglich, den Fahrer zu erkennen, und soweit ich sehen konnte, war an dem Krankenwagen nichts Ungewöhnliches. Ein klobiger weißer Kastenwagen mit den orangefarbenen Abzeichen, wie sie bei den Rettungsdiensten Tennessees üblich waren.

«Warum sind Sie sich sicher, dass es derselbe Wagen ist, den York benutzt hat?», fragte ich.

«Weil es kein echter Krankenwagen ist. Die Abzeichen sehen authentisch aus, allerdings nur, bis man sie mit den echten vergleicht. Außerdem ist das Modell mindestens fünfzehn Jahre alt. Viel zu alt, um noch im Gebrauch zu sein.»

Ich betrachtete das Foto genauer. Jetzt, wo sie es erwähnt hatte, sah der Krankenwagen tatsächlich veraltet aus. Aber es reichte, um die meisten Leute zu täuschen. Selbst vor einem Krankenhaus. Wer würde da schon genau hinschauen?

Ich gab ihr das Foto zurück. «Er sieht ziemlich überzeugend aus.»

«Es gibt Firmen, die darauf spezialisiert sind, mit gebrauchten Krankenwagen zu handeln. York hat sich wahrscheinlich für einen Spottpreis ein altes Modell gekauft und es dann so umlackiert, dass es aussieht wie die heutigen Krankenwagen.»

«Dann können Sie also herausfinden, woher der Wagen stammt?»

«Es wäre nur eine Frage der Zeit, aber ich glaube nicht, dass es uns weiterbringen würde. York hat beim Kauf wahrscheinlich eine Kreditkarte eines seiner Opfer benutzt. Und selbst wenn nicht, bezweifle ich, dass es uns jetzt bei der Suche nach ihm helfen würde. Dafür ist er zu clever.»

«Was ist mit dem Kennzeichen?», fragte ich.

«Daran arbeiten wir noch. Auf manchen Aufnahmen sind die Nummernschilder zu sehen, sie sind aber zu verschmutzt, um die Nummer zu erkennen. Das könnte Absicht sein, allerdings sind auch die Seiten des Fahrzeuges vollgespritzt. Sieht so aus, als wäre er kürzlich durch Schlamm oder einen Sumpf gefahren.»

Ich musste daran denken, was Josh Talbot gesagt hatte, als er die Libellennymphe aus dem Sarg identifizierte. *Die Leiche muss nahe einem Teich gelegen haben. Wahrscheinlich direkt am Ufer … Sie werden nicht umsonst Sumpflibellen genannt.*

«Jedenfalls haben wir nun ein paar Hinweise mehr», fuhr Jacobsen fort und steckte die Fotos zurück in den Hefter. «Selbst ohne Zulassungsnummer können wir eine Beschreibung des Krankenwagens herausgeben. Das engt die Suche wenigstens ein bisschen ein.»

Aber nicht genug. York hatte einen zu großen Vorsprung, um dorthin zu gelangen, wo er hinwollte. Selbst wenn er die Staatsgrenze nicht überquert hatte, gab es Hunderte Quadratmeilen Berge und Wälder, in denen er sich verstecken konnte.

Und Sam.

Als ich Jacobsen anschaute, konnte ich ihr ansehen, dass sie sich ähnliche Gedanken machte. Obwohl wir beide kein Wort sagten, wussten wir, dass wir der gleichen Auffassung waren. *Es war zu spät.* So unangebracht es auch war, in diesem Moment fiel mir auf, wie nah beieinander wir standen und wie sich nach dem langen Tag ihr Körpergeruch mit dem leichten Parfümduft vermischte, den sie immer verströmte. Die plötzliche Verlegenheit zwischen uns sagte mir, dass auch sie sich dessen bewusst war.

«Ich gehe lieber wieder zurück zu Paul», sagte ich und trat einen Schritt zurück.

Sie nickte, doch ehe einer von uns noch etwas sagen konnte, ging die Küchentür auf, und Gardner kam herein. Ein

335

Blick in sein zerfurchtes Gesicht genügte, und ich wusste, dass etwas geschehen war.

«Wo ist Dr. Avery?», fragte er Jacobsen, als wäre ich nicht da.

«Im Wohnzimmer.»

Ohne ein Wort verschwand er wieder. Jacobsen ging hinter ihm her, ihr Gesicht zeigte keine Gefühlsregung mehr. Als ich ihr folgte, kam mir die Luft plötzlich kalt vor.

Paul schien sich nicht gerührt zu haben, seit ich ihn allein gelassen hatte. Er saß noch immer zusammengekauert im Sessel, den Kaffeebecher auf dem niedrigen Tisch neben ihm hatte er offenbar nicht angerührt. Kaum sah er Gardner, versteifte er sich, als würde er jeden Moment einen Hieb erwarten.

«Haben Sie sie gefunden?»

Gardner schüttelte schnell den Kopf. «Noch nicht. Aber uns wurde ein Unfall auf dem Highway 321 ein paar Meilen östlich von Townsend gemeldet, an dem ein Krankenwagen beteiligt war.» Ich kannte den Ort dem Namen nach. Es war eine hübsche Kleinstadt am Fuße der Berge. Gardner zögerte. «Noch ist es nicht bestätigt, aber wir glauben, dass das York war.»

«Ein Unfall? Was für ein Unfall?»

«Ein Zusammenstoß mit einem anderen Wagen. Der Fahrer sagt, dass der Krankenwagen aus der Gegenrichtung mit zu hoher Geschwindigkeit um eine Kurve kam und ihn gestreift hat. Nachdem sich beide Fahrzeuge einmal um die eigene Achse gedreht haben, hat der Krankenwagen einen Baum gerammt.»

«O Gott …»

«Er ist weitergefahren, aber laut dem anderen Fahrer sind der vordere Kotflügel und mindestens ein Scheinwerfer zu

Bruch gegangen. Außerdem glaubt er, der Motor hätte so geklungen, als wäre er dabei auch zu Schaden gekommen.»

«Hat er sich die Nummer gemerkt?», fragte ich.

«Nein, aber ein zerbeulter Krankenwagen fällt viel eher auf. Und zumindest wissen wir jetzt, in welche Richtung York gefahren ist.»

Paul war aus seinem Sessel gesprungen. «Dann können Sie jetzt Straßensperren errichten?»

Gardner wirkte verlegen. «So einfach ist es nicht.»

«Warum denn nicht? Um Himmels willen, was soll so schwer daran sein, einen zerbeulten Krankenwagen zu finden, wenn Sie wissen, in welche Richtung er unterwegs ist, verdammt nochmal?»

«Weil der Unfall vor fünf Stunden stattgefunden hat.»

Stille breitete sich aus, als wir die Bedeutung seiner Worte aufnahmen.

«Der Fahrer hat den Unfall nicht sofort gemeldet», fuhr Gardner fort. «Anscheinend hat er gedacht, es wäre ein echter Krankenwagen gewesen, und Angst gehabt, dass er Schwierigkeiten kriegen könnte. Erst als seine Frau ihn davon überzeugt hat, dass er sich um Schadenersatz bemühen müsse, hat er die Polizei angerufen.»

Paul starrte ihn an. «Fünf Stunden?» Er setzte sich hin, als würden seine Beine ihn nicht mehr tragen.

«Es ist trotzdem eine wertvolle Spur», entgegnete Gardner, aber Paul hörte nicht zu.

«Er ist verschwunden, nicht wahr?» Seine Stimme war matt und leblos. «Er könnte überall sein. Sam könnte schon tot sein.»

Niemand widersprach ihm. Er starrte Gardner so durchdringend an, dass der sonst so hartgesottene TBI-Agent zurückzuweichen schien.

«Versprechen Sie mir, dass Sie ihn fassen werden. Lassen Sie den Scheißkerl nicht damit durchkommen. Versprechen Sie mir wenigstens das.»

Gardner wirkte überrumpelt. «Ich werde mein Bestes tun.»

Aber mir war aufgefallen, dass er Paul bei diesen Worten nicht in die Augen geschaut hatte.

KAPITEL 21

Am nächsten Morgen wurde der Krankenwagen gefunden. Ich hatte den größten Teil der Zeit in einem Sessel verbracht und unruhig gedöst. Die Nacht war mir endlos erschienen. Jedes Mal, wenn ich auf die Uhr geschaut hatte, waren nur ein paar Minuten verstrichen. Als ich aus dem Fenster blickte und einen goldenen Schimmer am Himmel sah, hatte ich das Gefühl, die Zeit würde erst jetzt wieder beginnen.

Ich schaute zum anderen Sessel und sah, dass Paul hellwach war. Er schien sich die ganze Nacht nicht gerührt zu haben. Ich stand mit steifen Gelenken auf.

«Willst du einen Kaffee?»

Er schüttelte den Kopf. Ich streckte Hals und Schultern und ging in die Küche. Der Kaffee war die ganze Nacht warm gehalten worden und erfüllte den Raum mit einem schalen, verbrannten Geruch. Ich kippte ihn in der Spüle aus und setzte eine frische Kanne auf. Draußen begann die Welt im frühmorgendlichen Dämmerlicht Formen anzunehmen. Hinter den Häusern auf der anderen Straßenseite konnte ich den See erkennen, über dessen dunkler Oberfläche weißer Nebel hing. Es hätte eine friedliche Szenerie sein können, wenn nicht der Streifenwagen vor dem Haus gestanden und das Bild wie ein greller Farbspritzer ruiniert hätte.

Ich nippte an meinem Kaffee und schaute aus dem Fenster. Ein Vogel begann zu singen. Zu seiner einsamen Stimme gesellten sich bald andere, bis ein immer lauter werdendes Gezwitscher entstand. Ich musste an Jacobsens düstere Vorhersage denken: *Wenn er sie nicht bereits umgebracht hat, wird sie vor Ende der Nacht tot sein.* Wie aufs Stichwort berührten die ersten Sonnenstrahlen den See.

Es würde ein herrlicher Morgen werden.

Gegen acht Uhr trafen die ersten Fernsehteams und Reporter ein. Sams Name war nicht bekannt gegeben worden, aber es war immer nur eine Frage der Zeit, bis die Medien Wind von einer Sache bekamen. Die uniformierten Polizisten aus dem Streifenwagen sorgten dafür, dass die Medienleute vom Grundstück fernblieben, doch innerhalb kürzester Zeit war die ganze Straße mit weiteren Nachrichtenteams und ihren Fahrzeugen verstopft.

Paul schien kaum Notiz davon zu nehmen. Im Tageslicht konnte man sehen, wie schrecklich grau und zerfurcht sein Gesicht war. Er igelte sich zunehmend ein und versank in seinem Leid. Nur wenn das Telefon klingelte, wurde er lebendig. Jedes Mal sprang er auf und nahm erwartungsvoll den Hörer ab, nur um einen Moment später in sich zusammenzusacken, weil es erneut ein Freund oder ein aufdringlicher Journalist war. Nachdem er ein paar Worte gestammelt hatte, legte er auf und zog sich wieder in sein Schneckenhaus zurück. Ich fühlte mit ihm, denn ich wusste nur zu gut, was er gerade durchmachte.

Aber nichts, was ich hätte tun können, hätte ihm geholfen.

Erst kurz vor Mittag veränderte sich die Situation. Auf den Tellern vor uns verkümmerten die Reste unserer Sandwiches. Meins war halb aufgegessen, Pauls unangetastet. Allmählich begann ich zu denken, dass ich ins Hotel zurückfahren sollte. Hier konnte ich nichts tun, außerdem sollten

Sams Eltern in ein paar Stunden eintreffen. Als das Telefon erneut klingelte, griff Paul sofort danach, aber dann sah ich, wie er die Schultern hängen ließ, und wusste, dass es nicht Gardner war.

«Hi, Mary. Nein, habe ich nicht ...» Er verstummte und wirkte plötzlich hellwach und angespannt. «Auf welchem Sender?»

Er ließ das Telefon fallen und griff nach der Fernbedienung des Fernsehers.

«Was ist los?», fragte ich.

Er hörte mich nicht. Kaum war der Fernseher an, schaltete er durch die Programme, von einem Bild zum anderen, bis er plötzlich innehielt. Eine junge Frau mit Haarsprayfrisur und knallrotem Lippenstift sprach aufgeregt in die Kamera.

«... gerade wurde bekannt, dass in der Nähe Gatlinburgs auf dem Gebiet des Great-Smoky-Mountains-Nationalparks ein verlassener Krankenwagen gefunden worden ist ...»

Paul hörte mit großen Augen und offenem Mund zu.

«... wo genau der Wagen gefunden wurde, war nicht zu erfahren, außerdem wollte das TBI nicht bestätigen, dass es sich dabei um das Fahrzeug handelt, das gestern bei der Entführung von Samantha Avery benutzt wurde, der schwangeren Zweiunddreißigjährigen aus Blount County. Über den Verbleib der Vermissten gibt es noch keine Informationen, unbestätigten Berichten zufolge soll der Krankenwagen jedoch bei einem Zusammenstoß beschädigt worden sein ...»

Die Sprecherin fuhr atemlos fort, während ein Foto von York auf dem Bildschirm erschien, doch Paul griff bereits nach seinem Telefon. Ehe er eine Nummer wählen konnte, klingelte es. *Gardner*, dachte ich sofort und sah meine Vermutung in Pauls Miene bestätigt.

«Haben Sie sie gefunden?», wollte er wissen.

Gardners Antwort schien ihn zu ernüchtern. In der Stille konnte ich blechern und undeutlich die Stimme des TBI-Agenten hören. Paul hörte gequält und angespannt zu.

«Und warum erfahre ich das aus dem Fernsehen? Herrgott nochmal, Sie wollten mich anrufen, wenn es Neuigkeiten gibt! Ist mir scheißegal, rufen Sie einfach an, okay?»

Er legte auf. Er hatte mir den Rücken zugewandt und versuchte sich zu beherrschen, bevor er sprach.

«Der Krankenwagen ist vor einer halben Stunde auf einem Rastplatz in der Nähe der I-40 gefunden worden», sagte er langsam. «Sie glauben, dass York einen anderen Wagen gestohlen und dann die Interstate genommen hat. Die führt quer durch North Carolina. Es sei denn, er ist nach Westen gefahren. Er könnte mittlerweile auf dem Weg nach New Mexico sein. Er könnte *überall* sein!»

Er schleuderte das Telefon gegen die Wand, an der es zerschellte und in Einzelteilen zu Boden krachte.

«Mein Gott, ich ertrage das nicht! Ich kann nicht die ganze Zeit hier rumsitzen!»

«Paul …»

Aber er marschierte bereits zur Tür. Ich folgte ihm in die Diele.

«Wohin willst du?»

«Mir den Krankenwagen anschauen.»

«Warte einen Augenblick, Gardner wird …»

«Scheiß auf Gardner!» Er wollte die Haustür öffnen. Ich legte eine Hand darauf. «Geh mir aus dem Weg, David!»

«Hör mir bitte mal zu! Wenn du jetzt rausgehst, werden dir die ganzen Fernsehteams folgen. Willst du das?»

Das ließ ihn innehalten.

«Gibt es auf der Rückseite des Grundstücks eine Straße?»,

fuhr ich schnell fort, solange ich noch seine Aufmerksamkeit hatte.

«Ja, sie führt hinten an den Häusern vorbei, aber ich kann nicht …»

«Ich hole meinen Wagen. Die Presse wird mir nicht folgen, aber es wird sie ablenken. Du gehst hinten raus und läufst durch den Garten. Wir treffen uns dann dort.»

Es gefiel ihm nicht, aber er sah ein, dass mein Plan vernünftig war. Widerwillig nickte er.

«Bis gleich», sagte ich und ging hinaus, bevor er seine Meinung ändern konnte.

Die Sonne knallte mir ins Gesicht, als ich hinaustrat, und blendete mich. Ich ging geradewegs zu meinem Wagen und versuchte, den plötzlichen Aufruhr zu ignorieren, den meine Anwesenheit ausgelöst hatte. Die Pressemeute drängte mit Kameras und Mikrophonen vorwärts, doch die Aufregung war nicht von Dauer. «Das ist nicht Avery», sagte jemand, und damit schien ein Schalter umgelegt worden zu sein. Ein paar halbherzige Fragen wurden an mich gerichtet, aber da ich nicht antwortete, nahm das Interesse schnell ab. Als ich in den Wagen stieg und davonfuhr, hatten die Fernsehteams und Journalisten ihre Aufmerksamkeit bereits wieder auf das Haus gerichtet.

Die Straße schlängelte sich weiter in die Siedlung, bevor sie eine Schleife machte und hinter Sams und Pauls Haus zurückführte. Hier war außer Paul niemand zu sehen. Er kam auf den Wagen zugelaufen und hatte die Tür schon aufgerissen, ehe ich anhalten konnte.

«Fahr zurück auf die Hauptstraße und dann Richtung Berge», sagte er atemlos.

Keiner der Medienleute verfolgte uns, als wir die Siedlung verließen. Sobald wir den Highway erreichten, war die Strecke ausgeschildert. Abgesehen von ein paar knappen Anweisungen von Paul fuhren wir schweigend. Die vor uns aufragenden Smoky Mountains waren in Nebel gehüllt. Der Anblick der sich bis an den Horizont erstreckenden Berge war ernüchternd. Wie sollte man in dieser schier unendlichen Wildnis jemanden finden?

Die hoch am Himmel stehende Sonne erzeugte eine fast schon sommerliche Wärme. Nach ein paar Meilen musste ich die Scheibenwaschanlage anschalten, um die toten Insekten abzuwischen. Die Spannung im Wagen wuchs, als wir den Fuß der Berge erreichten und durch Townsend fuhren. Nicht weit von hier hatte York den anderen Wagen gestreift und einen Baum gerammt. Wenige Meilen hinter der Stadt kamen wir zu einer großen Eiche am Straßenrand, die mit dem Flatterband der Polizei umwickelt worden war. Als wir daran vorbeifuhren, konnte man deutlich die weißen Furchen in der Rinde erkennen. Paul starrte mit düsterer Miene aus dem Fenster.

Wir sagten beide kein Wort.

Ein paar Meilen weiter wies er mich an, vom Highway abzubiegen, und wir begannen, in die Berge zu fahren. Sie ragten hoch um uns auf und warfen Schatten auf die Straße, die sich in Serpentinen nach oben schlängelte. Uns begegneten nur wenige andere Fahrzeuge, aber das war zu dieser Jahreszeit normal. Hier oben war noch immer Frühling. Der Waldboden war mit wilden Blumen bedeckt, deren blaue, gelbe und weiße Blüten das junge Gras sprenkelten. Zu jeder anderen Zeit hätte man sich an der atemberaubenden Schönheit der Appalachen erfreuen können, jetzt erschien sie wie ein grausamer Witz.

«Bieg die Nächste rechts ab», sagte Paul. Wie viele Nebenstraßen in dieser Gegend war es eine schmale Schotterpiste.

Sie war so steil, dass das Automatikgetriebe des Wagens mit dem Anstieg alle Mühe hatte. Nach einer halben Meile wurde sie eben. Als wir um eine Kurve kamen, sahen wir, dass ein Polizeiwagen den Weg versperrte. Dahinter konnte ich vor dem dichten Wald Holztische und weitere Polizeifahrzeuge erkennen.

Als ein uniformierter Polizist auf uns zukam, kurbelte ich das Fenster herunter. Er sah aus wie ein Jugendlicher, stolzierte aber herbei wie ein alter Mann. Er starrte mich unter der breiten Hutkrempe an und legte eine Hand auf seine Waffe im Gürtelholster.

«Zurück. Sie können hier nicht weiter.»

«Würden Sie bitte Dan Gardner sagen, dass Dr. Hunter und …», begann ich, doch da hörte ich, wie die Beifahrertür aufging. Als ich mich umschaute, sah ich Paul aus dem Wagen steigen. Der junge Polizist hastete sofort los, um ihn einzuholen. *O Gott.*

«Kommen Sie zurück! Gottverdammt, stehen bleiben, habe ich gesagt!»

Ich sprang aus dem Wagen, lief hinter ihnen her und hielt Paul fest. Der Polizist hatte sich vor ihm auf den Weg gestellt und zog seine Pistole. Bis zu diesem Augenblick war mir nie klar gewesen, wie sehr ich Waffen hasste.

«Schon gut, schon gut!», sagte ich und zog Paul zurück. «Komm, beruhige dich!»

«Zurück in den Wagen! Sofort!», brüllte der Polizist. Er hielt die Pistole mit beiden Händen und zielte auf den Boden zwischen uns.

Paul rührte sich nicht. Im hellen Sonnenlicht schienen seine Augen ins Leere zu blicken. York konnte er nicht in die Finger kriegen, aber er musste irgendwie seine Wut abreagieren. Ich habe keine Ahnung, was geschehen wäre, wenn wir nicht in diesem Moment eine vertraute Stimme gehört hätten.

«Was ist hier los, verflucht?»

Ich hätte nie gedacht, dass mich Gardners Anblick einmal erfreuen würde. Der TBI-Agent kam mit zusammengepressten Lippen den Pfad herab. Der Polizist hatte seine Waffe noch immer auf uns gerichtet und starrte Paul finster an.

«Sir, ich habe ihnen gesagt, dass sie umkehren sollen, aber sie wollten …»

«Ist schon in Ordnung», sagte Gardner mürrisch. Sein Anzug sah noch zerknitterter aus als sonst. Er warf mir einen kalten Blick zu, ehe er sich an Paul wandte. «Was machen Sie hier?»

«Ich will den Krankenwagen sehen.»

Er klang so entschlossen, dass jeder Widerstand sinnlos war. Gardner betrachtete ihn einen Augenblick und seufzte dann.

«Hier entlang.»

Wir folgten ihm den Pfad hinauf. Der Rastplatz befand sich auf einer Lichtung, von der man eine herrliche Aussicht auf die sich meilenweit ausbreitenden bewaldeten Gipfel und Täler hatte. Hoch oben über diesem unendlichen grünen Meer war die Luft kühler, aber dennoch warm und roch süßlich nach Kiefern und Fichten. Auf einer Seite der Lichtung parkten Polizeifahrzeuge und ein paar Zivilautos.

Etwas abseits davon und durch Flatterband abgesperrt stand der Krankenwagen.

Schon aus der Entfernung konnte ich die durch den Zusammenstoß verursachten Schäden sehen. Über eine Seite verliefen parallele Furchen, und der linke Kotflügel, mit dem der Wagen gegen den Baum geprallt sein musste, war wie Stanniolpapier zusammengedrückt worden. Kein Wunder, dass York ihn stehengelassen hatte. Er war wahrscheinlich froh gewesen, überhaupt so weit damit gekommen zu sein.

Paul blieb vor dem Polizeiband stehen und starrte in den Krankenwagen. Die Hecktüren standen sperrangelweit auf, sodass man die ausgedienten Liegen und Schränke sehen konnte, zwischen denen ein Beamter der Spurensicherung seiner Arbeit nachging. Von einer der Liegen hingen die Halteriemen hinab, als wären sie hastig gelöst worden.

Ich spürte, dass jemand neben mir stand. Es war Jacobsen, die mich ernst anschaute. Sie hatte dunkle Ränder unter den Augen, und ich vermutete, dass Paul und ich nicht die Einzigen waren, die in der Nacht nicht geschlafen hatten.

Pauls Miene war eine Maske. «Was haben Sie gefunden?»

Er schien Gardners leichtes Zögern nicht zu bemerken. «Auf der Liege waren blonde Haare. Wir müssen sie mit Proben vom Haar Ihrer Frau vergleichen, aber wir glauben, dass es keinen Zweifel gibt. Und es sieht so aus, als hätte York bei dem Aufprall einen ziemlichen Schlag abbekommen.»

Er führte uns um den Wagen herum. Die Fahrertür war geöffnet, sodass wir in die schmuddelige, abgenutzte Kabine schauen konnten. Das Lenkrad war verzogen und ein Stückchen zur Seite geneigt.

«Er muss mit ziemlicher Wucht gegen das Lenkrad geknallt sein, um es so zu verbiegen», sagte Gardner. «Würde mich nicht wundern, wenn er sich dabei ein paar Rippen gebrochen hat.»

Zum ersten Mal huschte Paul ein leichter Hoffnungsschimmer über das Gesicht. «Dann ist er also verletzt? Das ist gut, oder?»

«Vielleicht», entgegnete Gardner unverbindlich, als würde er etwas zurückhalten. Aber Paul war wieder zu geistesabwesend, um es zu bemerken.

«Ich würde gerne eine Weile hierbleiben.»

«Fünf Minuten. Dann müssen Sie nach Hause fahren.»

Wir ließen Paul allein. Ich wartete, bis wir außer Hörweite waren.

«Was verheimlichen Sie ihm?»

Gardner sah mich mit zusammengekniffenen Augen an, aber was auch immer er hatte sagen wollen, blieb unausgesprochen, weil ihn jemand aus dem Wagen der Spurensicherung rief.

«Er kann es ruhig wissen», sagte er dann zu Jacobsen, bevor er so steif wie immer davonging.

Durch die Ringe unter ihren Augen wirkte Jacobsen noch ernster. «Wir haben Blutspuren im Krankenwagen gefunden. Auf der Liege und auf dem Boden.»

Ich musste daran denken, wie ich Sam das letzte Mal gesehen hatte. *O mein Gott.* «Finden Sie nicht, dass Paul ein Recht hat, das zu erfahren?»

«Ja, aber nicht jetzt. Nicht alle Spuren sind frisch, und wir können nicht mit Sicherheit sagen, ob überhaupt welche von seiner Frau stammen.» Sie schaute kurz hinüber zu Paul, der vor dem Krankenwagen Wache hielt. «Dan ist der Meinung, dass es ihm im Moment kaum helfen wird, wenn er davon weiß.»

Ich fand mich widerwillig damit ab. Mir gefiel es zwar nicht, Paul Informationen vorzuenthalten, aber seine Phantasie quälte ihn bestimmt schon genug.

«Wie haben Sie den Krankenwagen gefunden?», fragte ich.

Sie strich sich eine Haarsträhne zurück, die ihr ins Gesicht gefallen war. «Uns wurde ein Autodiebstahl gemeldet. Ein blauer Chrysler-Geländewagen. Ungefähr eine Viertelmeile von hier befinden sich Ferienhütten, zu denen keine Straße führt. Die Bewohner lassen ihre Wagen hier stehen und gehen zu Fuß weiter. Deswegen hat York wahrscheinlich diese Stelle gewählt. Selbst in dieser Jahreszeit sind meistens ein oder zwei Hütten vermietet. Jeder, der sich in der Gegend auskennt, weiß, dass hier Autos stehen.»

Ich schaute hinüber zu dem verbeulten Krankenwagen. Er war mitten auf der Lichtung abgestellt worden, nur wenige Meter von einem Dickicht aus Lorbeerbüschen entfernt. «York hat sich nicht viel Mühe gegeben, seine Spuren zu verwischen.»

«Das musste er auch nicht. Die Wagen stehen hier manchmal tagelang, während ihre Besitzer im Wald Trapper spielen. York konnte darauf bauen, dass der, den er gestohlen hat, frühestens heute Morgen vermisst wird, vielleicht noch später Es war reines Glück, dass dem Besitzer der Diebstahl aufgefallen ist.»

Glück. Davon hatten wir bisher nicht viel. «Ich hätte aber damit gerechnet, dass er ihn wenigstens so parkt, dass man die Beschädigungen nicht gleich sieht.»

Jacobsen zuckte müde mit den Achseln. «Ich glaube, er musste sich um wichtigere Dinge kümmern. Er musste Samantha Avery in den anderen Wagen bringen, und das dürfte nicht leicht gewesen sein, wenn er tatsächlich verletzt ist. Den Krankenwagen zu verstecken war bestimmt sein geringstes Problem.»

Wahrscheinlich hatte sie recht. Für York musste der Wagen nur so lange unentdeckt bleiben, bis er aus der Gegend verschwunden war. Danach spielte er keine Rolle mehr.

«Glauben Sie, dass er die Interstate genommen hat?», fragte ich.

«Es sieht so aus. Sie ist nur wenige Meilen entfernt und führt tiefer in die Berge. Oder er ist nach Westen umgekehrt und in einen anderen Staat gefahren.»

«Er könnte also sonst wo sein.»

«Ja, so ziemlich.» Sie reckte ihr Kinn und schaute hinüber zu Paul, der noch immer vor dem Krankenwagen stand. «Sie sollten ihn nach Hause bringen. Es hat keinen Zweck, wenn er hierbleibt.»

«Er hätte es nicht übers Fernsehen erfahren dürfen.»

Sie nickte und nahm die Kritik hin. «Dan wollte ihn anrufen, sobald er Zeit dafür hatte. Aber wir werden Dr. Avery sofort Bescheid geben, falls wir weitere Neuigkeiten haben.»

Mir fiel auf, dass sie *falls* gesagt hatte und nicht *wenn*. Je länger die Suche dauerte, desto geringer wurde die Chance, Sam zu finden.

Es sei denn, York wollte es.

Während Jacobsen Gardner zum Wagen der Spurensicherung folgte, ging ich zurück zu Paul. Er gab eine traurige Figur ab, wie er auf den Krankenwagen starrte, als könnte er dadurch erahnen, wo seine Frau war.

«Wir sollten jetzt gehen», sagte ich ruhig.

Er schien keine Kraft mehr zu haben, sich zu widersetzen. Er schaute noch einen Augenblick auf den Krankenwagen, dann wandte er sich ab und ging mit mir zurück zum Wagen.

Der junge Polizist warf Paul einen strengen Blick zu, als wir auf dem Pfad an ihm vorbeikamen, aber es war umsonst. Paul schien seine Umgebung nicht wahrzunehmen, als wir den Rastplatz verließen. Erst nachdem wir einige Meilen weit gefahren waren, begann er zu sprechen.

«Ich habe sie verloren, oder?»

Ich suchte nach den richtigen Worten. «Das kannst du nicht wissen.»

«Doch, ich weiß es. Und du auch. Alle da oben wussten es.» Die Worte strömten jetzt aus ihm hervor wie Wasser aus einem Hahn. «Ich habe die ganze Zeit versucht, mich daran zu erinnern, was ich ihr als Letztes gesagt habe. Aber es fällt mir nicht ein. Ich habe immer wieder darüber nachgedacht, aber es ist alles leer. Ich weiß, dass es nichts bringt, aber es macht mich verrückt. Ich kann einfach nicht glauben, dass alles ganz normal war, als ich sie das letzte Mal gesehen habe. Warum habe ich nichts geahnt?»

Weil man nie mit so etwas rechnet. Aber das sagte ich nicht.

Sein Wortstrom stoppte abrupt. Ich starrte wie betäubt auf die Straße. *Lieber Gott, lass das nicht geschehen.* Aber es war bereits geschehen, und die stillen Wälder spendeten keinen Trost. In den durchbrochenen Sonnenstrahlen tanzten Insekten, die neben den riesigen uralten Eichen und Kiefern wie unbedeutende, winzige Flecken wirkten. Durch eine schmale Spalte im Berghang stürzte schäumend weißes Wasser über dunkle Felsen in die Tiefe. Wir fuhren an umgeknickten, mit Moos bedeckten Bäumen vorbei, während andere, die noch standen, von Kletterpflanzen umschlungen waren. So schön diese Wildnis auch war, alles, was hier draußen lebte, befand sich in einem ständigen Überlebenskampf.

Der nicht immer gewonnen wurde.

Ich bin mir nicht sicher, wann mir mein Unbehagen bewusst wurde. Es schien aus dem Nichts zu kommen und kündigte sich zuerst dadurch an, dass mir die Unterarme kribbelten. Als ich hinabschaute, sah ich, dass sich die Härchen aufgerichtet hatten. Ein ähnliches Kribbeln im Nacken sagte mir, dass sich auch dort die Haare aufgestellt hatten.

Meine innere Unruhe wurde immer stärker und nahm bald beängstigende Ausmaße an. Ich umklammerte das Lenkrad. *Was? Was ist los?* Ich wusste es nicht. Paul saß noch immer beklemmend reglos und schweigend neben mir. Die Straße vor mir war völlig leer und nur vom Sonnenlicht und dem Schatten der Bäume gesprenkelt. Ich schaute in den Rückspiegel. Nichts zu sehen. Hinter uns spulte sich der Wald mit gleichgültiger Monotonie ab. Doch das Gefühl ließ nicht nach. Als ich wieder einen Blick in den Spiegel warf, zuckte ich zusammen. Irgendetwas war gegen die Windschutzscheibe geknallt.

Ein riesiges Insekt hing platt gedrückt mit abgespreizten Beinen und Flügeln an der Scheibe. Als ich darauf starrte, begann mir allmählich der Grund für meine Unruhe klar zu werden. Ohne weiter nachzudenken, trat ich auf die Bremse.

Paul wurde gegen seinen Gurt geschleudert und stützte sich mit den Händen am Armaturenbrett ab. Während der Wagen quietschend zum Stehen kam, warf er mir einen erschrockenen Blick zu.

«Mein Gott, David …!» Er schaute sich um und versuchte herauszufinden, warum wir angehalten hatten. «Was ist los?»

Ich antwortete nicht. Ich saß mit Herzrasen da, umklammerte das Lenkrad und starrte noch immer auf die Windschutzscheibe. Die Libelle war fast so lang wie mein Finger. Obwohl sie ziemlich stark zerfetzt war, konnte ich die Tigerstreifen auf dem Mittelleib erkennen. Die Augen waren unverkennbar, genau wie Josh Talbot gesagt hatte.

Die blau leuchtenden Augen der *Epiaeschna heros*.

Eine Sumpflibelle.

KAPITEL 22

Als ich den Rückwärtsgang einlegte, schaute mich Paul an, als wäre ich verrückt geworden.

«Was ist los? Hast du was gesehen?»

«Ich bin mir nicht ganz sicher.»

Ich drehte mich auf dem Sitz um, damit ich durch das Heckfenster schauen konnte, fuhr die Straße zurück und suchte dabei den Wald auf meiner Seite ab. Talbot hatte gesagt, dass die Sumpflibellen feuchte, bewaldete Orte mochten. Und inmitten der umherschwirrenden Insekten hatte es zwischen den Bäumen blau gefunkelt. Allerdings war ich so abgelenkt gewesen, dass ich es nicht bemerkt hatte. Auf jeden Fall nicht bewusst. *Schau dir nur diese Augen an! Unglaublich oder? An einem sonnigen Tag kann man sie aus einer Meile Entfernung erkennen …*

Er hatte recht gehabt.

Ich hielt auf der Böschung neben der Straße an, ließ den Motor laufen und stieg aus. Als ich am Waldrand stehen blieb, hüllte mich die Stille der Natur ein. Sonnenstrahlen fielen durch die Zweige der Bäume auf die im Gras wachsenden Wildblumen.

Sonst sah ich nichts.

«David, jetzt sag mir endlich, was los ist, verdammt!»

Paul stand vor der geöffneten Beifahrertür. Der bittere Geschmack der Enttäuschung lag mir auf der Zunge. «Das

Insekt auf der Windschutzscheibe ist eine Sumpflibelle. In Harpers Sarg haben wir eine Sumpflibellennymphe gefunden. Ich dachte …»

Ich verstummte verlegen. *Ich dachte, ich hätte noch mehr davon gesehen.* Jetzt kam es mir an den Haaren herbeigezogen vor.

«Entschuldige», sagte ich und wandte mich zum Wagen um.

Und da sah ich ein blaues Schimmern zwischen dem Grün.

«Dahinten.» Ich zeigte aufgeregt in den Wald. «Neben der umgestürzten Kiefer.»

Die Libelle schwirrte durch die hereinfallenden Sonnenstrahlen. Ihre blauen Augen leuchteten wie Neon. Als hätten sie nur auf diesen Moment gewartet, erkannte ich jetzt noch weitere Exemplare zwischen den Bäumen.

«Ich sehe sie.» Paul starrte blinzelnd in den Wald, als würde er gerade aufwachen. «Glaubst du, das hat was zu bedeuten?»

In seiner Stimme lag ein vorsichtiger, beinahe flehender Ton, aber ich wollte ihm auf keinen Fall falsche Hoffnungen machen. Sumpflibellen hin oder her, York hatte Noah Harpers Leiche bestimmt nicht so nah an der Straße abgelegt. Und selbst wenn, ich konnte mir nicht vorstellen, wie es Sam helfen sollte. Andererseits wussten wir, dass York mit dem Krankenwagen über diese Straße gefahren war, und nun entdeckten wir auch hier die Libellen. Das konnte nicht nur Zufall sein.

Oder doch?

«Talbot hat gesagt, sie mögen stehende Gewässer, oder?», sagte Paul mit einer aus der Verzweiflung geborenen Unruhe. «Hier muss es irgendwo einen Teich oder einen See geben. Hast du eine Karte im Wagen?»

«Nicht von den Bergen.»

Er fuhr sich mit einer Hand durchs Haar. «Irgendetwas muss es hier geben! Vielleicht einen langsam fließenden Bach oder Fluss …»

Allmählich bereute ich, überhaupt etwas gesagt zu haben. Die Wildnis der Berge erstreckte sich über mehr als zweitausend Quadratmeilen. Soweit ich wusste, lebten die Libellen nomadisch, sie könnten also bereits meilenweit von dem Ort entfernt sein, an dem sie geschlüpft waren.

Trotzdem …

Ich schaute mich um. Ein Stückchen die Straße hinab schien ein Weg abzuzweigen.

«Wir können ja dort hinten reinfahren und uns umsehen», schlug ich vor.

Paul nickte, offenbar entschlossen, selbst die geringste Hoffnung zu ergreifen. In mir kam erneut schlechtes Gewissen auf, denn wahrscheinlich klammerten wir uns nur an einen Strohhalm. Als er wieder in den Wagen stieg, nahm ich die tote Libelle von der Windschutzscheibe. Dann setzte ich mich hinters Steuer und schaltete die Scheibenwischer ein. Die Wasserstrahlen spülten ihre Reste vom Glas, als wäre sie nie dort gewesen.

Die Abzweigung war nur ein holpriger Pfad, der sich durch die Bäume schlängelte. Da er nicht einmal mit Schotter befestigt war, konnte ich nur langsam über den zerfurchten, matschigen Boden fahren. Zweige und Büsche strichen gegen die Fenster. Das Gestrüpp wurde mit jedem Meter dichter, bis ich schließlich anhalten musste. Geradeaus war der Weg vollständig durch Ahornbäume und Birken blockiert, die mit struppigen Lorbeerbüschen um jeden Zentimeter Boden kämpften. Wohin auch immer der Weg einmal geführt haben mochte, wir kamen keinen Schritt weiter.

Paul schlug frustriert auf das Armaturenbrett. «Verfluchte Scheiße!»

Er stieg aus dem Wagen. Als ich ihm folgen wollte, musste ich die Tür mit aller Kraft gegen die Büsche stemmen. Ich schaute mich um und hoffte, eine weitere Sumpflibelle zu erblicken oder irgendetwas anderes, damit ich wusste, dass wir nicht umsonst dort waren. Aber ich sah nur Wald und nichts als Wald.

Paul starrte mit hängenden Schultern in das Dickicht. Die Hoffnung, die ihn für eine Weile angetrieben hatte, hatte sich erschöpft.

«Es ist sinnlos», sagte er mit zerfurchtem Gesicht. «Wir sind meilenweit von der Stelle entfernt, wo York den Krankenwagen stehengelassen hat. Scheiße, wir sind fast wieder dort, wo er den Unfall hatte. Wir verschwenden unsere Zeit.»

In dem Moment hätte ich beinahe aufgegeben. Wäre beinahe wieder ins Auto gestiegen und hätte mir gesagt, dass ich überreagiert hatte. Doch dann erinnerte ich mich an Toms Worte: *Du hast immer gute Instinkte gehabt, David. Du solltest lernen, ihnen mehr zu vertrauen.*

Trotz all meiner Zweifel sagten mir meine Instinkte immer noch, dass dort etwas war.

«Nur noch einen Augenblick.»

Die Zweige über mir raschelten in einer Brise, dann wurde es wieder still. Ich ging zu einem umgestürzten, morschen Baumstamm, der mit hellen, tellergroßen Pilzen besetzt war, und kletterte hinauf. Doch die erhöhte Position half mir auch nicht weiter. Abgesehen von dem überwucherten Weg, dem wir gefolgt waren, konnte ich nur Bäume sehen. Ich wollte gerade hinabsteigen, als die Zweige wieder raschelten, weil erneut eine Brise aufgekommen war.

Und dann roch ich es.

Den leichten, fast süßlichen Verwesungsgeruch.

Ich hielt meine Nase in die Brise. «Kannst du ...?»

«Ich rieche es.»

Seine Stimme klang angespannt. Es war ein Geruch, mit dem wir beide zu vertraut waren, um uns zu täuschen. Dann legte sich der Wind, und in der Luft lagen nur noch die normalen Waldgerüche.

Paul schaute sich verzweifelt um. «Hast du mitgekriegt, woher er gekommen ist?»

Ich deutete auf den Berghang, von wo die Brise hergeweht zu sein schien. «Ich glaube, aus der Richtung.»

Ohne ein Wort marschierte er in den Wald. Ich schaute mich noch einmal zum Wagen um und lief dann hinter ihm her. Wir kamen nur mit Mühe voran. Es gab keinen Pfad oder Weg, außerdem waren wir beide nicht für eine Wanderung gekleidet. Die Zweige blieben an uns hängen, als wir über den unebenen Boden und an den Büschen vorbeistolperten, die es unmöglich machten, geradeaus zu gehen. Am Anfang bot uns der Wagen eine gewisse Orientierung, sobald er aber außer Sichtweite war, konnten wir nur noch mutmaßen.

«Wenn wir weitergehen, werden wir uns noch verlaufen», keuchte ich, als Paul stehen blieb, um sich von einem Ast zu befreien, der sich in seiner Jacke verhakt hatte. «Es hat keinen Sinn, hier ziellos umherzuirren.»

Er suchte den Wald ab, atmete schwer und kaute auf seiner Lippe. Obwohl er verzweifelt nach einer Spur Ausschau hielt, die ihn zu York und Sam führte, wusste er genauso gut wie ich, dass der Geruch, den wir wahrgenommen hatten, vielleicht nur von einem toten Tier stammte.

Doch ehe einer von uns etwas sagen konnte, kam erneut eine Brise auf und ließ die Äste um uns herum erzittern. Wir tauschten einen Blick aus. Da war der Geruch wieder, stärker als zuvor.

Wenn es ein Tier war, dann musste es ein ziemlich großes sein.

Paul hob eine Handvoll Kiefernnadeln vom Boden auf, warf sie in die Luft und beobachtete, in welche Richtung sie davongeweht wurden. «Hier lang.»

Etwas zuversichtlicher gingen wir weiter. Jetzt war der Verwesungsgeruch auch dann wahrzunehmen, wenn sich die Brise legte. *Um das zu riechen, brauchst du keinen Detektor, Tom.* Wie zur Bestätigung, dass wir auf dem richtigen Weg waren, erkannte ich vor uns das metallische Schimmern einer Libelle, die durch die Bäume schwirrte.

Und dann sahen wir den Zaun.

Es war ein über zwei Meter hoher, morscher Holzlattenzaun mit einer Stacheldrahtkrone, der teilweise von Krüppelkiefern und Büschen verdeckt war. Davor verlief ein wesentlich älter aussehender, rostiger Maschendrahtzaun.

Paul schien von einer beinahe fiebrigen Energie angetrieben zu werden, als wir uns einen Weg entlang der Abgrenzung bahnten. Ein Stück weiter befanden sich zwei alte Steinpfosten. Das Tor war mit Holzlatten versperrt. Der Boden davor war überwuchert, man konnte aber noch tiefe, parallele Furchen erkennen.

«Radspuren», sagte Paul. «Wenn es ein Tor gibt, muss hier auch mal ein Weg gewesen sein. Vielleicht der, dem wir gefolgt sind.»

Wenn, dann war er schon seit einer Ewigkeit nicht mehr benutzt worden.

Der Verwesungsgeruch war noch stärker geworden, aber weder Paul noch ich sagten etwas dazu. Es war nicht nötig. Paul stieg über den durchhängenden Maschendrahtzaun, packte eine der Latten und riss daran. Das morsche Holz splitterte unter seinen Händen weg.

«Warte, wir müssen Gardner benachrichtigen», sagte ich und griff nach meinem Telefon.

«Und was willst du ihm sagen?» Er zerrte stöhnend vor Anstrengung an dem Zaun. «Glaubst du, er lässt alles stehen und liegen und kommt angerannt, weil wir etwas Totes gerochen haben?»

Er trat gegen eine Latte, bis sie wegbrach, machte sich dann wütend über die nächste her und stemmte sie mit einem lauten Quietschen von einem hartnäckigen Nagel. Hinter dem Loch war Gestrüpp, sodass man nicht sehen konnte, was sich auf der anderen Seite befand. Nachdem er die letzten Holzsplitter weggerissen hatte, warf er mir einen kurzen Blick zu.

«Du musst nicht mitkommen.»

Dann begann er, durch den Zaun zu klettern. Innerhalb von Sekunden war er hinter schwankenden Zweigen verschwunden.

Ich zögerte. Niemand wusste, wo wir waren, und nur Gott wusste, was hinter dem Zaun lag. Aber ich konnte Paul nicht allein lassen.

Also zwängte ich mich auch durch das Loch.

Als etwas an meiner Jacke zerrte, zuckte ich zusammen. Ich zog panisch daran, bis ich sah, dass sie nur an dem Nagel hängen geblieben war. Ich befreite mich und kletterte in das Dickicht auf der anderen Seite. Paul konnte ich nicht sehen, aber vor mir hörte ich es knistern und rascheln. Ich folgte ihm, so gut ich konnte, und schirmte mein Gesicht mit einer Hand vor den zurückschnellenden Zweigen ab.

Als ich dann aus dem Gebüsch trat, wäre ich fast mit ihm zusammengestoßen.

Wir waren in einem großen Garten herausgekommen.

Jedenfalls schien es einmal ein Garten gewesen zu sein; jetzt war es eine Wildnis. Zierbüsche und Bäume wucherten wild durcheinander. Wir standen im Schatten einer riesigen Magnolie, deren wächserne weiße Blüten einen widerlich süßen Geruch verströmten. Direkt vor uns ragte ein alter Goldregen auf, dessen Äste sich unter unzähligen gelben Trauben bogen.

Darunter war ein Teich.

Er war wohl einmal das Herz des Gartens gewesen, jedoch schon lange abgestanden und verwildert. Die Ränder waren langsam ausgetrocknet und mit Schilf überwuchert, während das zähflüssige grüne Wasser mit Schaum überzogen war. Über der Oberfläche schwirrte ein Schwarm mückenartiger Insekten wie Staubkörner im Sonnenlicht.

Die Nahrung der Libellen.

Es waren Dutzende. Hunderte. Das Brummen ihrer Flügel erfüllte die Luft. Hier und da sah ich die schillernden Farben anderer, kleinerer Arten, aber es war die getigerte Sumpflibelle, die vorherrschte. Ihre Augen schimmerten wie Saphire, während sie in einem wirren Ballett über dem Wasser tanzten.

Als ich ein Stück zur Seite trat, um einen besseren Blick zu haben, knackte etwas unter meinem Fuß. Ich schaute hinab und sah einen blassen, grünlich weißen Stock im Gras liegen. Nein, zwei Stöcke, dachte ich. Und dann, als würde ein Bild scharf werden, wurde mir klar, dass ich auf Elle und Speiche eines menschlichen Unterarms schaute.

Ich ging langsam einen Schritt zurück. Neben meinem Fuß lag, halb im Unterholz verborgen, eine Leiche. Sie war vollständig skelettiert, und durch das Moos, das die Knochen bedeckte, spross bereits frisches Frühlingsgras.

Schwarz, weiblich, jugendlich: Die Einschätzung kam

automatisch. Als hätte er nur auf diesen Moment gewartet, machte sich über dem süßlichen Geruch der Magnolie jetzt auch wieder der Gestank der Verwesung bemerkbar.

«O mein Gott», flüsterte Paul neben mir.

Ich schaute langsam auf. Die Libellen waren nicht die einzigen Bewohner dieses Ortes.

Der Garten war voller Leichen.

Sie lagen im Gras, unter Bäumen, im Unterholz. Größtenteils bestanden sie nur aus nackten Knochen, einige befanden sich aber noch im Prozess der Verwesung, sodass sich Fliegen und Maden an den ledernen Eingeweiden und Knorpeln labten. Kein Wunder, dass keines von Yorks früheren Opfern gefunden worden war.

Er hatte sich seine eigene Body Farm erschaffen.

«Dahinten», sagte Paul bebend. «Ein Haus.»

Jenseits des Teiches führte das Grundstück einen bewaldeten Berghang hinauf. Kurz vor der Kuppe konnte man durch die Äste ein Dach erkennen. Als Paul losgehen wollte, hielt ich ihn fest.

«Was hast du vor?»

Er riss sich los. «Sam könnte in dem Haus sein!»

«Ich weiß, aber wir müssen Gardner sagen …»

«Dann mach's doch», sagte er und lief los.

Ich fluchte und schaute unschlüssig auf mein Telefon. Einerseits musste ich Gardner Bescheid sagen, was wir hier entdeckt hatten, andererseits musste ich Paul davon abhalten, eine Dummheit zu begehen.

Ich steckte das Telefon weg und lief hinter ihm her.

Überall lagen Leichen. Man konnte weder einen Plan noch einen Sinn dahinter erkennen, so als hätte York sie hier einfach der Verwesung überlassen. Während ich durch den Garten lief, sah ich überall Libellen umherschwirren. Eine

Sumpflibelle ließ sich mit schwingenden Flügeln auf einem skelettierten Finger nieder. Als mir eine andere vor dem Kopf herumbrummte, scheuchte ich sie voller Abscheu weg.

Paul war noch immer vor mir und näherte sich dem Haus, das wir durch die Äste gesehen hatten. Am Hang gebaut, erhob sich das dreistöckige Holzhaus wie eine Klippe. Für ein einfaches Wohnhaus war es viel zu groß, es wirkte eher wie ein altes Hotel. Früher musste es einmal ein imposantes Gebäude gewesen sein, doch nun sah es so vermodert aus wie die Leichen auf dem Grundstück. Anscheinend hatten sich die Fundamente verschoben, denn es machte einen windschiefen und verzogenen Eindruck. Das Schindeldach war löchrig, und die mit Spinnweben überzogenen Fenster starrten blind aus der verwitterten grauen Fassade. Wie ein Betrunkener lehnte an einer Ecke eine alte Trauerweide, deren Zweige vor den Außenwänden hingen, als wollten sie den Verfall verbergen.

Paul hatte eine mit Unkraut überwucherte Veranda erreicht, die eine ganze Seite des Gebäudes einnahm. Ich war mittlerweile dicht hinter ihm, allerdings nicht nah genug, um ihn daran zu hindern, auf die mit Brettern vernagelten Verandatüren zuzulaufen und an den Griffen zu zerren. Sie ließen sich nicht öffnen, aber das Geklapper erschütterte die Stille des Gartens.

Ich zog ihn von der Tür weg. «Was machst du denn da? Mein Gott, willst du dich umbringen lassen?»

Ein Blick in sein Gesicht verriet mir die Antwort: Er rechnete nicht mehr damit, Sam lebendig zu finden. Und wenn sie tot war, war es ihm egal, was mit ihm geschah.

Er schob mich zur Seite und lief auf die Ecke des Hauses zu, wo die alte Trauerweide gegen die Wand lehnte. Ich durfte ihn nicht zu weit vorauslaufen lassen, aber ich wollte auch endlich Gardner anrufen. Ich wählte die Nummer im Laufen und sah mit Erleichterung, dass es hier draußen wenigstens einen schwachen Empfang gab. Das war mehr, als ich zu hoffen gewagt hatte, doch als sich sofort die Mailbox des TBI-Agenten meldete, fluchte ich. Um es bei Jacobsen zu versuchen, fehlte die Zeit. Paul war bereits unter den herabhängenden Zweigen der Trauerweide verschwunden. Atemlos beschrieb ich, so gut ich konnte, wo wir waren, klappte dann das Handy zu und rannte hinter ihm her.

Aus der Nähe war der Verfall des Gebäudes unverkennbar. Die Holzwände waren morsch und mit winzigen Löchern übersät. Ich musste an den Schwarm der kleinen Insekten denken, die von den Libellen gefressen worden waren, und erinnerte mich an Josh Talbots Worte: *Die Sumpflibelle hat eine Vorliebe für geflügelte Termiten.*

Hier hatten sie unerschöpflichen Vorrat gefunden.

Aber im Augenblick hatte ich andere Sorgen. Ich konnte Paul wieder vor mir sehen; er lief über einen überwucherten Pfad am Gebäude entlang. Mit Stichen in der Brust sprintete ich los und zog ihn zurück, ehe er um die Ecke verschwinden konnte.

«Lass mich!»

Er fuchtelte mit den Armen herum und traf mich mit dem Ellbogen an der Schläfe. Für einen kurzen Moment sah ich Sterne vor den Augen, aber ich ließ ihn nicht los. «Denk doch mal nach! Was ist, wenn er eine Waffe hat?»

Er versuchte mich abzuschütteln. «Ist mir scheißegal!»

Ich musste alle Kraft aufbieten, um ihn festzuhalten. «Wenn Sam noch lebt, sind wir ihre einzige Chance! Willst du die vermasseln?»

Das wirkte. Die Glut in seinen Augen erlosch, und ich spürte, wie sein Widerstand abnahm. Noch etwas misstrauisch, ließ ich ihn los.

«Ich werde nicht warten, bis Gardner hier ist», sagte er schnaufend.

«Ich weiß, aber wir können nicht einfach so reinstürmen. Wenn York da ist, dürfen wir es ihm nicht noch leichter machen.»

Ich konnte sehen, dass alles in ihm das Haus einreißen wollte, bis er Sam gefunden hatte, doch er wusste, dass ich recht hatte. Obwohl uns York mittlerweile gehört haben musste, hatte er vielleicht noch nicht bemerkt, dass wir nur zu zweit waren. Das verschaffte uns zwar kaum einen Vorteil, aber wenn wir unser Kommen auch noch lauthals ankündigten, würden wir völlig im Hintertreffen sein.

Mit etwas mehr Vorsicht gingen wir zum Ende des Pfades.

Wir hatten uns dem Haus offenbar von hinten genähert und gelangten nun zur Vorderseite. Die Sonne stand zu niedrig, um über das hohe Dach zu strahlen, sodass die Fassade einen langen Schatten warf. Als wir in die Finsternis traten, war mir, als würden wir in kaltes Wasser steigen. Auch die Bäume auf dieser Seite wirkten dunkler. Anstatt der vielfältigen Zierpflanzen im Garten standen hier vor allem hoch aufragende Kiefern und Ahornbäume. Der Wald hatte sich das gesamte Grundstück zurückerobert. Über der matschigen Auffahrt bildeten die Baumkronen einen düsteren, klaustrophobischen Tunnel, der sich im Nirgendwo verlor.

An einer Seite der Auffahrt stand ein verzogenes Holzschild. Die Buchstaben waren zu einem gespenstischen Blau verblichen, das auf einen lange vergangenen Optimismus hindeutete: *Tief einatmen! Sie sind im Cedar Heights Kurbad und Sanatorium!* Dem Aussehen nach schien es aus den 1950er Jahren zu stammen, und dem Verfall nach zu urteilen, war es seitdem vergessen worden.

Außer von York.

Auf der Auffahrt waren kreuz und quer mehrere Autos abgestellt worden, die wahrscheinlich Yorks Opfern gehört hatten. Die meisten waren mit verschimmeltem Laub und Vogeldreck bedeckt und offensichtlich seit Ewigkeiten nicht bewegt worden, doch zwei waren sauberer als der Rest. Das eine war ein riesiger schwarzer Pick-up mit dunkel getönten Scheiben.

Das andere war ein blauer Chrysler-Geländewagen.

Die Erkenntnis, wie York uns an der Nase herumgeführt hatte, traf mich wie ein Schlag. Als er den Unfall gehabt hatte, war er schon fast hier gewesen. Doch um zu verhindern, dass die unvermeidliche Suchaktion Cedar Heights zu nahe kam, hatte er einen meilenweiten Umweg gemacht, bevor er den Krankenwagen abgestellt hatte.

Dann hatte er einen Wagen gestohlen und war umgekehrt.

Der Geländewagen stand am Fuß einer Steintreppe, die auf eine überdachte Veranda führte. Oben befand sich eine große Doppeltür, die einmal herrschaftlich gewesen sein musste, aber nun genauso heruntergekommen war wie der Rest.

Ein Flügel stand offen.

Als wir die Stufen hinaufgingen, bückte sich Paul und hob eine Holzstrebe auf, die sich von der Verandabrüstung gelöst hatte. Durch die geöffnete Tür konnte ich ein großes, dunkles Foyer und die unteren Stufen einer breiten Treppenflucht sehen. Paul schob die Tür mit seinem Stock ganz auf.

Da klingelte mein Handy.

Es klang erschreckend laut. Ich zog es aus der Tasche und erkannte Gardners Nummer auf dem Display. *Mein Gott, nicht jetzt!* Meine Hände zitterten, als ich ranging, doch es dauerte quälend lange, ehe der durchdringende Ton verstummte.

In der Leitung knisterte es, und Gardner war kaum zu verstehen. *«Hunter? Wo zum Teufel stecken Sie?»*

Aber zum Antworten war keine Zeit. Es war für nichts mehr Zeit, denn in dem Moment ertönte tief aus dem Inneren des Hauses ein Schrei. Er brach sofort wieder ab, aber Paul verlor die Beherrschung.

«SAM! HALTE AUS, ICH KOMME!», brüllte er und stürzte durch die Tür.

O Gott. Doch jetzt hatte ich keine Wahl mehr. Ich ignorierte Gardners wütende Fragen und folgte Paul ins Sanatorium.

Du neigst den Kopf und lauschst. Sie werden bald hier sein, dir bleiben nur wenige Minuten. Die Aufregung ist noch da, aber mittlerweile hast du den Schock so gut wie überwunden und kannst wieder funktionieren. Als du sie an den Verandatüren gehört hast, warst du wie gelähmt. Du dachtest, indem du den Krankenwagen meilenweit entfernt abgestellt hast, hättest du sie abgeschüttelt und könntest ein wenig zur Ruhe kommen.

Du hättest dich nicht darauf verlassen dürfen.

Dein erster Impuls war, davonzulaufen, aber das war unmöglich. Du hast dich gezwungen, Ruhe zu bewahren, nachzudenken. *Und nach und nach hatte sich die Panik so weit gelegt, dass du wusstest, was du tun musst. Du bist besser als sie, vergiss das nicht. Besser als alle.*

Du kannst noch immer gewinnen.

Aber du musst dich beeilen. Die Augen der gefesselten Gestalt starren dich groß und verängstigt an, als du dich vergewisserst, dass der Knebel nicht mehr herausrutschen kann.

Du willst keine weiteren Schreie, die ihnen verraten, wo du bist. Auf jeden Fall noch nicht. Als du bereit bist, kommt es dir plötzlich wie eine Vergeudung vor. So war es nicht geplant, gerade jetzt, wo du deinem Ziel so nahe gekommen bist ... Aber zum Bedauern ist keine Zeit. Es ist für nichts mehr Zeit.

Nur für das, was getan werden muss.

Als es vorbei ist, betrachtest du dein Werk mit Abscheu. Die Augen starren dich nicht mehr an, sie starren gar nichts mehr an. Dein Atem wird hektischer, als du hörst, dass die Eindringlinge näher kommen. Sollen sie doch. Du bist fast fertig. Nur noch eine Sache, dann ist deine Überraschung perfekt.

Du wischst dir den Schweiß vom Gesicht und greifst nach dem Messer.

KAPITEL 23

Paul lief durch das Foyer. «SAM? *SAM!*»

Sein Ruf hallte von den nackten Wänden wider. Das Innere des Sanatoriums war dunkel und leer, es gab weder Lampen noch Möbel. Nur durch Risse und Spalten in den verschlossenen Fensterläden fielen vereinzelte Lichtstrahlen herein. Ich nahm die Leere, den Verfall und den Staub wahr, als ich mit dem Handy am Ohr hinter Paul herstürzte.

«*Reden Sie mit mir, Hunter! Was ist los?*», rief Gardner verärgert. Aber die Verbindung war so schlecht, dass ich nur die Hälfte verstand.

«Wir haben York gefunden», sagte ich keuchend. «Er ist in einem alten Sanatorium am Fuß der Berge, ungefähr fünfzehn, zwanzig Meilen von der Stelle entfernt, wo er den Krankenwagen abgestellt hat. Hier ist …» Aber mir fehlten die Worte für den Albtraum im Garten. Ich begann ihm zu beschreiben, wo wir den Wagen stehengelassen hatten, bis mich sein Schweigen innehalten ließ. «Gardner? *Gardner!*»

Die Verbindung war zusammengebrochen. Ich hatte keine Ahnung, wie viel er gehört hatte oder ob er überhaupt etwas gehört hatte, aber es war keine Zeit, um ihn zurückzurufen. Paul war mitten im Foyer stehen geblieben.

«SAM! WO BIST DU? *SAM!*»

«*Paul …!*» Ich hielt ihn fest. Er schüttelte mich ab.

«Er weiß doch längst, dass wir hier sind! *Oder, du Scheiß-*

kerl?», brüllte er. «*Hörst du mich? Ich komm dich holen, York!*»

Seine Kampfansage blieb unbeantwortet. In dem großen, leeren Foyer klang unser Atem unnatürlich laut. Das Fundament war entweder von Termiten unterhöhlt worden oder abgesackt, jedenfalls fiel der gesamte Boden auf einer Seite tückisch ab. Wie schmutziger Filz lag auf jeder Oberfläche eine dicke Staubschicht. Von den Wänden hingen ausgeblichene Tapetenstreifen, und vom Geländer der einst pompösen Treppe in der Mitte des Raumes war der Handlauf gerissen worden, sodass die Streben wie lockere Zähne in die Luft ragten. Daneben befand sich ein altmodischer Fahrstuhl, der seinen letzten Einsatz vor Jahrzehnten gehabt haben musste und dessen verrostete Metallkabine voller Schutt war. Es roch nach Alter und Feuchtigkeit, nach Schimmel und morschem Holz. Und nach etwas anderem.

Obwohl nur schwach, lag auch hier der widerlich süße Verwesungsgeruch in der Luft.

Als Paul auf die Treppe zulief, polterten seine Schritte über den Holzboden. Die Stufen ins Untergeschoss waren eingestürzt, an ihrer Stelle waren nur noch ein schwarzes Loch und Trümmer. Er wollte nach oben gehen, doch ich hielt ihn zurück. Während die eine Seite des Gebäudes aussah, als würde sie jederzeit zusammenbrechen, gab es auf der anderen Seite eine Tür, auf der *Privat* stand. Der verstaubte Parkettboden zwischen der Tür und dem Eingang war mit Fußspuren und schmalen Reifenspuren durchzogen, die von einem Fahrrad hätten stammen können.

Oder von einem Rollstuhl.

Paul umklammerte seinen Holzstock, lief los und riss die Tür auf. Ein dunkler Korridor erstreckte sich vor uns, in den nur durch ein kleines Fenster am anderen Ende Licht fiel.

«SAM!», schrie er.

Sein Schrei verhallte. Mehrere Türen führten von dem Korridor ab. Paul rannte los und riss sie der Reihe nach auf. Als sie gegen die Wand knallten, hörte es sich an wie Schüsse. Dahinter befanden sich Lagerräume, die nur leere Schränke und Spinnweben enthielten. Ich folgte ihm bis zur letzten Tür. Nachdem er auch sie aufgeschleudert hatte, musste ich angesichts der plötzlichen Helligkeit blinzeln.

Eine leere Küche lag vor uns.

Die Sonne schien schräg durch die schmutzigen Fenster und tauchte den Raum in das trübe grüne Licht eines Aquariums. In einer Ecke stand ein Feldbett, auf dem ein zusammengeknüllter Schlafsack lag. Hinter dem Kopfende war ein Regal aus Brettern und Latten errichtet worden, die sich unter dem Gewicht alter Bücher bogen. Auf einem riesigen Herd mit Holzfeuerung stapelten sich verkrustete Pfannen und Töpfe, und zwei große Spülbecken quollen mit dreckigem Geschirr über. In der Mitte des Raums stand ein zerschrammter Kiefernholztisch. Die Teller darauf waren zur Seite geschoben worden, um Platz für einen Verbandskasten zu machen, aus dem eine übriggebliebene Bandage hing. Ich musste an das verzogene Lenkrad des Krankenwagens denken und spürte eine gewisse Schadenfreude.

Erst als ich mich abwandte, fiel mir auf, dass eine Wand des Raumes vollständig mit Fotografien bedeckt war.

York hatte sich eine Fotomontage seiner Opfer an die Wand geheftet. Es waren die gleichen Schwarzweißaufnahmen von gequälten Gesichtern, die ich in seinem Haus gesehen hatte. Die grausige Galerie bestand aus so vielen Bildern von Männern und Frauen jeden Alters und aller Ethnien, dass man sie unmöglich auf den ersten Blick erfassen konnte. Einige der Fotografien waren im Laufe der Zeit bereits vergilbt und wellig geworden. Auf einem Regalbrett darunter lagen Brieftaschen, Portemonnaies und Schmuckstücke, die offenbar genauso achtlos weggeworfen worden waren wie die Leben ihrer Besitzer.

Plötzlich streifte etwas Klebriges mein Gesicht. Ich schreckte zurück und wäre fast über einen Stuhl gestolpert, ehe ich erkannte, dass es nur ein Fliegenfänger war. Eine Sumpflibelle hing daran. Sie war noch am Leben, aber hoffnungslos verfangen, und die hektischen Bewegungen verschlimmerten ihre Lage nur. Jetzt sah ich, dass überall in der Küche Fliegenfänger von der Decke hingen, die mit unzähligen toten Insekten übersät waren. York hatte sich nicht die Mühe gemacht, sie abzunehmen, sondern einfach neue aufgehängt, bis kaum noch Platz übrig blieb.

Paul ging zum Herd, neben dem ein Messer mit langer Klinge lag. Als er es nahm, reichte er mir wortlos den Stock, den er die ganze Zeit in der Hand gehalten hatte. Er fühlte sich brüchig und morsch an, aber ich nahm ihn trotzdem.

Zwei Türen führten von der Küche ab. Paul versuchte, die erste zu öffnen, aber sie hatte sich im Rahmen verzogen. Als er sich mit der Schulter dagegenwarf, gab sie mit einem Krachen nach. Er stolperte hindurch und stieß mit einem blassen Gegenstand zusammen, der von der Decke hing.

«Mein Gott!»

Er taumelte zurück. Aber es war nur ein Schweinekadaver, der in zwei Hälften geteilt war und an den Hinterbeinen von einem Fleischerhaken hing. Es war ein altmodischer Kühlraum, der jedoch, wie der ranzige Gestank und die umherschwirrenden Fliegen bewiesen, nicht kühl genug war. Auf den Regalen lagen verpackte Fleischstücke, und auf einem blutverschmierten Tablett thronte wie eine Opfergabe ein Schweinekopf.

Schweinezähne und Schweineblut. York verschwendete offenbar ungern etwas.

Paul starrte einen Moment schwer atmend auf den Kadaver und ging dann zu der anderen Tür. Sie ließ sich leicht öffnen, und ich atmete erleichtert aus, als ich sah, dass dahinter nur eine schmale Treppe war, die hinab in die Finsternis führte.

Dann sah ich neben dem Treppenabsatz den Rollstuhl stehen.

Er war abgenutzt und verbeult, und im düsteren Licht konnte ich auf dem Sitz dunkle Flecken erkennen. Ich erinnerte mich an die Blutspuren im Krankenwagen, von denen mir Jacobsen erzählt hatte, und warf Paul einen besorgten Blick zu. Doch er hatte die Flecken bereits bemerkt.

Drei Stufen auf einmal nehmend, stürmte er los.

Ich folgte ihm die wackelige Treppe hinab, die quietschte und schwankte und auf einen dunklen, schmalen Gang führte. Schmale Lichtstrahlen fielen durch die mit Brettern vernagelten Fenster und Verandatüren. Es waren dieselben, die Paul vorhin von außen hatte öffnen wollen, wurde mir klar. Das Sanatorium war am Hang gebaut worden, und jetzt befanden wir uns im Untergeschoss. Der Verwesungsgeruch war hier unten stärker, stärker sogar als draußen. Aber der Gang war leer, abgesehen von einer einzelnen Tür am anderen Ende.

Ein Messingschild daran trug die Aufschrift *Bäderbereich*.

Paul lief bereits darauf zu, als plötzlich ein Geräusch die Stille durchschnitt. Es war, als würde Luft durch ein Ventil entweichen; ein hohes Stöhnen, das nicht von einem Menschen zu stammen schien und doch wie ein Schmerzensschrei klang. Es brach so schnell ab, wie es begonnen hatte, aber es gab keinen Zweifel darüber, woher es gekommen war.

Aus dem Bäderbereich.

«SAM!», rief Paul und stürmte auf die Tür zu.

Selbst wenn ich gewollt hätte, hätte ich ihn nicht zurückhalten können. Ich umklammerte das Holzstück so fest, dass mir die Hand wehtat, und folgte ihm durch die Tür. Kaum betrat ich den großen Raum mit weißgekachelten Wänden, stürmte eine Gestalt durch eine andere Tür direkt auf mich zu.

Mir blieb das Herz stehen, ehe mir klar wurde, dass es mein Spiegelbild war.

An der gegenüberliegenden Wand hing ein riesiger fleckiger Spiegel. Davor standen ein paar Trinkbrunnen, deren Hähne verstaubt und trocken waren. Durch eine Reihe hoher, mit Spinnweben überzogener Fenster schien ein trübes Licht auf die gesprungenen weißen, vom Boden bis zur Decke reichenden Kacheln. Schilder wie *Behandlungszimmer*, *Sauna* und *Türkisches Bad* führten in ein Labyrinth aus dunklen Kammern, die von dem Raum abgingen, in dem wir standen. Aber das nahmen wir nur nebenbei wahr.

Denn York hatte auch hier seine Opfer abgelegt.

In einer Ecke neben einem dunklen Torbogen war ein etwa sechs Quadratmeter großes Schwimmbecken in den Boden eingelassen. York hatte es in ein Massengrab verwandelt. Das Becken war fast vollständig mit Leichen gefüllt. Soweit ich erkennen konnte, befanden sie sich in verschiedenen Stadien der Verwesung, keine war jedoch bereits so weit fortgeschritten wie diejenigen, die im Garten lagen.

Der Gestank war unbeschreiblich.

Der Anblick ließ Paul innehalten, aber nur kurz. Er ging schnell hinüber zu den Türen, auf denen *Behandlungszimmer* stand, und riss die erste auf. Der kleine Raum dahinter war wahrscheinlich einmal für Massagen benutzt worden.

Jetzt war es Yorks Dunkelkammer. Ein chemischer Gestank strömte uns entgegen. Auf einem alten Schreibtisch standen Entwicklerschalen und Kartons mit Fotochemikalien, an einer darüber aufgespannten Schnur hingen weitere Fotografien.

Paul zwängte sich an mir vorbei und lief zum nächsten Raum. Der Gestank, der noch stärker war als die beißenden Chemikalien der Dunkelkammer, ließ bereits erahnen, was wir entdecken würden. Alles in mir sträubte sich, einen Blick hineinzuwerfen. Paul schien es nicht anders zu ergehen. Er zögerte, sein Gesicht war leichenblass.

Dann machte er die Tür auf.

Auf dem gefliesten Boden lagen weitere Opfer von York. Sie waren aufeinandergestapelt wie Brennholz und vollständig bekleidet. Anscheinend hatte er sie einfach hier hereingeschleift und liegengelassen, als hätte er das Interesse an ihnen verloren.

Die Leiche, die ganz oben lag, hätte auch eine Schlafende sein können. Mit der ausgestreckten Hand und dem aufgefächerten blonden Haar sah sie im schummerigen Licht, das durch die Tür hereinfiel, furchtbar verletzlich aus.

Paul gab einen Ton von sich, der halb wie ein Schluchzen und halb wie ein Schrei klang.

Wir hatten Sam gefunden.

KAPITEL 24

Es war, als wäre mir alle Kraft genommen worden. Obwohl ich vermutet hatte, dass Sam bereits tot war, dass es für York keinen Grund gab, sie am Leben zu lassen, hatte ich es nicht glauben wollen

Ich hielt Paul fest, als er sich nach vorn warf «Nicht …»

Ich hatte die Fotos von Yorks Opfern gesehen. Paul sollte Sam nicht so sehen. Er wollte sich losreißen, aber dann gaben seine Beine nach. Er taumelte zurück und rutschte an der Wand hinab.

«Sam … O mein Gott …!»

Tu etwas, sagte ich mir. *Schaff ihn hier raus.* Er war auf dem Boden zusammengesackt wie eine zerbrochene Puppe. Ich versuchte ihn hochzuziehen.

«Komm. Wir müssen gehen.»

«Sie war *schwanger*. Sie wollte einen Jungen   O Gott …»

Ich hatte einen Kloß im Hals. Aber wir durften nicht dort bleiben. Wir wussten nicht, wo York steckte.

«Steh auf, Paul. Du kannst ihr nicht mehr helfen.»

Aber er hörte nicht zu. Ich wollte es erneut versuchen, doch plötzlich wurde es in der winzigen Kammer dunkel. Ich wirbelte herum und sah, dass die Tür zugefallen war. Als ich sie aufschob, rechnete ich damit, dass York davorstand. Doch da war niemand, und als das schummrige Licht durch die Tür auf Sams Leiche schien, fiel mir etwas anderes auf.

Unter dem zerzausten blonden Haar funkelte es silbrig.

Mit zusammengeschnürter Brust machte ich einen Schritt auf den Leichenberg zu. Als ich vorsichtig das Haar zur Seite strich, stockte mir der Atem. Schwankend schaute ich hinab auf das vertraute Gesicht. *O Gott.*

Hinter mir hörte ich Paul weinen.

«Paul …»

«Ich habe sie im Stich gelassen. Ich hätte …»

Ich packte ihn an den Schultern. «Hör mir zu: *Es ist nicht Sam!*»

Er hob sein tränenüberströmtes Gesicht.

«Es ist nicht Sam», wiederholte ich und ließ ihn los. Was ich zu sagen hatte, brachte ich nur unter Schmerzen hervor. «Es ist Summer.»

«Summer?»

Ich trat einen Schritt zurück, als er sich langsam aufrappelte und dann ängstlich auf die Leiche zuging. Er konnte es anscheinend nicht glauben.

Doch die Piercings in Ohren und Nase überzeugten ihn davon, dass das nicht seine Frau war. Er stand mit dem Messer in seiner schlaff herabhängenden Hand da und betrachtete das gebleichte blonde Haar, das uns getäuscht hatte. Die Studentin lag auf dem Bauch, der Kopf war zur Seite gedreht. Ihr Gesicht war furchtbar angeschwollen, das eine Auge, das zu sehen war, war blutunterlaufen und starrte trübe ins Leere.

Ich hatte angenommen, dass Summer nicht ins Leichenschauhaus gekommen war, weil Toms Tod sie betrübt hatte. Doch stattdessen hatte York sie zu seinem nächsten Opfer gemacht.

Ein Zittern fuhr durch Paul. «O mein Gott …»

Tränen strömten ihm über das Gesicht. Ich ahnte, was er fühlte: Erleichterung, aber auch tiefes Bedauern. Mir ging es genauso.

Er schob sich an mir vorbei aus der Kammer.

«SAM! SAM, WO BIST DU?»

Sein Ruf hallte von den gekachelten Wänden des Bades wider. Ich ging hinter ihm her. «Paul ...»

Aber jetzt konnte er sich nicht mehr zügeln. Er stand in der Mitte des Bades und hielt entschlossen das Messer umklammert.

«WAS HAST DU MIT IHR GEMACHT, YORK?», brüllte er mit verzerrtem Gesicht. «KOMM RAUS, DU VERFLUCHTER FEIGLING!»

Es gab keine Antwort. Sobald das Echo verklungen war, schien uns die Stille einzuschließen. Das leise Tropfen eines unsichtbaren Wasserhahns zählte wie ein entfernter Puls die Augenblicke ab.

Dann hörten wir etwas. Es war nur ein ganz schwaches, kaum wahrnehmbares Geräusch, aber es war unverkennbar.

Ein ersticktes Wimmern.

Es kam aus einem der anderen Behandlungszimmer. Paul lief los und riss die Tür auf. Vor den Wänden waren batteriebetriebene Sturmlaternen aufgestellt worden, die allerdings nicht eingeschaltet waren. Doch durch die Tür fiel genug Licht, um die reglose Gestalt in der Mitte zu sehen.

Paul ließ das Messer fallen. «*Sam!*»

Ich tastete nach der ersten Lampe und schaltete sie ein. Die plötzliche Helligkeit blendete mich. Dann sah ich Sam gefesselt auf einem alten Massagetisch liegen. Vor ihrem Kopf stand ein Stativ mit einer Kamera, deren Objektiv direkt auf ihr Gesicht gerichtet war, daneben ein Holzstuhl. Die Szenerie ähnelte jener, die wir in der Berghütte vorgefunden

377

hatten. Ihre Handgelenke und Knöchel waren mit breiten Lederriemen fixiert, ein schmalerer war ihr um die Kehle gebunden worden, fest genug, um sich in die weiche Haut einzugraben. Der Halsriemen war mit einem komplizierten Gerät aus Zahnrädern verbunden, aus dem eine Holzkurbel hervorragte.

Yorks Garrotte.

Das alles nahm ich in den ersten Sekunden wahr, die ich in der kleinen Kammer stand. *Wir kommen zu spät*, dachte ich, als ich erkannte, wie straff der Riemen um ihren Hals saß. Doch dann trat Paul einen Schritt zur Seite, und ich sah, dass Sam die Augen vor Angst weit aufgerissen hatte und am Leben war.

So, wie sie da festgebunden auf dem Tisch lag, wirkte ihr Bauch unfassbar groß. Ihr Gesicht war rot und tränenverschmiert, in ihrem Mund steckte ein dicker Gummiknebel. Nachdem Paul ihn herausgenommen hatte, schnappte sie nach Luft, doch der Riemen um ihren Hals machte ihr das Atmen schwer. Sie versuchte, schnaufend zu sprechen.

«Alles in Ordnung. Ich bin ja da. Beweg dich nicht», sagte Paul ihr.

Als ich die Riemen löste, die Sams Knöchel fixierten, rutschte ich mit einem Fuß aus. Ich schaute hinab und sah dunkle Spritzer auf den weißen Fliesen. Mir wurde kalt, denn mir fielen sofort die Blutspuren im Krankenwagen ein. Doch dann wurde mir klar, dass es kein Blut war.

Sams Fruchtblase war geplatzt.

Jetzt beeilte ich mich noch mehr mit den Knöchelriemen. Neben mir griff Paul nach der Kurbel der Schlinge.

«Nicht anfassen!», warnte ich ihn. «Wir wissen nicht, in welche Richtung sie gedreht werden muss.»

Wir mussten Sam zwar dringend hinausbringen, aber der

Riemen grub sich bereits tief in ihren Hals. Wenn wir die Schlinge irrtümlich fester gezogen hätten, hätte es sie umbringen können.

Paul sah mich unschlüssig an. Dann begann er den Boden abzusuchen. «Wo ist das Messer? Ich schneide …»

Ein markerschütterndes Brüllen ließ ihn verstummen. Es kam aus dem dunklen Raum hinter dem Torbogen neben dem Schwimmbad. Es wurde höher und klang kaum noch menschlich, als es von den Wänden widerhallte und dann erstarb.

In der Stille war wieder das entfernte Tropfen zu hören. Paul starrte mich fragend an.

Dann taumelte York durch den Torbogen.

Der Bestattungsunternehmer war kaum wiederzuerkennen. Sein dunkler Anzug war völlig verdreckt, sein Haar verfilzt. Die Sehnen an seinem Hals traten dick wie Stifte hervor, als er uns anschrie und mit beiden Händen ein langes Messer schwang. Selbst von dort, wo ich stand, konnte ich im schwachen Licht das Blut auf Klinge und Händen sehen.

Mit tauben und schweren Armen packte ich den Holzstock, den ich fallen gelassen hatte.

«Bring sie raus!», sagte ich mit zittriger Stimme zu Paul und ging dann aus der Kammer, um York entgegenzutreten.

Er kam mit einem seltsamen Watschelgang auf mich zu und fuchtelte brüllend mit dem Messer umher. Der Stock in meiner Hand kam mir jämmerlich vor. *Lenk ihn einfach von den beiden ab. Vergiss alles andere.*

«Warten Sie …!», rief ich. Auf jeden Fall, glaubte ich, es gerufen zu haben. Später war ich mir nicht mehr sicher, ob ich die Worte wirklich laut ausgesprochen hatte.

«Messer fallen lassen!»

Der Ruf kam aus dem Gang, der zur Treppe führte. Ich

atmete erleichtert auf, als Gardner, dicht gefolgt von Jacobsen, durch die Tür stürzte. Sie hatten ihre Pistolen auf York gerichtet. *Gott sei Dank.*

«Lassen Sie das Messer fallen! *Sofort!*», wiederholte Gardner.

York drehte sich zu ihnen um. Er hatte keuchend den Mund aufgerissen. Einen Augenblick dachte ich, er würde gehorchen und die Sache könnte an dieser Stelle enden.

Dann taumelte er mit einem wirren Schrei auf Jacobsen zu.

«Stehen bleiben!», brüllte Gardner.

York schrie etwas Unverständliches und taumelte unbeirrt weiter. Jacobsen schien erstarrt zu sein. Mit blassem Gesicht schaute sie zu, wie er mit dem Messer immer näher kam, rührte sich aber nicht von der Stelle.

Dann knallte es zweimal laut.

In dem gekachelten Raum waren die Schüsse ohrenbetäubend. York schien zu stolpern. Er strauchelte zur Seite und stürzte in den großen Wandspiegel, der sofort zersprang. York taumelte zurück, brach über einem Trinkbrunnen zusammen und riss ihn in einer Lawine aus Putz und Scherben zu Boden.

Langsam verebbten die Echos der Schüsse und des splitternden Glases.

In meinen Ohren klingelte es schmerzvoll. Ein blauer, nach Kordit riechender Nebel hing in der Luft, der für einen Moment sogar den Gestank der Verwesung übertünchte. York bewegte sich nicht mehr. Gardner hatte seine Waffe noch immer auf ihn gerichtet, als er loslief und ihm gegen die Hand trat, um das Messer wegzuschleudern. Dann kniete er sich schnell hin und legte zwei Finger auf Yorks Hals, um seinen Puls zu fühlen.

Ohne Eile stand er auf und steckte die Pistole zurück in sein Gürtelholster.

Jacobsen hielt ihre Waffe noch immer ausgestreckt, doch jetzt war sie auf den Boden gerichtet.

«Es … es tut mir leid», stammelte sie, während ihre Wangen wieder Farbe bekamen. «Ich konnte nicht …»

«Jetzt nicht», sagte Gardner.

Aus dem Behandlungszimmer war ein Schluchzen zu hören. Als ich mich umdrehte, sah ich, wie Paul Sam beim Aufsetzen half und versuchte, sie zu beruhigen. Sie hustete und rang röchelnd nach Atem. Er hatte den Riemen der Schlinge durchtrennt, doch der hatte sich so stark in ihren Hals geschnitten, dass ein bläulich roter Strich zurückgeblieben war, der wie eine Verbrennung aussah.

«O G-Gott, ich dachte … Ich d-dachte …»

«Schh, alles in Ordnung, du bist in Sicherheit, er kann dir nichts mehr tun.»

«Ich k-konnte ihn nicht aufhalten. Ich habe ihm gesagt, dass ich sch-schwanger bin, und da hat er gesagt … er hat gesagt, das wäre gut, er wollte warten, bis … bis … O Gott.»

Sie wurde von Krämpfen geschüttelt und krümmte sich zusammen. «Ist alles in Ordnung mit ihr?», fragte Gardner.

«Die Wehen setzen ein», sagte ich. «Sie müssen einen Krankenwagen …»

«Ist schon unterwegs. Wir waren gerade auf dem Rückweg nach Knoxville, als ich Ihre Nachricht bekommen habe. Ich habe sofort Verstärkung und Sanitäter angefordert. Himmel, was haben Sie sich eigentlich dabei gedacht?»

Aber ich hatte keine Zeit, auf Gardners Entrüstung einzugehen oder zu fragen, wie sie es geschafft hatten, uns nach meiner wirren Wegbeschreibung so schnell zu finden. Ich ging zu Sam, deren Gesicht schmerzverzerrt war.

«Sam, ein Krankenwagen ist unterwegs. Wir werden dich in eine Klinik bringen, aber ich muss wissen, ob du, abgesehen vom Hals, noch andere Wunden oder Verletzungen hast.»

«N-nein, ich-ich glaube nicht. Er hat mich nur hier auf den Tisch gebunden und dann allein gelassen. O mein Gott, all die Leichen da draußen, all die Toten …»

«Denk jetzt nicht daran. Kannst du mir sagen, wann die Wehen eingesetzt haben?»

Sie schnappte nach Luft und versuchte sich zu konzentrieren. «Ich weiß nicht … im Krankenwagen, glaube ich. Ich dachte, es müsste ein Irrtum sein, als er vor der Tür stand. Er sagte, ich soll Paul anrufen, aber als ich mich umgedreht habe, hat er … Da hat er mir einen Arm um den Hals gelegt und … und zugedrückt.»

Sie beschrieb einen Würgegriff. Richtig angewendet konnte er innerhalb von Sekunden Bewusstlosigkeit ohne Nachwirkungen verursachen. Wenn zu viel Kraft angewendet wurde, konnte er genauso leicht tödlich sein.

Aber das wäre York wohl auch egal gewesen.

«Ich habe keine Luft bekommen», fuhr Sam schluchzend fort. «Mir wurde schwarz vor Augen, und dann bin ich im Krankenwagen mit diesen Schmerzen aufgewacht. O Gott, es tut so weh. Ich werde mein Baby verlieren, nicht wahr?»

«Du wirst dein Baby nicht verlieren», entgegnete ich zuversichtlicher, als ich war. «Wir werden dich jetzt hier rausbringen, okay? Bleib nur noch einen Augenblick ruhig sitzen.»

Ich ging hinaus ins Bad und schob die Tür zum Behandlungszimmer hinter mir zu. «Wann werden die Sanitäter eintreffen?», fragte ich Gardner.

«Hier draußen? Vielleicht in einer halben Stunde.»

So viel Zeit hatten wir nicht. «Wo steht Ihr Wagen?»

«Vor der Tür.»

Das war ein unerwarteter Vorteil. Ich hatte gedacht, sie wären wie Paul und ich von hinten durch den Wald gekommen, aber ich machte mir zu viele Sorgen um Sam, um mich lange darüber zu wundern.

«Je schneller wir Sam von hier wegbringen können, desto besser», sagte ich. «Wenn wir Ihren Wagen nehmen, können wir dem Krankenwagen entgegenfahren.»

«Ich kann den Rollstuhl von oben holen», bot Jacobsen an.

Gardner nickte knapp, dann lief sie los. Mit zorniger Miene betrachtete er die Leichen im Schwimmbad.

«Draußen liegen noch mehr, sagen Sie?»

«Im Haus auch.» Traurig erzählte ich ihm, dass wir Summers Leiche in dem anderen Behandlungszimmer gefunden hatten.

«Mein Gott.» Gardner sah geschockt aus. Er fuhr sich mit einer Hand über das Gesicht. «Es wäre mir sehr recht, wenn Sie hierblieben. Ich muss wissen, was geschehen ist.»

«Wer soll dann fahren?» Paul war nicht in der Verfassung dafür und musste sich um Sam kümmern.

«Diane kann fahren. Sie kennt sich in der Gegend besser aus als Sie.»

Ich schaute zu den Leichen, die auf dem Boden des Bades lagen. Eigentlich wollte ich keine Minute länger in diesem Haus bleiben. Aber ich war als Allgemeinmediziner ausgebildet worden, nicht als Geburtshelfer. Und ich wusste, dass Sam am besten damit gedient war, wenn sie so schnell wie möglich ins Krankenhaus gebracht wurde.

Wenn ich irgendwo nützlich sein konnte, dann hier.

«In Ordnung», sagte ich.

Gardner und ich standen vor der geöffneten Verandatür, nachdem Jacobsen mit Sam und Paul weggefahren war. Wir hatten es für besser befunden, sie auf diesem Wege hinauszubringen, anstatt sie über die wacklige und einsturzgefährdete Treppe zu tragen. Gardner hatte sich telefonisch erkundigt, wie weit seine Kollegen und der Krankenwagen bereits waren, und war dann losgegangen, um zu schauen, ob es noch einen anderen Weg aus dem Bäderbereich heraus gab. Als er zurückkam, berichtete er, dass die Räume hinter dem Torbogen versperrt waren.

«Das erklärt, warum York nicht einfach abgehauen ist», sagte er und wischte sich den Staub von den Händen. «Er muss hier unten gewesen sein, als Sie hereingekommen sind, und konnte nicht raus, ohne an Ihnen vorbeizugehen. Sieht so aus, als wäre oben der halbe Boden eingestürzt. Das ganze verfluchte Haus ist von Termiten zerfressen.»

Was wiederum die Sumpflibellen angezogen hatte. Yorks Versteck hatte ihn am Ende verraten. Darin lag eine gewisse Ironie, aber ich war zu müde, um lange darüber nachzudenken.

Jacobsen hatte kaum etwas gesagt, bevor sie losgefahren war. Ich vermutete, dass sie sich noch immer Vorwürfe machte, weil sie es nicht fertiggebracht hatte, York zu erschießen. So verständlich dieses Versagen war, für einen TBI-Agenten konnte ein solches Zögern katastrophale Folgen haben. Zumindest würde es einen Eintrag in ihrer Personalakte nach sich ziehen.

Wenn Gardner nicht gewesen wäre, hätte es wesentlich schlimmer kommen können.

Als sie weg waren, machten weder er noch ich Anstalten, wieder hineinzugehen. Nach den düsteren Schrecken des Bades fühlte man sich im Sonnenlicht wie neugeboren. Die

Brise wehte den Gestank von uns weg, und es roch nach Gras und Blüten. Ich atmete dankbar die frische Luft ein. Dort, wo wir standen, schirmten die Bäume den Blick auf den Garten ab. Mit den grünen, sich bis zum Horizont erstreckenden Bergen hätte man fast glauben können, dass es ein ganz normaler Frühlingstag war.

«Wollen Sie sich dort unten umsehen?», fragte ich und schaute hinab zum Teich, der durch die Bäume schimmerte.

Gardner wirkte wenig begeistert. «Noch nicht. Warten wir, bis die Spurensicherung hier ist.»

Er schien noch immer keine Lust zu haben, wieder hineinzugehen. Er starrte den Hang hinab zum Teich und hatte sich die Hände tief in die Taschen gestopft. Ich fragte mich, ob er sie damit vom Zittern abhalten wollte. Er hatte gerade einen Menschen getötet, und auch wenn es unvermeidlich gewesen sein mochte, war es bestimmt nicht leicht für ihn, damit fertig zu werden.

«Alles in Ordnung mit Ihnen?», fragte ich.

Es war, als würde eine Jalousie vor seinem Gesicht hinabfallen.

«Bestens.» Er nahm die Hände aus den Taschen. «Sie haben mir noch nicht erzählt, was Sie sich dabei gedacht haben, hier auf eigene Faust hereinzuplatzen. Wissen Sie eigentlich, wie unverantwortlich das war?»

«Wenn wir es nicht getan hätten, könnte Sam tot sein.»

Das kühlte ihn ein wenig ab. «Diane glaubt, dass York bis zur letzten Minute warten wollte, bis zum Augenblick der Geburt. Er wollte die Gelegenheit anscheinend voll auskosten. Zwei Leben auf einmal.»

Um Gottes willen. Ich starrte auf die Berge und versuchte, die Bilder zu verscheuchen, die seine Worte heraufbeschworen hatten.

«Glauben Sie, dass sie es schafft?», fragte Gardner.

«Das hoffe ich.» Vorausgesetzt, sie kam rechtzeitig ins Krankenhaus. Vorausgesetzt, es gab keine Komplikationen mit dem Baby. Man konnte wirklich nur hoffen, aber immerhin hatte sie jetzt eine gewisse Chance. «Wie haben Sie es geschafft, so schnell hier zu sein? Ich war mir nicht sicher, ob Sie meine Wegbeschreibung verstanden haben.»

«Wir haben nichts verstanden. Auf jeden Fall nichts, was Sinn ergeben hätte», sagte er mit einem Hauch seiner alten Schärfe. «Aber das war auch nicht nötig. Nachdem York die Haut auf Ihre Windschutzscheibe gelegt hat, haben wir Ihren Wagen mit einem Spürhund versehen.»

«Mit einem was?»

«Ein GPS-Sender. Wir wussten, wo Sie Ihren Wagen stehengelassen hatten, aber der alte Weg, den Sie genommen haben, ist auf keiner Karte eingezeichnet. Deshalb haben wir den nächstbesten genommen, und der hat uns direkt zum Haupttor geführt.»

«Sie haben einen Sender an meinem Wagen angebracht? Ohne mir etwas zu sagen?»

«Sie mussten das nicht wissen.»

Das erklärte, warum ich am Abend zuvor niemanden gesehen hatte, der mir gefolgt war, und weshalb die TBI-Agenten so schnell beim Haus von Paul und Sam gewesen waren. Dass es niemand für angebracht gehalten hatte, mich davon in Kenntnis zu setzen, ärgerte mich, aber unter diesen Umständen konnte ich mich kaum beschweren.

Hauptsache, die beiden waren rechtzeitig gekommen.

«Und woher wussten Sie, dass Sie die richtige Stelle gefunden hatten?», fragte ich.

Er zuckte mit den Achseln. «Ich wusste es nicht. Aber da an dem alten Tor ein neues Schloss hing, war klar, dass hier jemand keine ungebetenen Besucher haben will. Wir hatten einen Bolzenschneider im Kofferraum, mit dem ich das Schloss durchtrennt habe. Und dann habe ich mich einfach mal umgesehen.»

Ich hob erstaunt die Augenbrauen. Ohne Durchsuchungsbefehl auf ein Privatgrundstück einzudringen war eine Kardinalsünde, und Gardner war mir bisher immer wie ein pedantischer Bürokrat vorgekommen. Seine Miene verfinsterte sich.

«Durch Ihren Anruf bestand meiner Meinung nach hinreichender Verdacht.» Er reckte sein Kinn. «Kommen Sie, gehen wir wieder rein.»

Als wir zurück in den Korridor gingen, hüllte uns sofort der widerliche Verwesungsgeruch ein. Das Licht von draußen fiel nicht bis in den Bäderbereich, und nach dem hellen Sonnenschein wirkten die düsteren Zimmer noch bedrückender als zuvor. Obwohl ich wusste, was mich erwartete, erschütterte mich der Anblick der im Schwimmbad wie Müll abgeladenen Leichen nicht weniger als beim ersten Mal.

Yorks Leiche lag genauso reglos wie seine Opfer noch dort, wo wir sie zurückgelassen hatten.

«Mein Gott, wie hat er nur diesen Gestank ausgehalten?», meinte Gardner.

Wir gingen in den kleinen Raum, in dem wir Sam gefunden hatten. Die durchtrennten Enden des Lederriemens, den Paul durchschnitten hatte, lagen wie tote Schlangen auf dem alten Massagetisch. Die am Kopfende angebrachte Winde war offensichtlich mit äußerster Raffinesse hergestellt worden. Die Enden des Riemens führten in ein kompliziertes, feinmechanisches System aus Zahnrädern, das mit einer polierten Holzkurbel bedient wurde. Wenn man sie drehte, wurde der Riemen angezogen, wobei die Zahnräder dafür sorgten, dass er nicht zurückrutschte, wenn man die Kurbel losließ.

Ein wesentlich simpleres Konstrukt wäre genauso wirkungsvoll gewesen, es hätte aber wahrscheinlich Yorks Ansprüchen nicht genügt. Ein Narzisst wie er hätte sich mit einem Seil und einem Stück Holz nicht zufriedengegeben.

Das hier war sein Lebenswerk.

«Unglaubliches Gerät», sagte Gardner beinahe bewundernd. Plötzlich verharrte er und neigte den Kopf. «Was ist das?»

Ich lauschte, doch das einzige Geräusch war noch immer das Tropfen des Hahns. Gardner hatte das Behandlungszimmer bereits mit einer Hand auf seiner Waffe verlassen. Ich folgte ihm.

Im Bad hatte sich nichts verändert. York lag noch immer reglos in einer pechschwarzen Blutlache. Gardner schaute schnell durch den Torbogen, der zu den versperrten Räumen führte. Er entspannte sich und ließ seine Jacke wieder über die Pistole fallen.

«Kann alles Mögliche gewesen sein …»

Er wirkte verlegen, aber ich konnte seine Nervosität verstehen. Mich hätte es auch erleichtert, wenn seine Kollegen endlich eingetroffen wären.

«Zeigen Sie mir doch mal die anderen Leichen», sagte Gardner wieder ganz sachlich.

Ich zeigte ihm den kleinen Raum, in dem Paul und ich Summer gefunden hatten, ging aber nicht mit ihm hinein. Ich hatte bereits mehr gesehen, als ich wollte. Ich wartete im Bad neben Yorks Leiche. Sie lag ausgestreckt auf der Seite in den Scherben des zersplitterten Spiegels, die in dem Blut wie silberne Inseln aussahen.

Als ich auf die leblose Gestalt hinabschaute, war es mir

einmal mehr unbegreiflich, wie ein Mensch in einem Moment noch von einer wütenden Kraft besessen sein und schon im nächsten in absoluter Reglosigkeit daliegen konnte. Ich fühlte mich so leer, dass ich weder Hass noch Mitleid empfand. Letztlich hatte York die zahllosen Menschenleben in dem sinnlosen Versuch geopfert, eine einzige Frage zu beantworten: *Soll das alles gewesen sein?*

Jetzt hatte er seine Antwort.

Ich wollte mich abwenden, doch da ließ mich etwas innehalten. Unsicher, ob ich es mir nur eingebildet hatte, schaute ich wieder hinab auf York. Es war keine Einbildung.

Mit seinen Augen stimmte etwas nicht.

Vorsichtig, um nicht ins Blut zu treten, hockte ich mich neben die Leiche. Die leblosen Augen waren so stark blutunterlaufen, dass sie verbrüht aussahen. Die Haut darum war entzündet und voller Blasen. Genauso sein Mund. Ich beugte mich vor und wich sofort wieder zurück, als die beißenden Dämpfe meine Augen tränen ließen.

Fotochemikalien.

Aufgewühlt drehte ich Yorks Leiche auf den Rücken. Die blutverschmierte Hand, die das Messer hielt, fiel schlaff zu Boden. Ich erinnerte mich, wie Gardner dagegengetreten hatte, ehe er den Puls gefühlt hatte. Trotzdem umklammerte die leblose Faust noch immer das Messer. Jetzt sah ich, weshalb.

Yorks blutverschmierte Finger waren an den Griff genagelt worden.

In diesem Moment wurde mir alles klar. Yorks gequälte Bewegungen und unverständliche Schreie, das wilde Umherfuchteln mit dem Messer. Er musste unter heftigen Schmerzen gelitten haben, als er mit verätzten Augen und Mund versucht hatte, die Nägel aus seiner Hand zu ziehen. Wir hatten nur das gesehen, was wir erwartet hatten: die wahnsinnige Attacke eines Irren. Aber York hatte uns nicht attackiert.

Er hatte um Hilfe gefleht.

O mein Gott. «Gardner!», rief ich und begann mich aufzurappeln.

Ich hörte, wie er hinter mir aus dem Behandlungsraum kam. «Um Gottes willen, was zum Teufel machen Sie denn da …?»

Was dann passierte, erlebte ich in einer albtraumhaften Zeitlupe.

Die Reste des großen Spiegels, den York zerschmettert hatte, hingen noch an der Wand vor mir. Auf diesen Scherben sah ich Gardner am Schwimmbad vorbeigehen. In dem Augenblick bewegte sich eine der darin liegenden Leichen. Mir versagte die Stimme, als sie sich von den anderen erhob und hinter ihm aufrichtete.

Die Zeit lief wieder in normaler Geschwindigkeit. Ich gab einen Warnruf von mir, aber es war zu spät. Ich hörte einen erstickten Schrei, und als ich aufstand, sah ich, wie Gardner versuchte, den Arm wegzudrücken, der sich wie ein Schraubstock um seinen Hals gelegt hatte.

Würgegriff, dachte ich gelähmt. Als die Gestalt hinter ihm sich bewegte und ihr das schummrige Licht von den vernagelten Fenstern aufs Gesicht fiel, erkannte ich entsetzt, wer es war.

Kyle atmete keuchend durch den offenen Mund. Das runde Gesicht war noch dasselbe, doch sonst war das hier nicht mehr der freundliche junge Assistent des Leichenschauhauses, an den ich mich erinnerte. Seine Kleidung und sein Haar waren mit den Flüssigkeiten der verwesenden Leichen verklebt, und sein Gesicht war selbst leichenblass. Aber seine Augen waren am schlimmsten. Ohne das Lächeln, das er sonst zur Schau getragen hatte, sahen sie trübe und leer aus, als wären sie bereits tot.

«Ein Schritt, und ich bringe ihn um!», sagte er schnaufend und drückte fester zu.

Gardner zerrte mit angeschwollenem Gesicht an dem Arm, der seinen Hals umschloss, aber er hatte nicht die Kraft, sich zu befreien. Als er eine Hand senkte und nach seiner Waffe tastete, kam Hoffnung in mir auf. Doch da sein Gehirn zu wenig Blut und Sauerstoff bekam, verlor er bereits das Bewusstsein und die Koordination. Seine Hand fiel schlaff zur Seite.

Gebeugt unter Gardners Gewicht, deutete Kyle mit einer ruckartigen Kopfbewegung zu dem Behandlungszimmer, in dem wir Sam gefunden hatten.

«Da rein!»

Ich versuchte noch immer, einen klaren Kopf zu bekommen. Wie lange würde es laut Gardner dauern, bis seine Kollegen eintrafen? Fünfzehn, zwanzig Minuten? *Und wie lange war es her, dass er das gesagt hatte?* Ich konnte mich nicht erinnern. Die Spiegelscherben knirschten unter meinen Schuhen, als ich automatisch einen Schritt in Richtung des kleinen Raumes machte. Dann sah ich den Massagetisch, dessen geöffnete Lederriemen nur auf mich zu warten schienen.

Ich blieb stehen.

«Rein da! *Sofort!*», brüllte Kyle. «Sonst töte ich ihn!»

Ich musste meine Lippen befeuchten, ehe ich antworten konnte. «Sie werden ihn doch sowieso töten.»

Er starrte mich an, als hätte ich eine andere Sprache gesprochen. Die Blässe in seinem Gesicht war jetzt noch deutlicher zu erkennen. Im Kontrast zu den schwarzen Bartstoppeln und den Blutergüssen unter den Augen war es kreideweiß. Ein schmieriger, an Vaseline erinnernder Schweißfilm überzog seine Haut. Er trug eine Art Sanitäteruniform, allerdings war sie so verschmutzt, dass man sie nicht genau erkennen konnte.

Sie hätte auch als Uniform eines Wachmanns durchgehen können.

«Gehen Sie!» Kyle zog mit einem Ruck seinen Arm um Gardners Hals enger zu und schüttelte den TBI-Agenten wie eine Puppe. Ich konnte nicht erkennen, ob er noch atmete, aber sollte der Druck länger aufrechterhalten werden, würde er Hirnschäden davontragen, selbst wenn er überlebte.

Ich bückte mich und hob eine Spiegelscherbe auf. Sie war lang und dünn wie ein Messer. Die Kanten gruben sich in meine Hand, als ich sie fest umklammerte und hoffte, dass er nicht sah, wie ich zitterte.

Kyle beobachtete mich nervös. «Was machen Sie da?»

«Lassen Sie ihn atmen.»

Er versuchte zu schnauben, doch es klang so brüchig, wie sich die Spiegelscherbe anfühlte. «Glauben Sie, Sie können mir damit etwas tun?»

«Ich weiß es nicht», gab ich zu. «Aber wollen Sie es herausfinden?»

Er fuhr sich mit der Zunge über die Lippen. Kyle war ein großer Mann und kräftig gebaut. *Genauso wie York*. Wenn er Gardner fallen ließ und sich auf mich stürzte, hätte ich bestimmt keine Chance. Doch sein Blick richtete sich wieder auf die Scherbe in meiner Hand, und ich sah die Unsicherheit in seinen Augen.

Er löste den Würgegriff ein wenig, sodass Gardner schnaufend nach Atem ringen konnte, drückte aber sofort wieder zu. Ich sah, wie er einen kurzen Blick zur Tür warf.

«Wenn Sie ihn loslassen, verspreche ich Ihnen, Sie nicht aufzuhalten.»

Kyle lachte krächzend auf. «Mich *aufhalten*? Sie wollen mir Ihre *Erlaubnis* geben?»

«Seine Kollegen werden jeden Augenblick hier sein. Wenn Sie jetzt gehen, könnten Sie vielleicht …»

«Damit Sie ihnen erzählen, wer ich bin? Halten Sie mich für blöd?»

Man konnte ihm eine Menge vorhalten, aber das nicht. *Und jetzt?* Ich wusste nicht mehr weiter. Aber ich glaube, ihm erging es nicht anders. Er atmete schwer und war sichtlich erschöpft davon, Gardner außer Gefecht zu setzen. Im Augenwinkel konnte ich die Pistole am Gürtel des Agenten sehen. Kyle hatte bisher offenbar noch nicht daran gedacht.

Aber wenn …

Lass ihn weiterreden. Ich deutete auf Yorks Leiche. «Haben Sie es genossen, ihn so zu quälen?»

«Sie haben mir keine Wahl gelassen.»

«Er war also nur eine *Ablenkung*? Sie haben ihm das angetan, um selbst davonzukommen?» Ich bemühte mich nicht, meine Verachtung zu verbergen. «Und dann hat es nicht einmal funktioniert, oder? Es war alles umsonst.»

«Glauben Sie, das *weiß* ich nicht?» Der Schrei ließ ihn zusammenzucken, als hätte er Schmerzen. Er starrte finster auf die Leiche des Bestattungsunternehmers. «Mein Gott, haben Sie eigentlich eine Ahnung, wie viel *Zeit* ich in diese Sache investiert habe? Wie viel *Planung*? So sollte es jedenfalls nicht ausgehen! York war mein Ausweg, meine Möglichkeit zu einem Happy End! Er wäre mit Averys Frau gefunden worden, irgendein Loser, der lieber Selbstmord begangen hat, als gefasst zu werden. Ende der Geschichte. Ich wäre danach aus Knoxville verschwunden und hätte irgendwo neu angefangen, aber jetzt schauen Sie sich das an! Gottverdammt, was für eine *Verschwendung*!»

«Das hätte niemand geglaubt.»

«Ach nein?», fauchte er. «Die Fotos, die ich in seinem Haus liegengelassen habe, haben Sie auch geglaubt! Sie haben alles geglaubt, wenn ich es wollte!»

Bei der Erwähnung von Sam hatte es in meinem Schädel zu hämmern begonnen. «Und wenn Sie damit durchgekommen wären, was dann? Hätten Sie noch mehr schwangere Frauen ermordet?»

«Das wäre nicht nötig gewesen! Averys Frau war so voller Leben! Sie war die Richtige, das konnte ich *spüren*!»

Ich konnte mich nicht mehr beherrschen. «So, wie Sie es bei den anderen spüren konnten? Wie bei *Summer*?», schrie ich ihn an.

«Sie war Liebermans Liebling.»

«Sie *mochte* Sie!»

«Sie mochte Irving lieber!»

Das ließ mich bestürzt verstummen. Wir hatten alle angenommen, dass Irving aufgrund des Fernsehinterviews zum Opfer geworden war. Aber jetzt fiel mir ein, dass Kyle an dem Tag im Leichenschauhaus gewesen war, als der Profiler mit Summer geflirtet hatte. Am nächsten Tag war Irving verschwunden.

Und nun lag auch Summer tot in der Finsternis.

Sie hatte nur sein Lächeln erwidert. Das war alles. Für Kyles Ego war es offensichtlich zu viel gewesen.

Mir wurde übel. Aber Kyle hatte sich genug ablenken lassen, um seinen Griff um Gardners Hals zu lockern. Als ich sah, dass der TBI-Agent die Augen öffnete, sagte ich das Erste, was mir in den Sinn kam.

«Was hatten Sie gegen Tom? War er eine solche Bedrohung?»

«Er war ein *Betrüger*!» Kyles Gesicht verkrampfte sich.

«Der große forensische Anthropologe, der *Experte*! Der sich in seinem Ruhm aalte und *Jazz* beim Arbeiten hörte, als wäre er in einer Pizzeria! Hicks war nur ein Arschloch, aber Lieberman hat sich für etwas *Besonderes* gehalten! Dabei hatte er ständig das größte Geheimnis des Universums vor Augen und nicht einmal die Phantasie besessen, hinter die Verwesung zu schauen!»

«Tom war zu klug, um seine Zeit mit sinnlosen Fragen zu verschwenden!» Ich konnte Gardner wieder schnaufen hören, aber ich wagte es nicht, ihm einen Blick zuzuwerfen. «Sie wissen doch nicht einmal, wonach Sie eigentlich suchen, oder? All die Menschen, die Sie getötet haben, all die Leichen, die Sie … die Sie gehortet haben, und für was? Das Ganze hat keinen Sinn! Sie sind wie ein kleiner Junge, der mit einem Stock an irgendeinem toten Tier herumstochert …»

«*Halten Sie die Klappe!*» Speichel spritzte ihm aus dem Mund.

«Wissen Sie überhaupt, wie viele Menschenleben Sie umsonst zerstört haben?», schrie ich. «Und wozu? Damit Sie Ihre Fotos machen können? Glauben Sie wirklich, dass Sie darin etwas erkennen können?»

«*Ja!* Bei dem Richtigen kann ich etwas sehen!» Er schürzte verächtlich die Lippen. «Sie sind genauso ignorant wie Lieberman, Sie sehen nur totes Fleisch! Aber ein Mensch ist mehr als das! Ich bin auf jeden Fall mehr als nur Fleisch! Das Leben ist ein *binäres* System, es ist entweder an oder aus! Ich habe in die Augen dieser Menschen geschaut und gesehen, wie es bei ihnen ausgegangen ist, als würde man einen Schalter umlegen! Und wohin geht es? In diesem Augenblick passiert etwas! Ich habe es gesehen!»

Er klang verzweifelt. Und plötzlich wurde mir klar, dass seine Verzweiflung der Schlüssel war. Sie war der Grund für

395

alles. Wir hatten uns in der Identität des Mörders getäuscht, aber sonst hatte Jacobsen mit allem recht gehabt. Kyle war von seiner eigenen Sterblichkeit besessen. Nein, nicht besessen, erkannte ich, als ich ihn anschaute.

Er hatte panische Angst vor dem Tod.

«Wie geht es Ihrer Hand, Kyle?», fragte ich. «Ich nehme an, Sie haben nur so getan, als hätten Sie sich an der Nadel gestochen. Tom dachte, er würde Ihnen einen Gefallen tun, als er Sie fragte, ob Sie Summer helfen können. Dabei waren Sie nur die ganze Zeit da, weil Sie sehen wollten, dass sich einer von uns verletzt, nicht wahr? Was war los, haben Sie die Nerven verloren?»

«Halten Sie die Klappe!»

«Wenn Sie tatsächlich nur so getan haben, frage ich mich allerdings, warum Sie so kreidebleich geworden sind. Weil ich Sie nach Ihren Impfungen gefragt habe, richtig? Bis dahin hatten Sie nicht daran gedacht, dass Sie sich bei den Menschen, die Sie umgebracht haben, mit irgendwelchen Krankheiten anstecken könnten, oder?»

«Ich habe gesagt, Sie sollen die Klappe halten!»

«Noah Harpers Leiche wurde positiv auf Hepatitis C getestet. Wussten Sie das, Kyle?»

«Lügner!»

«Es stimmt. Sie hätten das Angebot des Krankenhauses für die präventive Behandlung annehmen sollen. Auch wenn Sie sich nicht an einer der Nadeln verletzt haben, es war eine offene Wunde. Und Ihr Handschuh war mit geronnenem Blut verschmiert. Aber damit wollten Sie sich nicht auseinandersetzen, oder? Sie haben lieber den Kopf in den Sand gesteckt, anstatt sich damit zu beschäftigen, dass Sie sich bei einem Ihrer Opfer angesteckt haben könnten.»

Sein Gesicht war noch blasser geworden. Er deutete mit einer Kopfbewegung zum Behandlungszimmer. «Zum letzten Mal! Gehen Sie jetzt da rein!»

Ich dachte nicht daran. Jede Minute, die ich ihn zum Sprechen brachte, verkürzte die Zeit, bis Hilfe eintraf. Je länger ich seine Blässe betrachtete und sah, wie keuchend er atmete, desto mehr begann mir noch etwas anderes klar zu werden. Warum hatte er sich versteckt und war erst dann hervorgekommen, als wir durch York abgelenkt gewesen waren, anstatt zu fliehen, als er noch die Möglichkeit dazu gehabt hatte? *Vielleicht aus dem gleichen Grund, warum er Sam nicht getötet hatte. Aus dem gleichen Grund, warum er nicht schon längst Gardner erwürgt und mich überwältigt hatte.*

Weil er nicht konnte.

«Sie haben bei dem Unfall einen ziemlichen Schlag abbekommen, nicht wahr?», sagte ich und versuchte, einen Plauderton anzuschlagen. Er betrachtete mich mit einer gehetzten Miene und atmete unregelmäßig. «Ich habe das Lenkrad des Krankenwagens gesehen. Sie müssen heftig mit den Rippen dagegengeknallt sein. Wussten Sie, dass das bei Autounfällen die häufigste Todesursache ist? Die Rippen splittern und durchstoßen die Lunge. Oder das Herz. Wie oft haben Sie im Leichenschauhaus schon solche Verletzungen gesehen?»

«Halten Sie die Klappe.»

«Sie spüren bestimmt einen heftigen, stechenden Schmerz beim Atmen, richtig? Das sind die Knochensplitter, die Ihr Lungengewebe zerreißen. Das Atmen fällt Ihnen schwer, oder? Und es wird noch schlimmer werden, weil sich Ihre Lungen mit Blut füllen. Sie werden sterben, Kyle.»

«HALTEN SIE IHRE VERFLUCHTE KLAPPE!», schrie er.

«Wenn Sie mir nicht glauben, dann schauen Sie sich doch selbst an.» Ich deutete auf den kaputten Spiegel an der Wand.

«Sehen Sie, wie blass Sie sind? Das liegt an Ihren inneren Blutungen. Wenn Sie nicht bald medizinische Hilfe kriegen, werden Sie entweder verbluten oder in Ihrem eigenen Blut ertrinken.»

Sein Mund zuckte, als er auf sein Spiegelbild starrte. Ich hatte keine Ahnung, wie schlimm seine Verletzung wirklich war, ich wollte nur seine Phantasie anregen. Für jemanden, der so von sich besessen war wie Kyle, reichte das bestimmt aus.

Gardner hatte er mittlerweile völlig vergessen. Der TBI-Agent blinzelte und erlangte allmählich das Bewusstsein zurück. Er verlagerte seine Position ein wenig, als würde er testen, wie fest der Würgegriff war. *Nein, noch nicht. Bitte, warte noch einen Moment.*

«Ergeben Sie sich», fuhr ich schnell fort.

«Ich warne Sie …»

«Retten Sie sich, Kyle. Wenn Sie sich jetzt ergeben, können Sie medizinisch versorgt werden.»

Für eine Weile sagte er nichts. Mit Schrecken bemerkte ich, dass er weinte.

«Die werden mich sowieso umbringen.»

«Nein, das werden sie nicht. Dafür sind Anwälte da. Und Gerichtsverfahren dauern Jahre.»

«Ich will nicht ins Gefängnis!»

«Wollen Sie lieber sterben?»

Er schniefte, und als ich sah, dass seine Anspannung langsam nachließ, versuchte ich, mir die plötzlich aufgekommene Hoffnung nicht anmerken zu lassen.

Dann begann Gardner nach seiner Waffe zu tasten.

Kyle bemerkte, was er vorhatte. *«Scheiße!»* Er riss Gardner mit seinem Arm an sich. Der Agent stieß ein ersticktes Krächzen aus und fummelte an seinem Gürtel herum, während Kyle mit seiner freien Hand nach der Waffe langte. Obwohl ich wusste, dass ich zu spät kommen würde, stürzte ich auf die beiden zu.

Da hörte ich ein Geräusch hinter mir.

Jacobsen stand in der Tür, das blanke Entsetzen im Gesicht. Dann schob sie ihre Jacke zur Seite und griff nach ihrer Waffe.

«*Stecken lassen!*», brüllte Kyle und drehte sich so, dass Gardner zwischen ihnen war.

Sie hielt inne und legte ihre Hand auf die Pistole. Kyle hatte Gardners Waffe ein Stückchen aus dem Holster gezogen, konnte aber nicht weit genug um ihn herumfassen. Die Stille wurde nur von seinem unregelmäßigen Keuchen durchbrochen. Gardner bewegte sich nicht mehr. Er hing wie ein Sack und mit dunkel angelaufenem Gesicht in Kyles Würgegriff.

Der fuhr sich mit der Zunge über die Lippen und ließ Jacobsens Holster nicht aus den Augen.

«Nehmen Sie die Hand von der Pistole und lassen Sie ihn los!», sagte sie, doch bei aller Bestimmtheit bebte ihre Stimme.

Kyle hatte es gehört, und es schien ihm neue Kraft zu verleihen. Sein Mondgesicht leuchtete auf. Er lächelte, schüttelte den Kopf und genoss die Situation. Er hatte die Kontrolle zurückgewonnen.

«Nein, ich glaube, das werde ich nicht tun. Ich glaube, Sie sollten lieber *Ihre* Waffe loslassen.»

«Das wird nicht geschehen. Ihre letzte Chance …»

«Pssst …» Er neigte seinen Kopf zu Gardner, als würde er lauschen. «Ich kann den Herzschlag Ihres Kollegen kaum noch spüren. Er wird immer schwächer und schwächer und schwächer …»

«Wenn Sie ihn töten, wird mich nichts davon abhalten, Sie zu erschießen.»

Kyles Selbstgefälligkeit löste sich auf. Seine rosafarbene Zunge schoss wieder hervor, um sich die Lippen zu befeuchten.

«Treffen wir ein Abkommen …», begann er, doch in dem Moment war in der oberen Etage das Poltern von Schritten zu hören. Kyles Augen wurden groß, und als Jacobsen für eine Sekunde abgelenkt war, riss er Gardners Pistole aus dem Holster und feuerte sofort los.

Ich sah Jacobsen taumeln, aber sie hatte bereits ihre Waffe gezogen und abgedrückt. Während Kyle Gardner fallen ließ, knallten zwei weitere Schüsse auf. Neben meinem Kopf zersprang ein weiterer Teil des Spiegels, dessen Splitter auf mich herabregneten. Kyles Pistole fiel krachend zu Boden, dann klappte er zusammen, als wären seine Fäden durchtrennt worden.

In meinen Ohren klingelte es zum zweiten Mal an diesem Nachmittag, als ich zu Jacobsen stürzte. Sie war gegen den Türrahmen gesackt und hatte ihre Waffe noch immer starr auf Kyle gerichtet. Ihr Gesicht war kreideweiß, während sich auf ihrem Sakko ein dunkler, glitzernder Fleck ausbreitete, der schnell größer wurde. Sie war auf der linken Seite zwischen Hals und Schulter getroffen worden.

Sie blinzelte. «Ich bin … Ich glaube …»

«Setzen Sie sich. Und reden Sie nicht.»

Ich schaute mich kurz zu Gardner um, der reglos am Boden lag, während ich ihre Jacke aufriss. Ich konnte nicht erkennen, ob er atmete, aber Jacobsens Zustand war ernster. Wenn die Kugel eine Arterie getroffen hatte, könnte sie innerhalb von Sekunden verbluten. Von der Treppe und aus dem Gang waren hektische Schritte zu hören, aber ich achtete nicht weiter darauf. Nachdem ich ihr das Sakko von der verletzten Schulter gezogen hatte und sah, wie sehr sich ihre weiße Bluse mit Blut getränkt hatte, hielt ich den Atem an. Dann stürmten Gestalten durch die Tür, und der ganze Raum wurde von ihren Rufen erfüllt.

«Schnell, wir brauchen …», begann ich, wurde aber sofort von Jacobsen weggerissen und mit dem Gesicht nach unten zu Boden gestoßen. *Um Gottes willen!* Als ich mich aufrichten wollte, schlug mir jemand mit voller Wucht zwischen die Schulterblätter.

«Liegen bleiben!», brüllte eine Stimme.

Ich schrie, dass die Zeit drängte, aber niemand hörte mir zu. Alles, was ich von meiner Position aus sehen konnte, war ein Gewirr aus Füßen.

Eine Ewigkeit schien zu vergehen, ehe ich erkannt wurde und man mich auf die Beine zog. Wütend schüttelte ich die helfenden Hände ab. Neben Gardner, der in die stabile Seitenlage gedreht worden war, hockten ein paar Leute. Er war noch bewusstlos, aber ich konnte sehen, dass er wenigstens atmete. Ich drehte mich zu Jacobsen um, die von zwei Agenten versorgt wurde. Sie hatten ihr die Bluse von Hals und Schulter gezogen. Ihr weißer Sport-BH hatte sich dunkelrot verfarbt. Sie hatte so viel Blut verloren, dass ich die Wunde nicht erkennen konnte.

«Ich bin Arzt, lassen Sie mich nachschauen», sagte ich und kniete mich neben sie.

Jacobsens Pupillen hatten sich durch den Schock erweitert. Ihre grauen Augen sahen jung und verängstigt aus.

«Ich dachte, Sie würden mit Dan sprechen …»

«Schon in Ordnung.»

«Der … der Krankenwagen war nur eine halbe Meile entfernt, deshalb bin ich zurückgekommen. Ich wusste, dass etwas nicht stimmt …» Sie war kaum zu verstehen. «York hatte keine Fotos aus seinem Haus mitgenommen. Seine

Eltern, seine ganze Vergangenheit. Er hätte sie nicht einfach dagelassen …»

«Sprechen Sie jetzt nicht.»

Mit Erleichterung sah ich die blutgefüllte Furche in ihrem Trapezmuskel, der zwischen Hals und Schulter verläuft. Die Kugel hatte die Oberseite des Muskels aufgerissen, ihn aber nicht ernsthaft beschädigt. Ein paar Zentimeter tiefer oder weiter rechts, und es wäre wesentlich schlimmer ausgegangen.

Doch sie verlor unaufhörlich Blut. Ich rollte ihre Bluse zusammen und wollte sie gerade auf die Wunde drücken, als ein weiterer Agent mit einem Erste-Hilfe-Koffer heranstürmte.

«Zur Seite», verlangte er von mir.

Ich trat zurück, um ihm Platz zu machen. Er riss eine sterile Mullbinde auf und presste sie so stark auf die Wunde, dass Jacobsen aufstöhnte. Dann begann er, den Verband fachmännisch festzukleben. Da er offensichtlich wusste, was er tat, ging ich hinüber zu Gardner. Er war noch immer bewusstlos, was kein gutes Zeichen war.

«Wie geht es ihm?», fragte ich die Beamtin, die neben ihm kniete.

«Schwer zu sagen», entgegnete sie. «Die Sanitäter sind unterwegs, aber wir hatten nicht damit gerechnet, welche zu benötigen. Was zum Teufel ist hier eigentlich passiert?»

Mir fehlte die Energie, um zu antworten. Ich wandte mich zu Kyle um, der ausgestreckt auf dem Rücken lag. Seine Brust und sein Bauch waren mit Blut getränkt, und seine Augen starrten reglos an die Decke.

«Machen Sie sich keine Mühe, der ist tot», sagte die Beamtin, als ich mich bückte, um seinen Puls zu fühlen.

Aber das war er nicht, jedenfalls noch nicht ganz. Unter der Haut pochte es kaum wahrnehmbar. Ich ließ meine

Finger auf seinem Hals liegen und schaute ihm in die geöffneten Augen, während sein Herz die letzten unregelmäßigen Schläge machte. Sie wurden schwächer und die Abstände immer größer, bis sie schließlich ganz aufhörten.

Wenn etwas in seinen Augen zu sehen gewesen war, dann war es mir entgangen.

«Sie sind verletzt.»

Die Beamtin, die neben Gardner kniete, schaute auf meine Hand. Ich sah, dass sie mit Blut verschmiert war. Wahrscheinlich hatte ich mich an der Spiegelscherbe geschnitten, obwohl ich mich nicht daran erinnern konnte. Der Schnitt hatte meine Handinnenfläche quer über die bereits existierende Messernarbe wie einen Mund aufgeschlitzt, aus dessen Lippen das Blut quoll.

Bis zu diesem Augenblick hatte ich nichts gespürt, doch jetzt begann die Hand heftig zu brennen und zu pochen.

Ich ballte sie zu einer Faust. «Ich werde es überleben.»

EPILOG

In London regnete es. Nach dem strahlenden Sonnenschein und den grünen Bergen Tennessees wirkte England grau und trübe. Die U-Bahn war wegen des abendlichen Berufsverkehrs vollgestopft mit erschöpften und missmutigen Pendlern. Ich blätterte durch die Zeitung, die ich mir am Flughafen gekauft hatte, und kam mir irgendwie fehl am Platz vor, als ich über Ereignisse las, die während meiner Abwesenheit stattgefunden hatten. Wenn man nach einer langen Reise nach Hause kommt, hat man immer das Gefühl, wie bei einer Zeitreise ein paar Wochen in die Zukunft verpflanzt worden zu sein.

Das Leben war ohne mich weitergegangen.

Der Taxifahrer war ein höflicher Sikh, der sich damit begnügte, schweigend zu fahren. Ich starrte hinaus auf die frühabendlichen Straßen und fühlte mich nach dem langen Flug schmuddelig und müde. Als wir in meine Straße einbogen, kam sie mir irgendwie fremd vor. Es dauerte einen Moment, ehe mir der Grund dafür klar wurde. Die Äste der Linden, die bei meiner Abreise noch fast kahl gewesen waren, bogen sich nun unter einer üppigen Blätterpracht.

Der Regen war zu einem Nieseln geworden und überzog den Gehweg mit einem dunklen Glanz, als ich ausstieg und den Fahrer bezahlte. Ich nahm mein Gepäck und trug es zur Haustür, stellte es ab und dehnte meine Hand. Vor ein paar

Tagen hatte ich den Verband abgenommen, aber sie war immer noch etwas empfindlich.

Als ich die Tür aufschloss, hallte das Geräusch des Schlüssels in der kleinen Diele wider. Obwohl ich vor der Abreise eine Postlagerung beantragt hatte, lag ein einsamer Haufen aus Flugblättern und Reklamezetteln auf den schwarzweißen Fliesen. Ich schob ihn mit einem Fuß beiseite, trug das Gepäck hinein und schloss die Tür hinter mir.

Die Wohnung hatte sich, abgesehen von der Staubansammlung mehrerer Wochen, während meiner Abwesenheit nicht verändert. Ich verharrte einen Moment vor der Tür und schaute mich in der Leere um. Aber sie traf mich nicht so schlimm, wie ich gedacht hatte.

Ich ließ den Koffer stehen, stellte die Reisetasche auf den Tisch und fluchte, als ein lautes Klirren mich an deren Inhalt erinnerte. Ich öffnete den Reißverschluss und rechnete schon damit, dass mir der Dunst von ausgelaufenem Alkohol entgegenströmen würde, aber es war nichts kaputtgegangen. Ich stellte die eigentümlich geformte Flasche, auf deren Korken das winzige Pferd mit Jockey thronte, auf den Tisch. Ich spielte kurz mit dem Gedanken, sie gleich zu öffnen, aber es war noch zu früh. Darauf konnte ich mich später freuen.

Ich ging in die Küche. Die Wohnung war etwas ausgekühlt, was mich daran erinnerte, dass ich, Frühling oder nicht, zurück in England war. Ich schaltete die Zentralheizung ein und setzte dann den Wasserkessel auf.

Ich hatte seit Wochen keinen Tee mehr getrunken.

Mein Anrufbeantworter blinkte. Ich hatte über zwei Dutzend Nachrichten erhalten. Ich wollte sie automatisch abhören, überlegte es mir dann aber anders. Wer mich dringend hätte erreichen wollen, hätte mich auf meinem Handy angerufen.

Außerdem würde sowieso keine Nachricht von Jenny dabei sein.

Ich machte mir einen Becher Tee und ging damit zum Esstisch. In der Mitte stand eine leere Obstschale, in der nur ein kleiner Zettel lag. Als ich ihn herausnahm, sah ich, dass es eine Notiz war, die ich vor der Abreise gemacht hatte: *Tom Ankunftszeit mitteilen.*

Ich knüllte ihn zusammen und ließ ihn wieder in die Schale fallen.

Schon jetzt konnte ich spüren, wie mein altes Leben wieder Besitz von mir ergriff. Die Zeit in Tennessee schien Ewigkeiten her zu sein; die Erinnerung an den sonnendurchfluteten Garten voller Libellen und Leichen und an die schrecklichen Szenen im ehemaligen Sanatorium war so unwirklich wie ein Traum. Aber es war alles andere als ein Traum gewesen.

Einundvierzig Leichen waren in Cedar Heights gefunden worden; siebenundzwanzig auf dem Grundstück, der Rest im Bad und in den Behandlungszimmern. Kyle hatte keine Unterschiede gemacht. Seine Opfer waren eine wahllose Mischung aller Altersklassen, Geschlechter und Ethnien. Manche waren seit fast zehn Jahren tot, und ihre Identifizierung war noch nicht abgeschlossen. Die Brieftaschen und Kreditkarten, die er aufgehoben hatte, beschleunigten diese Arbeit ein wenig, aber es war schnell klar geworden, dass es mehr Leichen als Ausweispapiere gab. Viele seiner Opfer waren Landstreicher und Prostituierte gewesen, deren Verschwinden nur selten bemerkt, geschweige denn gemeldet worden war.

Wenn Kyle sich nicht hätte beweisen wollen, hätte er ewig weitermachen können.

Aber nicht alle Opfer waren anonym. Irvings Leiche war in dem gleichen Raum gefunden worden, in dem auch

Summer gelegen hatte, und unter den Namen, die bereits identifiziert worden waren, stachen drei hervor. Einer davon war Dwight Chambers. Seine Leiche war im Bad gefunden worden, während sein Portemonnaie und sein Führerschein in dem Haufen in der Küche des Sanatoriums gelegen hatten und Yorks Aussage von dem Zeitarbeiter bestätigten, den er in Steeple Hill angestellt hatte.

Der zweite Name, der die Alarmglocken läuten ließ, war Carl Philips, ein sechsundvierzig Jahre alter paranoider Schizophrener, der mehr als ein Jahrzehnt zuvor aus einer staatlichen Psychiatrieklinik verschwunden war. Seine Überreste waren nicht nur die ältesten, die im Sanatorium gefunden worden waren, sein Großvater war zudem der Gründer von Cedar Heights gewesen. Philips hatte den heruntergekommenen Besitz geerbt, sich aber nie um eine Sanierung gekümmert. Die Anlage hatte brachgelegen und war vergessen worden, bewohnt allein von Termiten und Libellen.

Bis Kyle sie für seine Zwecke entdeckt hatte.

Aber es war der dritte Name, der die größte Verwirrung auslöste. Es handelte sich um einen neunundzwanzig Jahre alten Assistenten eines Leichenschauhauses aus Memphis, dessen ausgeblichener Führerschein auf der Kommode unter den Fotografien der Opfer gelegen hatte. Seine Überreste waren aus dem Unterholz am Teich geborgen und anhand zahnärztlicher Unterlagen eindeutig identifiziert worden.

Sein Name war Kyle Webster.

«Er ist seit achtzehn Monaten tot», erzählte mir Jacobsen, als ich sie anrief, nachdem ich aus den Fernsehnachrichten davon erfahren hatte. «Man wird klären müssen, wie ein Betrüger eine Anstellung im Leichenschauhaus bekommen konnte, aber gerechterweise muss man sagen, dass seine Bewerbungsunterlagen und Referenzen echt waren. Außerdem war die Ähnlichkeit mit dem wahren Webster groß genug, um jeden zu täuschen, der sich nur auf alte Fotos beziehen konnte.»

Das passte letztlich zu allem anderen, was er getan hatte. Der Mann, den wir als Kyle Webster gekannt hatten, hatte seine Freude an Täuschungsmanövern gehabt. Deshalb war es im Grunde keine Überraschung, dass er genauso leicht in das Leben eines seiner Opfer geschlüpft war wie in die Haut, die von ihren Händen abgefallen war.

«Wenn er nicht Kyle Webster war, wer war er dann?», fragte ich.

«In Wirklichkeit hieß er Wayne Peters. Er war einunddreißig Jahre alt und stammte ursprünglich aus Knoxville, hat aber zuerst in Nashville und dann in Sevierville als Assistent in Leichenschauhäusern gearbeitet, bis er vor zwei Jahren von der Bildfläche verschwand. Aber besonders interessant ist seine Jugend. Sein Vater war unbekannt, und seine Mutter starb, als er noch ein Baby war, sodass er von Tante und Onkel großgezogen wurde. Nach allem, was man hört, war er ein äußerst kluges Kind und ziemlich gut in der Schule. Er wollte sogar Medizin studieren. Aber dann ist alles schiefgegangen. Als er siebzehn war, hat er offenbar das Interesse verloren, wie die Schulzeugnisse zeigen. Er hat die nötigen Abschlüsse sausenlassen und schließlich im Familienbetrieb gearbeitet, bis der nach dem Tod des Onkels in Konkurs ging.»

«Familienbetrieb?»

«Sein Onkel hatte ein kleines Schlachthaus. Sie waren auf Schweinefleisch spezialisiert.»

Ich schloss die Augen. *Schweine.*

«Seine Tante war seine letzte verbliebene Angehörige, und sie starb vor einigen Jahren», fuhr Jacobsen fort. «Eines natürlichen Todes, soweit wir wissen. Aber Sie können sich wahrscheinlich vorstellen, wo sie und sein Onkel beerdigt wurden.»

Es konnte nur einen Ort geben.

Steeple Hill.

Jacobsen gab mir noch eine weitere Information. Aus Wayne Peters' medizinischen Unterlagen ging hervor, dass ihm als Jugendlichem die Polypen entfernt worden waren. Die Operation war zwar erfolgreich gewesen, aber das wiederholte Ausbrennen hatte eine Anosmie verursacht. Für die Mordfälle hatte sie keine Bedeutung, es beantwortete jedoch die Frage, die Gardner im Bad von Cedar Heights gestellt hatte.

Wayne Peters hatte keinen Geruchssinn.

Noch lief die Ermittlung im Sanatorium, für die das gesamte Grundstück umgegraben wurde, um sicherzustellen, dass nicht noch mehr Leichen verborgen waren. Doch meine eigene Rolle dort hatte sich nach dem ersten Tag erschöpft. Schon da hatten sich nicht nur weitere Mitarbeiter der Body Farm an den Arbeiten beteiligt, das Ausmaß der Ermittlung hatte es auch erfordert, dass die regionale Abteilung des Katastrophenschutzes hinzugezogen wurde, die dafür ausgerüstet war, vor Ort Untersuchungen und Autopsien durchzuführen. Weniger als vierundzwanzig Stunden nachdem Paul und ich durch den Zaun geklettert waren, herrschte in dem ehemaligen Sanatorium und auf dem Grundstück hektische Betriebsamkeit.

Man hatte mir höflich für meine Hilfe gedankt und gesagt, dass man sich bei mir melden würde, wenn meine Anwesenheit trotz der Aussage, die ich bereits abgegeben hatte, erforderlich war. Als ich an den zahllosen Fahrzeugen der Fernsehanstalten und Presseleute vorbeigefahren worden war, die vor den Toren des Sanatoriums Stellung bezogen hatten, hatte ich sowohl Erleichterung als auch Bedauern empfunden. Es kam mir falsch vor, eine Ermittlung auf diese Weise zu verlassen. Aber dann erinnerte ich mich daran, dass es im Grunde nicht meine Ermittlung war.

Sie war es nie gewesen.

Ich war darauf vorbereitet gewesen, meinen Aufenthalt in Tennessee entweder bis zu Toms Gedenkfeier auszudehnen oder später dafür zurückzukommen. Aber am Ende war beides nicht nötig gewesen. Da Tom ungeachtet der Faktoren, die dazu beigetragen hatten, im Krankenhaus eines natürlichen Todes gestorben war, hatte man auf eine Untersuchung verzichtet. Ich war Marys wegen froh, obwohl dadurch das Gefühl zurückblieb, eine Sache nicht zu Ende geführt zu haben. Aber bei welchem Tod war das anders?

Tom war nicht beerdigt worden, denn er hatte seine Leiche der medizinischen Forschung gestiftet. Allerdings nicht der Body Farm. Das wäre für seine Kollegen zu verstörend gewesen. Mary hatte die Trauerfeier würdevoll und ohne Tränen an der Seite eines pummeligen Mannes mittleren Alters überstanden. Es hatte eine Weile gedauert, ehe mir klar geworden war, dass der Mann in dem teuren Anzug ihr Sohn war. Er wirkte leicht gereizt und ungeduldig, so als hätte er wichtigere Dinge zu tun, und hatte einen schlaffen Händedruck, wie ich merkte, als ich ihm hinterher vorgestellt wurde.

«Sie arbeiten in der Versicherungsbranche, nicht wahr?», fragte ich.

«Eigentlich bin ich Versicherungsagent.» Mir war der Unterschied nicht ganz klar, aber es schien mir eine Nachfrage nicht wert zu sein. Ich unternahm einen neuen Versuch, mit ihm ins Gespräch zu kommen.

«Wie lange bleiben Sie in der Stadt?»

Er schaute auf seine Uhr und runzelte die Stirn, als wäre

er bereits zu spät dran. «Ich fliege heute Nachmittag zurück nach New York. Ich musste ein paar Meetings verschieben. Diese Sache kam wirklich ziemlich ungelegen.»

Ich erinnerte mich daran, dass er trotz allem Toms und Marys Sohn war, und verkniff mir eine Bemerkung. Als ich weiterging, schaute er schon wieder auf seine Uhr.

Sowohl Gardner als auch Jacobsen hatten an der Feier teilgenommen. Jacobsen war bereits wieder im Dienst, der Verband war unter ihrem Sakko nicht zu sehen. Gardner dagegen war noch krankgeschrieben. Da er so lange im Würgegriff gehalten worden war, hatte er eine transitorische ischämische Attacke erlitten, einen Mini-Schlaganfall. Er hatte eine leichte Störung des Sprechvermögens und eine halbseitige Lähmung davongetragen, beides war aber nicht von Dauer. Als ich ihn sah, schien er keine Nachwirkungen mehr zu haben. Nur die Furchen in seinem Gesicht waren tiefer geworden.

«Mir geht's gut», sagte er etwas steif, nachdem ich mich nach seinem Befinden erkundigt hatte. «Es gibt keinen Grund dafür, dass ich noch nicht wieder arbeiten darf. Verfluchte Ärzte.»

Jacobsen sah so tadellos und unnahbar aus wie immer. Wenn sie ihren linken Arm nicht ein wenig geschont hätte, wäre niemand auf die Idee gekommen, dass sie angeschossen worden war.

«Ich habe gehört, dass sie eine Auszeichnung erhalten soll», sagte ich zu Gardner, während sie Mary kondolierte.

«Das wird gerade geprüft.»

«Wenn es nach mir ginge, hätte sie sie verdient.»

Er taute ein wenig auf. «Wenn es nach mir ginge, auch.»

Als ich Jacobsen betrachtete, die ernst mit Mary sprach, fiel mir wieder auf, wie attraktiv sie war. Gardner räusperte sich.

«Diane hat eine schwere Zeit hinter sich. Ihre Beziehung ist letztes Jahr in die Brüche gegangen.»

Es war das erste Mal, dass ich etwas Privates über sie erfuhr. Ich war überrascht, dass er mir diese Information anvertraute.

«War er auch ein TBI-Agent?»

Gardner wischte etwas vom Revers seines zerknitterten Jacketts.

«Nein. Sie war Anwältin.»

Bevor sie gingen, verabschiedete sich Jacobsen von mir. Ihr Handgriff war kräftig, die Haut trocken und warm. Ihre grauen Augen schienen mich ein wenig freundlicher anzusehen als sonst, aber vielleicht bildete ich mir das nur ein. Dann ging sie elegant und athletisch neben dem zerknautschten Gardner zurück zu ihrem Wagen. Es war das letzte Mal, dass ich sie gesehen habe.

Die Trauerfeier war einfach gehalten und bewegend. Statt Kirchenlieder zu singen, wurde nur am Anfang und am Ende jeweils eins von Toms liebsten Jazzstücken gespielt: *My Funny Valentine* in der Version von Chet Baker und Dave Brubecks *Take Five*. Ich hatte lächeln müssen, als ich die Musik gehört hatte. Dazwischen hatten Freunde und Kollegen Reden gehalten, einmal wurde die feierliche Stimmung jedoch von einem schreienden Baby durchbrochen. Thomas Paul Avery hatte sich trotz aller Bemühungen seiner Mutter nur schwer beruhigen lassen.

Niemand hatte sich daran gestört.

Der Kleine war kurz nach Sams Eintreffen im Krankenhaus vollkommen gesund geboren worden und hatte sofort seine Verärgerung über die Welt herausgebrüllt. Am Anfang hatte Sams Blutdruck den Ärzten Sorgen bereitet, nach der Geburt hatte er sich jedoch mit bemerkenswerter Geschwindigkeit

wieder normalisiert. Nach zwei Tagen war sie nach Hause zurückgekehrt, noch immer blass und mit tiefliegenden Augen,
wie ich bei meinem Besuch gesehen hatte, aber ohne sicht-
bare Nachwirkungen ihrer schrecklichen Erlebnisse.

«Es kommt mir jetzt wie ein schlechter Traum vor», sagte
sie, nachdem Thomas, den sie gerade gestillt hatte, eingeschla-
fen war. «Als wäre ein Vorhang davorgezogen worden. Paul
hat Angst, dass ich es nur verdränge, aber das stimmt nicht.
Es ist eher so, als wenn das, was danach passiert ist, wichtiger
ist, verstehst du?» Sie hatte das verschrumpelte, rosafarbene
Gesicht ihres Sohnes betrachtet, schaute mich dann aber mit
einem so offenen Lächeln an, dass es mir das Herz brach.
«Das Schlimme spielt irgendwie keine Rolle mehr. Das Gute
hat alles andere weggewischt.»

Paul fiel es offenbar am schwersten, mit den Ereignissen
fertig zu werden. In den Tagen danach wirkte er häufig in sich
versunken. Man musste kein Psychologe sein, um zu wissen,
dass er die Schrecken nacherlebte und noch immer entsetzt
darüber war, was alles hätte geschehen können, wenn wir
nicht in letzter Sekunde gekommen wären. Doch sobald er
bei seiner Frau und seinem Sohn war, heiterte sich sein Gesicht auf. Es war noch etwas früh, aber als ich die drei zusammen gesehen hatte, war ich mir sicher, dass die Wunden
heilen würden.

Mit der Zeit heilen sie immer.

Mein Tee war kalt geworden. Ich stand seufzend auf und
ging zum Telefon, um die Nachrichten abzuhören.

*«Dr. Hunter, Sie kennen mich nicht, aber ich habe Ihre
Nummer von Detective Superintendent Wallace erhalten.
Mein Name ist ...»*

Der Rest wurde von der Türklingel übertönt. Ich hielt das
Band an und ging zur Tür. Das letzte Tageslicht erfüllte die

kleine Diele mit einem goldenen Schimmer. Als ich an die Türklinke griff, überkam mich plötzlich ein Déjà-vu-Gefühl. *Eine junge Frau mit Sonnenbrille steht draußen in der Abendsonne. Ihr Lächeln wird zu einem Zähnefletschen, als sie in ihre Tasche greift und das Messer herauszieht ...*

Ich schüttelte den Kopf und verscheuchte die Bilder. Ich straffte die Schultern, entriegelte die Tür und riss sie auf.

Eine ältere Frau strahlte mich an. «Ach, Dr. Hunter, Sie sind es! Ich hatte Geräusche gehört und wollte mich nur vergewissern, dass alles in Ordnung ist.»

«Alles bestens, danke, Mrs. Katsoulis.» Meine Nachbarin wohnte in der Wohnung über mir. Vor der Attacke im vergangenen Jahr hatte ich kaum mit ihr gesprochen, aber seitdem fühlte sie sich zur Wachsamkeit berufen. Mit all ihren hundertfünfzig Zentimetern.

Sie schien noch etwas auf dem Herzen zu haben und spähte durch die Diele ins Wohnzimmer, wo meine Taschen darauf warteten, ausgepackt zu werden.

«Ich habe Sie eine ganze Weile nicht gesehen. Haben Sie sich einen schönen Urlaub gegönnt?»

Sie starrte erwartungsvoll zu mir hoch. Ich merkte, wie mein Mund zuckte, und musste ein Lachen unterdrücken.

«Ich war nur beruflich unterwegs», sagte ich. «Aber jetzt bin ich wieder hier.»

DANKSAGUNG

Leichenblässe ist ein Roman, die *Anthropology Research Facility* in Tennessee existiert jedoch im Wesentlichen so, wie sie dargestellt wird. Mein Dank gilt deshalb Professor Richard Jantz, dem Direktor des Instituts für Forensische Anthropologie in Knoxville, für die Erlaubnis, das Institut zum Schauplatz meines Romans zu machen, sowie für seine Hilfe in technischen Dingen. Dr. Arpad Vass hat meine Fragen wie immer schnell beantwortet und großzügig sein Forschungsgebiet Tom Lieberman geliehen. Kristin Helm von der Pressestelle des Tennessee Bureau of Investigation war eine Quelle wertvoller Informationen.

Dank an meine Agenten Mic Cheetham und Simon Kavanagh, an Camilla Ferrier und alle Mitarbeiter der Marsh Agency, an Simon Taylor und das Team von Transworld, an Caitlin Alexander von Bantam Dell, an Peter Dench, Jeremy Freeston, Ben Steiner und SCF. Außerdem möchte ich meiner Schwester Julie und Jan Williams danken, ohne die das Schreiben dieses Buches mit Sicherheit wesentlich länger gedauert hätte: Als jemand, der nun vollständig vom chronischen Erschöpfungssyndrom geheilt ist, kann ich jedem, der darunter leidet, den «Lightning Process» empfehlen.

Schließlich, wie immer, ein riesiger Dank an meine Frau Hilary. Ohne sie hätte ich es nie geschafft.

Simon Beckett, 2008

Jilliane Hoffman
Cupido

Der Albtraum jeder Frau: Du kommst abends in dein Apartment. Du bist allein. Alles scheint wie immer, nur ein paar Kleinigkeiten lassen dich stutzen. Du gehst schlafen. Und auf diesen Moment hat der Mann, der unter deinem Fenster lauert, nur gewartet ...
rororo 23966

«Knallhart gut.»
Der «Stern» über «Cupido»

P. J. Tracy
Der Köder

Nach dem Überraschungserfolg von «Spiel unter Freunden», das von Lesern und Kritikern mit Lob überhäuft wurde: «Ebenso spannend wie unterhaltsam. Ein witziger, gelungener Thriller, der den Leser von der ersten Seite an fesselt.» *(Publishers Weekly)*
rororo 23811

Kate Pepper
5 Tage im Sommer

Auf einem Supermarktparkplatz verschwindet eine junge Mutter. Vor sieben Jahren wurde eine andere Frau entführt, kurz darauf verschwand ihr siebenjähriger Sohn. Und tauchte nie wieder auf. Im Gegensatz zu seiner Mutter.
rororo 23777

Weitere Informationen in der Rowohlt Revue *oder unter* www.rororo.de